Object, direct. 1. An object noun or noun-group which follows the verb directly (without introductory preposition). 2. The pronoun object of such a verb.

Object, indirect. The pronoun object of a verb which requires à to introduce a *noun* object. Forms differ from direct object only for the third person non-reflexive (**lui, leur** for persons; **y** for things).

Partitive *de*. Meaning: *some, an unspecified amount of.* Contained in the nonspecifying determiners **du, de la, des;** but may also be used with a specifying determiner (**Il m'a donné de son argent** *He gave me some of his money*).

Passé antérieur. A literary compound tense formed with the **passé simple** of the auxiliary + the past participle of the verb concerned. See Appendix D.

Passé composé. A compound tense formed with the present of the auxiliary + the past participle of the verb concerned. Referred to in English as the *past indefinite.*

Passé simple. A literary past tense referred to in English as the *past definite.* See Appendix D.

Passive. 1. A sentence in which the subject is not the agent, but the receiver of the action. 2. The verb of such a sentence (constructed with the appropriate tense of **être** + the past participle of the verb concerned).

Plus-que-parfait. The pluperfect tense (imperfect of the auxiliary + the past participle of the verb concerned).

Reflexive pronoun. An object pronoun referring to the same person as the subject of the sentence (forms: **me, te, nous, vous, se**).

Reflexive verb. 1. Strictly speaking, a verb which can be used only reflexively (**se souvenir, s'écrier**). 2. Any verb when it has a reflexive object pronoun.

Relative. 1. A clause modifying either a noun, a noun replaced by **celui**, a stressed personal pronoun, or neuter **ce.** 2. The pronoun which introduces such a clause.

Transitive. A term used for verbs which can take an object (**regarder qqch., parler à qqn**), although many transitive verbs can also be used *intransitively* (without an object): **Regardez! Parlez!** An *intransitive* verb is one which can never take an object (**entrer, marcher**).

Verb-group. A verb in a simple tense, a compound tense, or the infinitive construction, plus any of the following: modifiers, including negation; subject pronoun; object pronouns. Frequently a verb-group is an entire sentence.

INTERMEDIATE CONVERSATIONAL FRENCH

INTERMEDIAT

AMERICAN BOOK COMPANY   *New York*

passe compose
c'est , il est
Partif.
Le pauvre + le rôtisseur

CONVERSATIONAL FRENCH

le FUTURE
conditional

venir de) Present
l'imp-
erative

aller + inf.

HENRY W. DECKER *University of California*

FOREWORD

The author's assumption is simply this: that in a second-year French course, class time can more profitably be spent speaking French than talking about it. At this level, a student's control of grammar must be active, and such control comes only through repeated aural-oral experience. To be firmly grasped, it is not sufficient for a construction to be understood; it must be *used* in a variety of situations and with flexibility of vocabulary.

Hence the *conversations* which are the core of this book and which open each chapter. It will be clear, however, that these are "conversations" only in the sense that each question and answer suggests a normal conversational exchange. Their primary aim is not to develop the vocabulary pertinent to a series of specific contexts; it is to fix the grammatical patterns essential to verbalizing any situation.

What remains constant throughout a given *conversation,* therefore, is not a topic of discussion or a narrative thread, but a single grammatical pattern. The principle of language learning followed is that of *analogic formation.* Each problem is presented functionally around a model question and answer. The student is then asked to pattern after the model answer his own responses to further questions. His task is to understand a grammatical construction or distinction in one context, then apply it, by analogy, to new verbal situations. Controlled practice is afforded in the *conversations,* but the instructor may always continue extemporaneously with vocabulary drawn from current class reading and discussion.

Often the models of the *conversations* will be self-explanatory, but full analyses follow in the sections entitled *Explications.* The *explications* are numbered to correspond to the *conversations,* so that an assignment of less than an entire chapter can conveniently be made. Any instructor will be pleased not to be bound to assignments equal in length to chapters. Classes vary widely in what they can do, and instructors in what they want to do, for a given day. One or more *conversations*, with *explications*, could be assigned along with work in a reader. Separate *conversations* also afford easily assigned review of something covered earlier that needs refreshing.

The *exercices* afford rapid oral drill of grammatical forms, while the *compositions* develop oral or written translation from English into French. Verb forms and verb constructions are stressed throughout. The construction required by each verb is indicated, for easy reference, in the vocabulary. Assignments of *verbes à repasser* accompany most of the chapters.

H. W. D.

CONTENTS

UNIT 1 Basic Verb Patterns

UNIT 1   BASIC VERB PATTERNS

CHAPTER 1

CONVERSATIONS

Parlons d'abord, avant de discuter la grammaire. C'est bien simple; vous n'avez qu'à suivre les modèles.

1a *Le professeur pose une question à la classe. Un étudiant répond pour la classe, à l'affirmatif:*

MODÈLE

A	B
Parlez-vous un peu français?	Oui, nous parlons un peu français.

Vous avez entendu la question du professeur, vous avez observé comment répond l'étudiant. Voici d'autres questions que votre professeur vous posera. Préparez pour chacune une réponse d'après le modèle:

1. Aimez-vous l'étude des langues? 2. Continuez-vous votre étude du français? 3. Tenez-vous à mieux parler français? 4. Voulez-vous perfectionner votre prononciation? 5. Apprenez-vous assez vite? 6. Étudiez-vous bien? 7. Allez-vous travailler dur? 8. Assistez-vous à toutes les classes? 9. Écoutez-vous bien mes questions? 10. Répondez-vous sans hésitation?

1b *Même situation, mais cette fois l'étudiant répond au négatif:*

3

MODÈLE

A	B
Parlez-vous couramment?	**Non, nous ne parlons pas couramment.**

1. Venez-vous tous de France? 2. Voyez-vous souvent des films français? 3. Voyagez-vous chaque été en Europe? 4. Connaissez-vous à fond la vie française? 5. Lisez-vous aussi vite en français qu'en anglais? 6. Pouvez-vous tout dire en français? 7. Savez-vous toute la grammaire? 8. Écrivez-vous sans faire de fautes? 9. Mais vous n'oubliez pas votre français de base? 10. Craignez-vous les examens?

2a *Le professeur indique quelque chose qu'il veut faire. L'étudiant lui dit de le faire, alors:*

MODÈLE

A	B
Je veux parler français.	**Alors, parlez français.**

1. En classe, je ne veux parler que le français. 2. Mais je préfère parler assez vite. 3. Je veux continuer un peu cet exercice. 4. Je veux écouter votre prononciation. 5. Il y a du tapage (*commotion*) dans le couloir, je veux fermer la porte. 6. Il fait sombre (*dark*) dans cette salle, je veux allumer les lampes. 7. Il fait si chaud ici que je voudrais ôter mon veston. 8. Maintenant je veux passer à l'exercice suivant.

2b *Montrez que vous êtes d'accord avec votre professeur, en suggérant qu'on fasse ensemble (ou qu'on ne fasse pas) ce qu'il indique:*

MODÈLES

A	B
Je veux causer un peu.	**Moi aussi; causons un peu.**
Mais je ne veux pas parler anglais.	**Moi non plus; ne parlons pas anglais.**

1. J'aimerais parler de la France. 2. Mais je n'aime pas parler politique. 3. Je voudrais regarder un moment la carte murale. 4. Quant à moi, je préfère regarder par la fenêtre. 5. Il fait trop chaud cet après-midi, je ne veux pas jouer au tennis. 6. J'aimerais mieux plonger dans la piscine. 7. J'ai envie d'allumer une cigarette. 8. Pourtant je ne voudrais pas fumer dans la salle de classe. 9. A vrai dire, j'ai faim; je veux chercher quelque chose de bon à manger. 10. Maintenant je veux terminer cet exercice.

3 *Le professeur pose une question, non plus à la classe, mais à un seul étudiant:*

MODÈLES

A	B
Parlez-vous français?	**Oui, je parle français.**
Parlez-vous russe?	**Non, je ne parle pas russe.**

Répondez à l'affirmatif ou au négatif, selon le cas:
1. Habitez-vous près d'ici? 2. Demeurez-vous avec d'autres étudiants? 3. Louez-vous une chambre meublée (*furnished*)? 4. Trouvez-vous votre chambre assez agréable? 5. Étudiez-vous pour la plupart chez vous? 6. Préparez-vous vos propres repas? 7. Gagnez-vous votre propre vie? 8. Ménagez-vous bien votre argent? 9. Rangez-vous votre chambre avant de partir le matin? 10. Quittez-vous la maison de bonne heure? 11. Passez-vous parfois la soirée au cinéma? 12. Jouez-vous au bridge? 13. Jouez-vous du piano? 14. Aimez-vous la musique? 15. Portez-vous un chapeau les jours qu'il fait froid?

4a *Même situation, mais en employant d'autres verbes:*
1. Lisez-vous le français? 2. Traduisez-vous bien de français en anglais? 3. Réfléchissez-vous avant de répondre en français? 4. Suivez-vous les cours qui vous plaisent? 5. Remplissez-vous bien votre temps à l'université? 6. Finissez-vous vos devoirs avant de vous coucher le soir? 7. De temps à autre, sortez-vous une jeune fille? 8. Parfois, perdez-vous votre temps à ne rien faire? 9. Mettez-vous des heures à étudier le français?

10. Dormez-vous huit heures au moins? 11. Parfois, remettez-vous un devoir à un autre jour? 12. Écrivez-vous beaucoup de compositions? 13. Écrivez-vous à la machine? 14. Cousez-vous (*do you sew*) à la machine? 15. Voici mon auto; conduisez-vous? 16. Connaissez-vous Paris? 17. Partez-vous pour Paris? 18. Répondez-vous franchement à toutes mes questions? 19. Mentez-vous lorsqu'on vous demande votre âge?

4b *Au cours d'une conversation, Monsieur A dit, par exemple, qu'il parle chinois mais qu'il ne parle pas anglais. Monsieur B montre qu'il en est tout à fait étonné:*

MODÈLES

A	B
Je parle un peu chinois.	Comment, vous parlez chinois?
Je ne parle pas anglais.	Comment, vous ne parlez pas anglais?

Sur ce que dit ici monsieur A, commentez à la façon de monsieur B:

1. Je ne joue jamais aux cartes. 2. Mais je joue du violon. 3. Je ne fume plus. 4. Je déteste le goût du tabac. 5. Je n'aime pas ce restaurant. 6. Je trouve la cuisine très mauvaise ici. 7. Tout de même, je choisis le poisson. 8. A propos, je quitte ma pension lundi prochain. 9. C'est décidé, je déménage (*I'm moving*). 10. C'est qu'il y a trop de tapage dans cette maison. 11. Souvent je passe la nuit à étudier. 12. Je finis toujours tous mes devoirs. 13. Je ne dors que quatre heures. 14. En tout cas, je pars bientôt en vacances. 15. Je mens. 16. Je ne rougis jamais. 17. Je ne finis pas mon poisson. 18. Je sors maintenant.

5 *Le professeur présente un ami, dont il nous dit, par exemple, qu'il parle français. L'étudiant répond que lui aussi il parle français:*

MODÈLES

A	B
Voici mon ami Paul.	
Il parle très bien le français.	Moi aussi, je parle français.

Mais il ne parle pas russe. **Moi non plus, je ne parle pas russe.**

1. Voici mon amie Alice. Elle vient des États-Unis. 2. Elle étudie à l'université. 3. Elle suit un cours de français. 4. Mais elle ne lit pas encore très vite. 5. Voilà mon ami Pierre, qui travaille la nuit à l'usine (*factory*). 6. Il dort parfois en classe. 7. Voilà un garçon qui ne craint pas le travail dur. 8. Voici ma petite amie Hélène. Elle ne ment jamais; elle dit toujours la vérité. 9. Regardez Henri. Voilà un étudiant qui sait bien étudier. 10. Il reçoit de bonnes notes dans chaque cours qu'il suit.

EXPLICATIONS

Basic Verb Patterns

There are only three basic patterns for the construction of a French verb-group:[1]

a. the *simple* construction (where the verb form is one word), illustrated in Chapters 1-3 by the present tense: **Je vous parle.**

b. the *infinitive* construction, reviewed in Chapter 4: **Je veux vous parler.**

c. the *compound* construction (involving a past participle), illustrated in Chapters 5 and 6 by the *passé composé:* **Je vous ai parlé.**

Present Tense

The aim of this first chapter is to draw your attention to the consistent sound pattern of all French verbs in the present tense.

1 Nous and Vous Forms

The only pronounced endings of the present tense are for the **nous** and **vous** forms. To shift in conversation from one of these forms to the other, merely change the ending:

Voulez-vous?	**Nous voulons.**
Tenez-vous?	**Nous tenons.**
Continuez-vous?	**Nous continuons.**

[1] That is, a verb in any tense, with or without subject and object pronouns.

Aside from **être**, unusual in all its forms, there are only two exceptions:

> **nous disons** (regular), but: **vous dites**
> **nous faisons** (regular), but: **vous faites**
>   compare: **vous êtes**

2   *Imperative*

Omission of subject **vous** or **nous** is the signal of the imperative (a command, request, or suggestion).

In the imperative, the endings **-ez** and **-ons** become meaning signals in themselves, telling who is expected to perform the action:

> **Parlez français.** (telling *you* to speak French)
> **Parlons français.** (suggesting that *we* speak French)[1]

3   *Singular, Type I Verbs*

The majority of French verbs, which we will class as Type I verbs, have their infinitive in **-er**. With these verbs, you can drop the ending required after **nous** or **vous** (**nous parlons, vous parlez**) to pronounce any other form of the present tense (**je parle, tu parles, il parle, ils parlent**).

To shift from a question with **vous** to an answer with **je**, simply repeat the verb without its ending:

> **Mangez-vous?**   **Je mange.**
> **Gagnez-vous?**   **Je gagne.**
> **Jouez-vous?**   **Je joue.**
> **Étudiez-vous?**   **J'étudie.**

4   *Singular, Type II Verbs*

Verbs with an infinitive other than **-er** (that is, **-ir, -ire, -re, -oir, -oire**), we will group together as Type II. In the present tense *singular*, Type II verbs drop the final *consonant* sound of their stem (retained by Type I verbs):

---

[1] Omission of subject **tu** signals the familiar imperative. Four verbs have special forms for the imperative:
être: soyons, soyez, sois (familiar)
avoir: ayons, ayez, aie (familiar)
savoir: sachons, sachez, sache (familiar)
vouloir: veuillez, used before an infinitive as a polite request: **Veuillez entrer.** *Please come in.*

TYPE I	TYPE II		
	plural (with final stem consonant pronounced)		
parler:	**partir:**	**finir:**	**mettre:**
nous parlons	nous partons	finissons	mettons
vous parlez	vous partez	finissez	mettez
ils parlent	ils partent	finissent	mettent

singular

(final stem consonant retained)	(final stem consonant dropped)		
je parle	**je pars** [par]	**finis** [fini]	**mets** [me]
tu parles	**tu pars**	**finis**	**mets**
il parle	**il part**	**finit**	**met**

To shift from **vous** to **je** with a Type II verb, you must therefore drop not only the ending **-ez**, but also the consonant sound immediately preceding that ending:

Li**s**ez-vous?	Je lis.
Sui**v**ez-vous?	Je suis.
Per**d**ez-vous?	Je perds.

In Conversation 4a, the consonant sound to be dropped has been italicized.

To shift from **je** to **vous**, as in Conversation 4b, you must of course add the ending **-ez** to all verbs, preceded by the consonant sound of the stem for Type II verbs:

porter:
Je ne porte pas de chapeau. **Vous ne por*tez* pas de chapeau?**
sortir:
Je ne sors pas. **Vous ne sor*tez* pas?**

5 *Third Person*

Singular forms (**je, tu, il**) of all verbs normally sound alike (note the examples in Explication 4). There are three exceptions:

être:	**je suis,** but:	**tu es,**	**il est**
avoir:	**j'ai,** but:	**tu as,**	**il a**
aller:	**je vais,** but:	**tu vas,**	**il va**

The third person plural of Type I verbs sounds like the singular. With Type II verbs, the plural is indicated by the pronounced final stem consonant (dropped from the singular):

<table>
<thead>
<tr><th colspan="2">TYPE I</th><th colspan="2">TYPE II</th></tr>
</thead>
</table>

TYPE I		TYPE II	
il fume	il passe	il dort	il part
ils fument	ils passent	ils dorment	ils partent

Only four verbs have truly irregular forms in the third person plural:

être: ils sont	aller: ils vont
avoir: ils ont	faire: ils font

VERBES A REPASSER

Verbs in -ir

Most Type II verbs with infinitive in **-ir** are conjugated like **finir** (see Explication 4).

To practice this pattern, form the present tense of **choisir, remplir, obéir, réfléchir.**

A number of verbs following the model of **finir** have English cognates in *-ish:* **finir, punir, polir, démolir, fournir, accomplir, admonir, garnir,** and others. Verbs formed from adjectives usually follow the model of **finir;** for example:

> **rouge: rougir** (*to make red; to turn red, to blush*)
> **blanche: blanchir** (*to whiten, to turn white*)
> **pâle: pâlir**
> **noir: noircir**
> **clair: éclaircir**
> **grand: aggrandir**

Verbs in **-ir** which do not follow the model of **finir** must be learned separately. In the verb tables at the back of the book, review the present tense of:

> **partir, sortir, sentir, mentir,**[1] with consonant sound [t];
> **dormir (endormir, s'endormir),** with consonant sound [m];
> **servir,** with consonant sound [v].

EXERCICES

A   *En entendant la forme* **vous,** *prononcez la forme* **nous** (*par exemple,* **vous savez—nous savons**):
Vous savez. Vous avez. Vous allez. Vous fumez. Vous partez.
Vous perdez. Vous tenez. Vous venez. Vous apprenez. Vous

[1] Also (**se**) **repentir** (*to repent*).

donnez. Vous dormez. Vous voyez. Vous voyagez. Vous
pouvez. Vous cousez. Vous craignez. Vous écrivez. Vous oubliez. Vous répondez.

B *En entendant la forme* **vous,** *prononcez la forme* **je** (*par exemple,*
vous parlez—je parle; vous partez—je pars):
Vous parlez. Vous partez. Vous portez. Vous sortez. Vous
passez. Vous perdez. Vous causez. Vous cousez. Vous écoutez. Vous écrivez. Vous habitez. Vous traduisez. Vous choisissez. Vous obéissez. Vous oubliez. Vous mettez. Vous
mangez. Vous rangez. Vous rougissez. Vous répondez.

C *En entendant la forme* **il,** *prononcez la forme* **ils** (*par exemple,*
il parle—ils parlent; il part—ils partent):
Il parle. Il part. Il prépare. Il porte. Il sort. Il dort. Il sert.
Il sent. Il ment. Il mange. Il rougit. Il remplit. Il réfléchit.
Il oublie. Il obéit. Il étudie. Il écoute. Il habite. Il continue.
Il joue.

COMPOSITION

Écrivez en français:
1. We are anxious to perfect our French. 2. I live nearby. 3. I
attend every class. 4. Close the door, it's noisy in the hall.
5. Let's light up a cigarette and chat a bit. 6. You're wasting
your time, I don't speak Russian. 7. Straighten up your room.
8. What, you don't play bridge? 9. I fill up my time very well
here. 10. I'm taking six courses. 11. I often spend the evening
studying. 12. But now and then I take a girl out.

CHAPTER 2

CONVERSATIONS

1 *Attention aux pronoms dans cette conversation:*

MODÈLES

A		Me	parlez-vous?
B Oui	je	vous	parle.
Non,	je ne	vous	parle pas.
A Est-ce que	je	vous	réponds?
B Oui	vous	me	répondez.
Non,	vous ne	me	répondez pas.

Répondez d'abord à l'affirmatif, puis au négatif:
1. Me regardez-vous? 2. Est-ce que je vous regarde? 3. Me voyez-vous bien? 4. Me perdez-vous de vue quand je sors de la salle? 5. M'oubliez-vous tout de suite après? 6. M'écoutez-vous bien? 7. M'entendez-vous quand je vous parle à voix basse? 8. M'attendez-vous aujourd'hui au sortir de la classe? 9. Est-ce que je vous rencontre parfois à la bibliothèque? 10. Me saluez-vous quand vous me rencontrez? 11. Me reconnaissez-vous dans mon complet (*suit*) neuf? 12. Est-ce que je vous parais beau? 13. Me trompez-vous? 14. Est-ce que vous me flattez? 15. Vous ne me mentez pas? 16. Me parlez-vous toujours franchement? 17. M'invitez-vous à dîner ce soir? 18. Me servez-vous un bon dîner? 19. Je ne vous dérange pas? 20. Est-ce que je vous endors

parfois en classe? 21. Est-ce que je vous défends d'y parler anglais? 22. M'obéissez-vous à la lettre?

2 *Je vous pose des questions au sujet du docteur Dupont qui passe là-bas:*

MODÈLES

A			Vous	connaît-il?
B	Oui,	il	me	connaît.
	Non,	il ne	me	connaît pas.
A			Me	connaît-il?
B	Oui,	il	vous	connaît.
	Non,	il ne	vous	connaît pas.
A			Nous	salue-t-il?
B	Oui,	il	nous	salue.
	Non,	il ne	nous	salue pas.

Répondez d'après les modèles aux questions suivantes:
1. Voilà notre professeur de français. Nous regarde-t-il? 2. Nous cherche-t-il? 3. Me reconnaît-il? 4. Vous paraît-il fâché? 5. Vous ennuie-t-il avec tous ces verbes? 6. Il nous enseigne tout de même beaucoup, pas vrai? 7. Vous aide-t-il à mieux prononcer? 8. Vous passe-t-il (*does he overlook*) vos petites fautes de grammaire? 9. Vous réveille-t-il quand vous dormez en classe?

10. Voilà les Davranche. Ne me connaissent-ils pas? 11. Ils vous connaissent, n'est-ce pas? 12. Vous semblent-ils très riches? 13. Vous invitent-ils parfois à leurs soirées? 14. Vous mettent-ils à l'aise chez eux? 15. Vous servent-ils du champagne? 16. M'invitent-ils la prochaine fois, croyez-vous?

3 *Maintenant je vous parle de votre amie Marie. Attention ici au choix des pronoms* **la** *et* **lui:**

MODÈLES

A	La trouvez-vous jolie?
B	Oui, je la trouve jolie.

A   **Lui parlez-vous d'amour?**
B   **Non, je ne lui parle pas d'amour.**
A   **Ne l'aimez-vous donc pas?**
B   **Si, je l'aime.**

C'est là un sujet qui m'intéresse, et je continue mes questions.
Répondez par **oui,** *par* **si** *ou par* **non,** *comme vous voudrez:*
1. La regardez-vous souvent en classe?   2. La retrouvez-vous toujours au sortir de la classe?   3. Lui donnez-vous un coup de téléphone le soir?   4. Ou bien, la cherchez-vous à la bibliothèque?   5. Lui donnez-vous rendez-vous pour ce soir?   6. Lui promettez-vous une belle soirée?   7. L'invitez-vous au bal de samedi soir?   8. L'attendez-vous le matin pour faire route ensemble?   9. Vous lui demandez donc tout son temps libre?   10. Lui défendez-vous de sortir avec d'autres garçons?   11. En revanche, lui rendez-vous compte de tout votre temps?   12. Vous ne lui mentez jamais?   13. Lui répondez-vous toujours sans hésitation?   14. Ne lui apportez-vous pas de petits cadeaux?   15. Vous ne la flattez pas à l'occasion?

16. Elle a un frère aîné (*older*), n'est-ce pas? Ne le connaissez-vous pas?   17. Lui ressemble-t-il?   18. Lui raconte-t-elle tout ce qu'elle fait?   19. Lui donne-t-il des conseils?   20. Mais elle ne lui obéit pas?   21. Lui empruntez-vous parfois son auto, quand vous sortez avec Marie?   22. Et vous ne le remerciez pas?

23. Mais ce grand chien féroce qu'a la famille de Marie! Lui donnez-vous à manger?   24. Le réveillez-vous s'il dort?   25. Ou le laissez-vous tranquille?   26. Vous mord-il la jambe quand vous arrivez?   27. Lui pardonnez-vous de vous saluer de la sorte (*like that*)?   28. Vous lui passez donc ses mauvaises manières?

EXPLICATIONS
Personal Pronoun Objects
1, 2 *First and Second Person*

Object **me (m')** corresponds to subject **je.**

Object **te (t')** corresponds to familiar **tu.**

The pronouns **nous** and **vous** are invariable, whether subject or object.

3   *Third Person*

When referring to people, two sets of third-person pronouns are used as objects of the verb:

DIRECT OBJECT FORMS	INDIRECT OBJECT FORMS
masc. sing. **le (l')**	masc. or fem.
fem. sing. **la (l')**	singular **lui**
plural **les**	plural **leur**

Most verbs take the direct object forms. The following verbs occurring in this chapter are among those which take an *indirect* object:

> **lui mentir** *to lie to him* (*or her*)
> **lui obéir** *to obey him*
> **lui paraître** *to appear to him*
> **lui parler** *to talk to him*
> **lui répondre** *to answer him*
> **lui ressembler** *to look like him*

Depending upon the situation, some verbs will require two objects, as when we give something to someone, or tell someone something. The most common double-object pattern employs a direct object of the thing and an indirect object of the person; for example:

> **lui apporter quelque chose** *to bring him something*
> **lui donner qqch.** *to give him something*
> **lui prêter qqch.** *to lend him something*
> **lui promettre qqch.** *to promise him something*
> **lui raconter qqch.** *to tell him something*
> **lui servir qqch.** *to serve him something*

Note particularly:

> **lui demander qqch.** *to ask him for something*
> **lui emprunter qqch.** *to borrow something from him*
> **lui pardonner qqch.** *to pardon him for something*
> **lui passer qqch.** *to excuse him for* (*to overlook*) *something*

VERBES A REPASSER

A   *Vendre*

Vendre is the model for Type II verbs with infinitive in **-dre**.[1] The [d] sound of the present tense plural is dropped in the singular:

---

[1] Exceptions are **prendre** and compounds, and verbs in **-aindre, -eindre,** or **-oindre.**

je vends ⎫		nous vendons
tu vends ⎬ [vã]		vous vendez
il vend ⎭		ils vendent

Practice forming the present tense of **attendre, entendre, défendre, descendre, rendre.**

In the verb tables at the back of the book, review the present tense of these other verbs which follow the model of **vendre:**

répondre;

perdre and **mordre** (after dropping the [d] sound—**nous perdons, nous mordons**—note singular in [r]: **je perds** [pεr], **je mords** [mɔr]); **battre** and **rompre** (with different stem consonants).

B Review the present tense of:

mettre (permettre, promettre, remettre), with consonant sound [t]; **connaître (reconnaître)** and **paraître,** with consonant sound [s].

EXERCICES

A *En entendant la forme* **vous,** *prononcez la forme* **je** (*par exemple,* **vous répondez—je réponds**):
Vous permettez. Vous battez. Vous flattez. Vous connaissez. Vous rompez. Vous trompez. Vous entendez. Vous perdez. Vous racontez. Vous rencontrez. Vous descendez. Vous défendez. Vous vendez.

B *En entendant la forme* **il,** *prononcez la forme* **ils** (*par exemple,* **il répond—ils répondent**):
Il paraît. Il promet. Il connaît. Il obéit. Il finit. Il part. Il passe. Il bat. Il perd. Il sert. Il sort. Il mord. Il dort. Il dérange. Il descend. Il ment. Il met. Il vend. Il rend. Il rompt.

C *Insérez* **la** *ou* **lui** (*il s'agit de notre amie Louise*). *Par exemple,* **je connais—je la connais:**
Je cherche. Je ne trouve pas. Je donne un coup de téléphone. Je parle. Je réponds. J'invite. Je donne rendez-vous. Je promets une soirée au cinéma. J'aime beaucoup. Je ne ressemble pas. Je flatte. Je parais très beau. J'attends. Je ne reconnais pas. Je demande des conseils. Je remercie. Mais je n'obéis pas.

D *Répétez l'exercice précédent, en employant* **les** *ou* **leur** (*il s'agit des Davranche*). *Par exemple,* **je connais—je les connais.**

COMPOSITION
Écrivez en français:
1. Am I bothering you? 2. I'm not listening to him. 3. I wait for her when class is out. 4. He calls me up in the evening. 5. Are you making a date with him? 6. No, I don't know him. 7. The teacher never bores us. 8. He overlooks our little mistakes. 9. But he never forgives us our bad pronunciation. 10. I find him very handsome. 11. I always answer him in French. 12. As for (**quant à**) my parents, I always obey them. 13. Of course I love them. 14. Besides, I borrow the car from them. 15. But I never ask them for advice. 16. There's my brother; don't you recognize him? 17. I don't look like him. 18. You're not looking at him. 19. As for that vicious dog, I don't feed him. 20. I leave him alone.

CHAPTER 3

CONVERSATIONS

1a *Que me dites-vous si je ne fais pas ce que vous voulez que je fasse (what you want me to do)? Par exemple:*

MODÈLES

A	B
Si, ayant frappé à la porte, je n'entre pas?	Entrez.
Si, alors, je ne parle pas?	Parlez.
Si je ne vous parle pas?	Parlez-moi.
Si je vous parle quand vous ne voulez pas m'écouter?	Ne me parlez pas.

Suivant les modèles B, que me dites-vous:
1. si je ne vous salue pas quand nous nous rencontrons? 2. si je ne réponds pas quand vous me posez une question? 3. si je ne vous réponds pas? 4. si je mens? 5. si je vous mens? 6. si je vous insulte? 7. si je vous dérange quand vous voulez travailler? 8. si je bavarde constamment? 9. si je ne pars pas? 10. si je vous empêche de partir? 11. si je vous mets en retard? 12. si, sur le boulevard, je flâne quand vous êtes pressé? 13. si je ne regarde pas quand vous indiquez quelque chose d'intéressant? 14. si je ne vous regarde pas quand vous me parlez? 15. si je n'écoute pas? 16. si je ne vous écoute pas? 17. si, étant pressé moi-même, je ne vous attends pas? 18. si je ne vous obéis pas?

18

1b *Il s'agit maintenant de Paul.*

MODÈLES

A	B
Que dites-vous:	
si je ne le regarde pas?	**Regardez-le.**
si je ne lui parle pas?	**Parlez-lui.**

Suivant les modèles B, que me dites-vous:
1. si je ne l'invite pas à notre soirée? 2. si je ne l'accompagne pas au cinéma? 3. si je ne l'attends pas pour partir? 4. si je ne lui dis pas ce qui se passe (*what's going on*)? 5. si je ne lui demande pas son avis? 6. si je ne lui réponds pas? 7. si je ne lui obéis pas? 8. si je ne l'écoute même pas? 9. si, en voyage, je ne lui écris pas? 10. si, de retour, je ne le remercie pas de ses lettres?

2
MODÈLES

A	B
Que dites-vous quand vous voulez:	
que je vous regarde dans votre complet neuf?	**Regardez-moi.**
que je me regarde dans la glace murale?	**Regardez-vous.**

Que me dites-vous quand vous voulez:
1. que je vous trouve un stylo? 2. que je me trouve un stylo? 3. que je ne vous parle pas? 4. que je ne me parle pas tout seul? 5. que je ne vous dérange pas? 6. que je ne me dérange pas pour vous chercher des cigarettes? 7. que je vous achète des livres? 8. que je m'achète des livres? 9. que je ne vous blâme pas de ce qui est arrivé (*for what happened*)? 10. que je ne me blâme pas?

3 *Nous partons de bonne heure demain matin, vous et moi, avec le petit André.*

MODÈLES

A	B
Que me dites-vous si vous voulez:	
que je le réveille à six heures?	Réveillez-le à six heures.
que je vous réveille aussi?	Réveillez-moi aussi.
que je me réveille à temps?	Réveillez-vous à temps.

Que me dites-vous si vous voulez:
1. que je me couche avant minuit? 2. quant à André, que je le couche de très bonne heure? 3. que je l'habille un peu chaudement demain? 4. que je m'habille de même? 5. que je me lave demain matin avant de vous réveiller? 6. quant à André, que je le lave dans la cuisine afin de vous laisser la salle de bain? 7. que je le presse un peu maintenant, car il doit ranger ses joujoux (*toys*)? 8. que je me presse, puisqu'il se fait déjà tard? 9. mais que je m'arrête un moment pour écouter une histoire drôle? 10. et que je vous arrête si je connais cette histoire? 11. que je vous cherche une glace? 12. que je me regarde dans cette glace? 13. que je me donne la peine de mieux m'habiller demain? 14. et André, que je le regarde aussi? 15. que je lui trouve une chemise propre? 16. que je me trouve une autre cravate? 17. enfin, que je me repose un peu?

4   MODÈLES

A	B
Que me demandez-vous pour savoir:	
si je sers le café dans le salon ce soir?	Servez-vous le café dans le salon ce soir?
si je me sers de ma nouvelle cafetière (*coffee pot*)?	Vous servez-vous de votre nouvelle cafetière?

Demandez-moi:
1. comment je me mets au courant des affaires françaises. 2. si je m'abonne à un hebdomadaire (*weekly*) français. 3. Dans ce cas, si je vous mets au courant aussi. 4. quant au rédacteur

(*editor*) de ce journal, si je le connais. 5. si je me connais en politique. 6. quelle idée je me fais de la politique française. 7. si je me demande parfois ce qui va arriver en France. 8. pourquoi je ne vous demande pas votre opinion. 9. si je me rends compte de l'importance des Nations Unies. 10. si je m'attends à une troisième guerre mondiale. 11. si je vous attend ce soir pour continuer cette discussion.

5 *Voici des questions sur votre vie quotidienne* (*daily*):

MODÈLE

A Vous lavez-vous les mains et la figure avant de vous coucher le soir?

B Oui, je me lave les mains et la figure avant de me coucher le soir.

Répondez par oui ou par non, selon le cas:

1. Vous bouchez-vous les oreilles quand sonne votre réveille-matin? 2. Et vous rendormez-vous alors? 3. Ou vous frottez-vous les yeux pour vous réveiller tout à fait? 4. Vous habillez-vous vite? 5. Ou vous demandez-vous longtemps ce qu'il faut mettre ce jour-là? 6. Vous rasez-vous chaque matin? 7. Vous essuyez-vous bien la figure après? 8. Vous brossez-vous les dents avant ou après le petit déjeuner? 9. Vous vous lavez les mains avant de manger, bien sûr? 10. Vous passez-vous de petit déjeuner à l'occasion, faute de (*for lack of*) temps? 11. Est-ce que vous vous peignez les cheveux avant de sortir? 12. Est-ce que vous vous dépêchez de quitter la maison? 13. Comment vous rendez-vous à l'université? à pied? en auto? à bicyclette, alors? 14. Vous servez-vous du vélo d'un camarade? 15. En passant devant les magasins, vous amusez-vous à regarder les étalages (*displays*)? 16. Vous intéressez-vous à la mode féminine? 17. Vous arrêtez-vous en route pour prendre un café? 18. Ou vous contentez-vous d'aller directement en classe? 19. En vous rendant à vos classes au début du semestre, vous trompez-vous jamais de salle? 20. Pour la plupart, vous inscrivez-vous à des cours de votre choix?

EXPLICATIONS

Preliminary Note

Conversations 1 and 2 call for imperative (command) verbs, some of them with pronoun objects. In the *affirmative* imperative, pronoun objects follow the verb and are attached with hyphens. In final position after an imperative, **me** and **te** become **moi, toi**; other pronoun objects remain unchanged.

In a negative command, pronoun objects stand in their usual position before the verb.

Parlez-moi.	**Ne me parlez pas.**
Parlez-lui.	**Ne lui parlez pas.**
Attendez-le.	**Ne l'attendez pas.**

1   *Intransitive and Transitive Verbs*

There is a group of French verbs which cannot take an object, either direct or indirect; these are *intransitive* verbs. Among them are **entrer, bavarder, partir, flâner.**

A second group may be used either intransitively (without any object) or transitively (with an object), as the situation demands. **Parler, répondre, mentir, regarder, écouter, attendre** are examples of verbs belonging in this group:

used intransitively:

Répondez.	**Attendez.**	**Ne mentez pas.**

used transitively:

Répondez-lui.	**Attendez-nous.**	**Ne me mentez pas.**

2   *Reflexive Objects*

A *reflexive object* is one which refers to the same person as the subject of the verb. Any transitive verb whose meaning permits may be used with a reflexive object.

The pronouns **me, te, nous,** and **vous** are used both as nonreflexive and as reflexive objects:

NONREFLEXIVE SITUATION	REFLEXIVE SITUATION
Me voyez-vous bien?	**Vous voyez-vous dans cette glace?**
Je vous vois là.	**Je me vois dans cette glace.**

The special reflexive object **se** (both direct and indirect) is used for the third person, singular or plural:

Il le regarde.
He is looking at him (at another person).

Il se regarde.
He is looking at himself.

Elle lui parle.
She is talking to her (to another person).

Elle se parle.
She is talking to herself.

Elles m'achètent des gants.
They are buying me gloves.

Elles s'achètent des gants.
They are buying themselves gloves.

3   Verbs Used Only Transitively

Conversation 3 introduces a third group of French verbs, which can be used *only transitively* (that is, with an object expressed). Depending upon the situation, their object will either (a) refer to a person other than the subject, or (b) be reflexive.

(a) nonreflexive:

Réveillez-moi.	Wake me up.
Réveillez-nous.	Wake us up.
Réveillez-le.	Wake him up.

(b) reflexive:

Réveillez-vous.	Wake up.

other examples:

Arrêtez-moi.	Stop me.
Arrêtez-vous.	Stop.
Couchez-les.	Put them to bed.
Couchez-vous.	Go to bed.
Habillez-le.	Dress him, get him dressed.
Habillez-vous.	Get dressed.
Pressez-la.	Hurry her.
Pressez-vous.	Hurry.

4   Verbs Used Reflexively With Specialized Meaning

Most verbs used reflexively in French may have a literal reflexive meaning, but some acquire a specialized meaning:

nonreflexive:

Servez-moi du café. *Serve me some coffee.*

literal reflexive:

Servez-vous du café. *Help yourself to (serve yourself) some coffee.*

specialized reflexive:

Servez-vous de mon vélo. *Use my bike.*

Such specialized meanings are listed in vocabularies and dictionaries under the infinitive preceded by **se**; for example:

> **servir qqch.** *to serve something*
> **se servir de qqch.** *to use something*
> **attendre qqch.** *to wait for something*
> **s'attendre à qqch.** *to expect something*

5   *Parts of the Body*

Parts of the body are ordinarily preceded in French by the definite article. To indicate possession, use an indirect object pronoun or a reflexive object, as the situation demands:

NONREFLEXIVE SITUATION	REFLEXIVE SITUATION
Essuyez-leur les mains.	**Essuyez-vous les mains.**
Dry their hands.	*Dry your hands.*
Je vous brosse les cheveux.	**Je me brosse les cheveux.**
I am brushing your hair.	*I am brushing my hair.*
Elle lui lave la figure.	**Elle se lave la figure.**
She is washing his or her (someone else's) *face.*	*She is washing her (own) face.*

Additional Note: Reciprocal Reflexive Object

A plural reflexive object may have either a reflexive or a *reciprocal* meaning. The latter may be reinforced by the expression **l'un l'autre.** Compare:

reflexive meaning:

> **Elles se regardent dans la glace.**
> *They are looking at themselves in the mirror.*

reciprocal meaning:

> **Elles se regardent (l'une l'autre) à travers la table.**
> *They are looking at each other across the table.*

Observe these other reciprocal sentences:

Nous nous aimons (l'un l'autre). *We love one another.*
Vous connaissez-vous (l'un l'autre)? *Do you know each other?*

Ils s'écrivent souvent (l'un à l'autre). *They often write each other.*
Nous nous serrons la main. *We shake hands* (each other's hand).

VERBES A REPASSER

Review the present tense of the following verbs:

écrire (**décrire** *to describe*) and **s'inscrire** (*to enroll*), with consonant sound [v];

lire (**élire** *to elect*) and **dire**, with consonant sound [z];
voir and **croire**, with consonant sound [j].

EXERCICES

A *En entendant la forme* **il**, *prononcez la forme* **ils** (*par exemple,* **il finit—ils finissent**):
Il choisit. Il lit. Il écrit. Il obéit. Il dit. Il s'inscrit. Il réfléchit. Il connaît. Il paraît. Il voit. Il croit.

B *Changez les impératifs suivants de l'affirmatif au négatif* (*par exemple,* **regardez—ne regardez pas**):
Regardez-moi. Regardez-vous. Parlez-nous. Écoutez-moi. Attendez-moi. Cherchez-les. Saluons-la. Écrivons-nous. Couchez-vous.

C *Changez les impératifs suivants du négatif à l'affirmatif* (*par exemple,* **ne partez pas—partez**):
Ne sortez pas. Ne m'arrêtez pas. Ne me dites pas votre nom. Ne me peignez pas les cheveux. Ne le regardez pas. Ne les réveillez pas. Ne vous essuyez pas les mains. Ne lui écrivons pas. Ne nous serrons pas la main. Ne l'habillez pas chaudement (il s'agit d'une petite fille).

D *Voici encore des impératifs. Répétez-les en ajoutant le pronom* **vous** *si le verbe peut ou doit s'employer au réfléchi* (*reflexively*):
Entrez. Arrêtez. Regardez. Habillez. Sortez. Servez. Quittez la maison. Dépêchez. Partez. Amusez. Lisez. Lavez. Dormez. Réveillez. Rendormez. Ne parlez pas. Ne dérangez pas.

E *Dites en français:*
1. Come in. 2. Don't bother me. 3. Wait. 4. Go with her. 5. Use my bike. 6. Don't stop. 7. Wake up. 8. Look. 9. Go

back to sleep. 10. Get washed. 11. Shave. 12. Get dressed.
13. Hurry. 14. Let's hurry. 15. Don't write her. 16. Don't
expect a letter. 17. Don't trouble yourself. 18. Don't rub
your eyes.

F *Dites en français:*
1. Don't you know one another? 2. We are not acquainted.
3. Do they give each other presents (*des cadeaux*)? 4. Do you
write each other often? 5. Let's write each other often.

COMPOSITION

Écrivez en français:
1. My roommate wakes up early, then he wakes me up. 2. But
sometimes he goes back to sleep. 3. Then he goes into the bathroom, looks at himself in the mirror, and rubs his eyes. 4. He
washes, shaves, dries his face, and brushes his teeth. 5. Then
he combs his hair and gets dressed. 6. He never hurries. 7. After
breakfast, he reads the paper. 8. I get along without breakfast
on occasion. 9. He is well versed in (**se connaître en**) politics
and is especially interested in French politics. 10. He subscribes
to a French weekly. 11. That way (**comme cela**), he keeps up
to date on French affairs. 12. But he never asks me my opinion.
13. I am often mistaken.

CHAPTER 4

CONVERSATIONS

1 *Ce que je vous dis de faire, vous répondez—et pas trop poliment*
—que vous ne voulez pas le faire:

MODÈLES

A	B
Regardez.	Je ne veux pas regarder.
Regardez-moi.	Je ne veux pas vous regarder.
Regardez-vous.	Je ne veux pas me regarder.

1. Parlez anglais. 2. Mangez. 3. Alors, allumez une cigarette. 4. Flânez un peu sur le boulevard. 5. Regardez les vitrines (*shop windows*). 6. Entrez dans cette boutique. 7. Allez au théâtre ce soir. 8. Alors, restez ici. 9. Jouez du piano. 10. Chantez, donc.

11. Sortez. 12. Attendez-moi. 13. Partez. 14. Écrivez. 15. Rendez-moi mon stylo. 16. Lisez votre lettre. 17. Écrivez-moi. 18. Répondez-moi. 19. Mettez la table. 20. Servez-moi du vin.

21. Servez-vous du dictionnaire. 22. Dépêchez-vous. 23. Lavez-vous la figure. 24. Reposez-vous. 25. Endormez-vous.

2a

MODÈLES

A	B
Savez-vous plonger?	Non, je ne sais pas plonger.
Ne savez-vous pas nager?	Si, je sais nager.

Voulez-vous vous baigner dans la mer?

Oui, je veux me baigner dans la mer.

Voulez-vous m'accompagner?

Oui, je veux vous accompagner.

Répondez par oui, si ou non, comme vous voudrez:
1. Aimez-vous passer des heures dans l'eau?   2. Ou aimez-vous mieux vous reposer sur la plage (*beach*)?   3. Voulez-vous vous étendre au soleil?   4. Voulez-vous vous endormir sur le sable (*sand*)?   5. Allez-vous me réveiller tout à l'heure?   6. N'allez-vous pas vous baigner?   7. Vous ne savez pas nager?   8. Ne pouvez-vous pas rester tout l'après-midi?   9. Devez-vous retourner en ville?   10. Comptez-vous me retrouver ici demain?   11. Et Marie, comptez-vous l'amener aussi?   12. N'osez-vous pas l'inviter?   13. Allez-vous lui donner un coup de téléphone?   14. Semble-t-elle aimer les sports d'été?   15. Aime-t-elle faire la nage?   16. Peut-elle nous accompagner ici demain?

2b   MODÈLES

A   **B**

A quelle heure du soir commencez-vous à étudier?

Je commence à étudier vers sept heures du soir.

A quelle heure finissez-vous d'étudier?

Je finis d'étudier vers minuit.

1. Vous mettez-vous à étudier tout de suite après le dîner?   2. Passez-vous la soirée à préparer vos leçons?   3. Continuez-vous jamais à travailler passé minuit?   4. Cherchez-vous ainsi à obtenir une bourse (*scholarship*)?   5. Travaillez-vous à recevoir de très bonnes notes?   6. Hésitez-vous à perdre votre temps?   7. Vous ne vous amusez pas à bavarder le soir avec les camarades?   8. Vous attendez-vous à voyager un jour en France?   9. Attendez-vous à y aller que vous ayez appris (*until you have learned*) le français?   10. Songez-vous à assister à une université française?

11. Vous parlez d'aller en France? 12. Regrettez-vous de ne pas pouvoir y aller l'été prochain? 13. Essayez-vous de faire des économies cette année? 14. Évitez-vous de dépenser tout votre argent? 15. Êtes-vous forcé de travailler l'été? 16. Vous contentez-vous de ne pas voyager? 17. A quelle heure vous arrêtez-vous d'étudier le soir? 18. Finissez-vous toujours de faire les leçons? 19. Vous hâtez-vous de vous coucher alors? 20. Oubliez-vous jamais de remonter votre réveille-matin?

3 *Parlons maintenant de votre camarade de chambre. Répondez à mes questions:*

1. L'invitez-vous à vous faire visite pendant les vacances? 2. L'aidez-vous à ranger la chambre chaque matin? 3. Ou l'obligez-vous à le faire tout seul? 4. Le remerciez-vous alors de s'occuper du ménage? 5. L'empêchez-vous d'étudier parfois en lui parlant? 6. Mais vous ne pouvez pas vous empêcher de bavarder, pas vrai? 7. Vous demande-t-il alors de ne pas le déranger? 8. Lui promettez-vous de ne pas faire de bruit? 9. Lui dites-vous quelquefois de parler français? 10. Lui permettez-vous alors de faire des fautes? 11. Lui montrez-vous à améliorer (*improve*) sa prononciation? 12. Lui promettez-vous de l'amener à notre Cercle Français?

4a *Parlons maintenant de votre père:*

MODÈLES

A	B
Vous laisse-t-il sortir l'auto à l'occasion?	Oui, il me laisse sortir l'auto.
Se laisse-t-il facilement persuader quand vous voulez vous servir de l'auto?	Non, il ne se laisse pas facilement persuader.
Vous fait-il conduire quand vous sortez en famille?	Non, il ne me fait pas conduire alors.
Se fait-il conduire au travail le matin?	Oui, il se fait conduire au travail par ma mère.

Voici des questions au sujet de votre père:
1. Vous laisse-t-il sortir quand vous le voulez?   2. Vous fait-il
rendre compte de vos dépenses?   3. Vous fait-il savoir vos devoirs
de (*as a*) fils ou de fille?   4. Se fait-il obéir?   5. Se fait-il admirer
par sa famille?

Voici des questions au sujet de votre mère:
6. Vous fait-elle laver la vaisselle le soir?   7. Vous fait-elle mettre
la table aussi?   8. Vous fait-elle faire des courses le samedi
matin?   9. Ou vous laisse-t-elle dormir tard?   10. Se fait-elle
aider à faire le ménage?   11. Se fait-elle servir au lit le dimanche
matin?

12. Monsieur, vous faites-vous couper les cheveux assez souvent?
13. Vous faites-vous raser alors?   14. Vous faites-vous jamais
attendre quand vous avez rendez-vous?

4b *Quand je vous dis que le petit André ne fait pas ce qu'il doit faire,
vous me répondez de la façon suivante:*

MODÈLES

A	B
Il n'étudie pas.	Faites-le étudier.
Il n'étudie pas ses leçons.	Faites-lui étudier ses leçons.

1. Il ne travaille pas.   2. Il ne mange pas.   3. Il ne mange pas ses
épinards (*spinach*).   4. Il n'écrit pas.   5. Il n'écrit pas cette
lettre.   6. Il n'écoute pas.   7. Il n'écoute pas sa mère.   8. Il ne
range pas sa chambre.   9. Il n'obéit pas.   10. Il n'obéit pas à
ses parents.

EXPLICATIONS
Infinitive Construction

1 *Basic Pattern*
The infinitive construction consists of a main verb followed by an
infinitive.

Objects of the *infinitive*, whether nonreflexive or reflexive, stand with the infinitive.[1] Compare the simple construction (present tense) with the infinitive construction in this respect:

SIMPLE CONSTRUCTION	INFINITIVE CONSTRUCTION
Je vous parle.	Je veux vous parler.
Je me sers du dictionnaire.	Je veux me servir du dictionnaire.

Negation is normally made with the main verb, but for a particular shade of meaning the infinitive may be negated:

> **Il ne peut pas vous entendre.**
> *He cannot hear you.*
> **Il peut ne pas[2] vous entendre.**
> *He may be not hearing you.*

2 *Direct Infinitive; à, de + Infinitive*

A main verb may take an infinitive directly, as in Conversation 2a, or it may require à or de to introduce the infinitive (Conversation 2b):

> **Je sais nager.**
> **J'hésite à nager après avoir mangé.**
> **Je finis de nager avant mon déjeuner.**

Train your ear to associate each main verb with the preposition it requires, if any. When you are in doubt, consult the French-English vocabulary.

3 *Main Verb with Object*

Conversation 3 introduces infinitive constructions in which the *main* verb has an object, either direct or indirect:

> **Je l'invite à danser.**
> **Je lui demande de danser.**

Compare negation of the main verb in such constructions with negation of the infinitive:

> **Ne lui dites pas de partir.**
> *Don't tell her to go.*
> **Dites-lui de ne pas partir.**
> *Tell her not to go.*

---

[1] Unless the main verb is faire; see Explication 4b.
[2] When negating an infinitive, place **pas, jamais, plus,** etc., immediately after **ne.**

4   *Faire, Laisser* + *Infinitive*

a. As the main verb of an infinitive construction, only **faire** and **laisser** can take an object without requiring **à** or **de** before the infinitive. Compare:

>   **Dites-lui d'étudier.**
>   *Tell her to study.*
>   **Aidez-la à étudier.**
>   *Help her study.*
> but   **Faites-la étudier.**
>   *Have (make) her study.*
>   **Laissez-la étudier.**
>   *Let her study.*

The infinitive following **faire** or **laisser** may have either an active or a passive sense; for example:

>   **Vous fait-il conduire?**
>   *Does he have you drive?*
>   **Se fait-il conduire au travail?**
>   *Does he have himself driven to work?*
>   **Il me laisse sortir l'auto.**
>   *He lets me take the car out.*
>   **Il se laisse facilement persuader.**
>   *He lets himself be easily persuaded.*

Often the sense of the infinitive can be determined only by context:

>   **Faites-le suivre.**
>   *Have him follow along.* (active sense)
> or   *Have him followed.* (passive sense)

b. As the main verb of an infinitive construction, **faire**[1] takes a direct object of the third person (**le, la,** or **les**), unless the infinitive itself has a direct object. In this case, use **lui** or **leur** with **faire:**

>   **Faites-la étudier.**
> but   **Faites-lui étudier cette leçon.**

A further peculiarity of **faire** + infinitive is that pronoun objects, not only of **faire,** but also of the infinitive, stand with **faire:**

>   **Faites-la-lui étudier.**
>   *Have her study it.*

----

[1] The following remarks apply also to **laisser** + infinitive, but usage is less fixed than with **faire.**

compare   **Dites-lui de l'étudier.**
Tell her to study it.

Noun objects, on the other hand, must follow the infinitive:

Faites étudier Marie.
Have Marie study.
compare   **Dites à Marie d'étudier.**
Tell Marie to study.

VERBES A REPASSER

A   *Stem-Vowel Change, Type II Verbs*

A number of Type II verbs have two different stem vowels in the present tense: one for forms in which the stem itself is the final, stressed syllable (**je, tu, il,** and **ils**), another for forms which have a pronounced ending adding a syllable to the stem (**nous, vous**):

je veux   nous voulons
tu veux   vous voulez
il veut
ils veulent

Examples to be reviewed for this chapter are: **vouloir, pouvoir, devoir, savoir** (note **ils savent,** without vowel change), and **faire** (note irregular forms **vous faites, ils font**).

B   Review the present tense of **aller**.

EXERCICES

A   *Au verbe* **sais** *dans le modèle:*

Je sais nager,

substituez: veux, peux, commence, hésite, évite, ne vais pas, n'ose pas, essaye, compte, m'attends, ne dois pas, finis.

B   *Au verbe* **dis** *dans le modèle,*

Je lui dis d'étudier,

substituez: demande, oblige, empêche, ne permets pas, aide, montre, promets, fais, ne laisse pas.

C   *Dites en français:*

1. I like to go swimming.   2. I begin to study.   3. I'm trying to wake up.   4. I don't dare invite her.   5. Must I finish eating?

6. I keep on working.   7. I hurry to leave.   8. I'm sorry to leave early.   9. I prefer to stay.   10. I expect to study in France.

D   *Dites en français:*
1. Tell her to work.   2. Tell her not to work past midnight.
3. Tell her to go to bed.   4. Invite her to dance with you.   5. Show her how to dance.   6. Ask her to stay.   7. Help her do her lessons.
8. But don't ask her to help you.

E   *Dites en français, en employant* **faire** $+$ *l'infinitif:*
1. Make him work.   2. Don't make him work.   3. Have them write.   4. Have them write these exercises.   5. Have her wait.
6. Have her set the table.   7. Don't have her wash the dishes.
8. Get a haircut.

COMPOSITION

Écrivez en français:
1. I spend the afternoon swimming.   2. I spend the evening studying.   3. I expect to obtain a scholarship.   4. I don't want to waste my time, but I like to chat with my friends.   5. I am thinking (**songer**) of attending a French university.   6. I am trying (**chercher**) to economize.   7. But I can't help spending all my money.   8. I am showing her how to straighten up my room.
9. She never stops talking.   10. I am hurrying to get dressed, I have a date.   11. Don't hesitate to phone me.   12. But don't try to phone after midnight.   13. Don't forget to write us.   14. We plan (**compter**) to invite her to visit us.

CHAPTER 5

CONVERSATIONS

1a *Je vous demande si vous voulez faire une chose que vous avez déjà faite:*

MODÈLES

A   **Voulez-vous manger avec moi?**
B   Merci, j'ai déjà mangé.

A   **Voulez-vous lire ce journal?**
B   Non, j'ai déjà lu ce journal.

1. Voulez-vous commander un apéritif? 2. Voulez-vous examiner la carte des vins? 3. Voulez-vous payer l'addition? 4. Voulez-vous visiter le musée d'art? 5. Voulez-vous écouter les nouvelles à la radio? 6. Voulez-vous repasser maintenant les participes passés?

7. Je suis un peu pressé, voulez-vous finir votre dîner? 8. Voulez-vous choisir un dessert? 9. Voulez-vous dire votre opinion sur cette question? 10. Voulez-vous réfléchir d'abord? 11. Voulez-vous écrire une lettre à Paul? 12. Voulez-vous lire sa dernière lettre? 13. Voulez-vous rendre mon stylo maintenant? 14. Voulez-vous entendre mon avis? 15. Voulez-vous répondre à ma question? 16. Voulez-vous voir le film qu'on montre ce soir? 17. Voulez-vous vendre votre bicyclette? 18. Voulez-vous faire les exercices de cette leçon?

1*b*   *Mettons* (*let's suppose*) *que vous donnez une soirée dansante, et que je vous interroge sur la liste des invités. Il s'agit des jeunes hommes, et d'abord de Pierre:*

MODÈLES

A	B
Allez-vous lui téléphoner?	Je lui ai téléphoné hier.
Allez-vous l'inviter?	Je l'ai invité hier.

Attention, dans vos réponses, à la position du pronom le *ou* lui: 1. Quant à Maurice, allez-vous le voir aujourd'hui? 2. Allez-vous lui parler de votre soirée? 3. Allez-vous lui demander d'amener sa cousine française? 4. Allez-vous lui dire d'apporter des disques français? 5. Et Claude? Allez-vous lui écrire? 6. Ce sera samedi son anniversaire (*birthday*), vous savez. Allez-vous lui acheter un cadeau? 7. A propos, allez-vous le remercier de la drôle de cravate qu'il vous a donnée? 8. Allez-vous lui choisir une cravate? 9. Puis, il y a Jean. Allez-vous lui pardonner ce qu'il a fait l'autre jour? 10. Vous n'allez pas l'inviter, pourtant? 11. Votre petit frère y sera, je suppose. Allez-vous lui permettre de faire marcher le tourne-disques (*record player*)? 12. Allez-vous lui trouver de nouveaux disques à essayer?

2   *Ici encore je vous dis de faire une chose que vous avez déjà faite. Nous nous préparons, après le dîner, à recevoir des invités qui viennent passer la soirée chez nous. Attention aux verbes réfléchis:*

MODÈLES

A	B
Lavez la vaisselle.	J'ai déjà lavé la vaisselle.
Lavez-vous la figure, donc.	Je me suis déjà lavé la figure.
Alors, habillez-vous.	Je me suis déjà habillé.

1. Mais regardez-vous dans la glace. 2. Peignez-vous les cheveux. 3. Brossez-vous les dents. 4. Rangez le salon. 5. Fermez les fenêtres. 6. Tirez les rideaux (*curtains*). 7. Alors, occupez-

vous de la salle à manger.   8. Mettez la table.   9. Arrangez les
roses.   10. Jetez les fleurs fânées (*faded*).   11. Allumez les
bougies (*candles*).   12. Allumez-vous une cigarette donc, nous
ne sommes pas si pressés.   13. Promenez-vous un peu.   14. Pro-
menez le chien.   15. Reposez-vous un moment.   16. Donnez-
vous le temps de lire le journal.   17. Puis mettez-vous à arranger
le salon.   18. Mettez un cendrier (*ash tray*) sur chaque table,
tout le monde va vouloir fumer.   19. Alors, faites les derniers
préparatifs dans la cuisine.   20. Faites-vous aider par Claudine.

EXPLICATIONS

Compound Construction

1   *Basic Pattern*
   a. The compound construction consists of an auxiliary verb (**avoir** or
   être) plus a past participle. Like the infinitive construction, it has
   two parts:

INFINITIVE CONSTRUCTION	COMPOUND CONSTRUCTION
Je vais manger.	J'ai mangé.
Je vais lire ce roman.	J'ai lu ce roman.

Liaison is optional between the two parts of either construction, but
is always heard within the first part:

	Nous allons écouter.		Nous avons écouté.
or	Nous allons écouter.	or	Nous avons écouté.

Adverbs, and even interrupting phrases, can stand between the two
parts of these constructions:

$$\text{Il va,} \atop \text{Il a,} \Big\} \text{ dit-il, beaucoup} \Big\{ {\text{travailler.} \atop \text{travaillé.}}$$

b. Pronoun objects are placed in the *first* part of the compound construction, with the auxiliary verb. Compare the infinitive and compound constructions in this respect:

Elle va parler.	Elle a parlé.
Elle va nous parler.	Elle nous a parlé.
Elle ne va pas nous parler.	Elle ne nous a pas parlé.

2   *Reflexive Verbs in Compound Construction*
Any verb used reflexively requires **être** as its auxiliary in the compound construction:

> **Je me suis (regardé, promené, rasé, lavé les mains, etc.)**
> **Vous vous êtes . . .**
> **Nous nous sommes . . .**
> **Il s'est, Elle s'est . . .**
> **Ils se sont, Elles se sont . . .**

In other compound tenses: **Je m'étais . . . , Je me serai . . . , Je me serais . . .** , etc.

Additional Note: Agreement of Past Participle
In a compound construction with **avoir** as auxiliary, the participle must be made feminine or plural, or both, to agree with a preceding direct object that is feminine or plural, or both.

This rule also applies to reflexive verbs, even though they are conjugated with **être**.

The past participle must agree, therefore, with the following object pronouns:

a. **la** and **les,** always:

> **Avez-vous invité Marie? —Je l'ai invitée.**
> **Avez-vous invité les Dupont? —Je les ai invités.**

b. **me, te, nous, vous,** and **se** when they parallel **la** or **les** (direct object), but not when they parallel **lui** or **leur** (indirect object). Assuming that one woman is writing about another woman, compare:

AGREEMENT OF PARTICIPLE	NO AGREEMENT
Je l'ai vue.	Je lui ai parlé.
Elle m'a vue.	Elle m'a parlé.
Nous nous sommes vues.	Nous nous sommes parlé.
Elle s'est lavée.	Elle s'est lavé les mains.
(**se,** direct object)	(**se,** indirect object; **les mains,** direct object)

The past participle must also agree when a direct object *noun* precedes the participle:

> **Quels livres avez-vous achetés?**
> **Voici les livres que j'ai achetés.**

VERBES A REPASSER

A *Formation of Past Participle*

Past participles of all Type I verbs are regular, and sound like the infinitive: **parler—parlé.**

Most verbs with infinitive in -ir have their participle in -i: **finir—fini** (and all verbs which follow the model **finir**), **partir—parti, servir—servi.**[1]

Verbs with infinitive in -oir or -oire have their participle in -u,[2] sometimes as an ending (**vouloir—voulu**), but more often in a monosyllable:

avoir	eu	pouvoir	pu
croire	cru	savoir	su
devoir	dû	voir	vu

Verbs which follow the model of **vendre** (Chapter 2) have their past participle in -u: **vendre—vendu, répondre—répondu, battre—battu, rompre—rompu.**

Past participles of other -re verbs must be learned separately; for example:

mettre	mis	dire	dit
connaître	connu	écrire	écrit
paraître	paru	lire	lu

B *Stem-Vowel Change, Type I Verbs*

Change of stem vowel in the present tense of Type I verbs is limited, but occurs regularly as follows:

When the stem vowel before a *pronounced* ending is either

> [ə] **mener, nous menons, vous menez**
> **appeler, nous appelons, vous appelez**
> **jeter, nous jetons, vous jetez**

> or [e] **répéter, nous répétons, vous répétez**

the **je, tu, il,** and **ils** forms are pronounced [ɛ].

Change of spelling:

unaccented **e** is changed to **è**, or a following **l** or **t** is doubled:

> **je mène, tu mènes, il mène, ils mènent**

---

[1] Common exceptions are: **venir—venu, tenir—tenu, courir—couru; mourir—mort; ouvrir—ouvert, souffrir—souffert, offrir—offert.**
[2] The exception is **asseoir—assis.**

j'appelle, tu appelles, il appelle, ils appellent
je jette, tu jettes, il jette, ils jettent

but   il gèle (*it is freezing*)
j'achète, tu achètes, il achète, ils achètent

é is changed to è:

je répète, tu répètes, il répète, ils répètent

EXERCICES

A   *Mettez les expressions suivantes au passé composé (par exemple, il va manger—il a mangé):*
Il va parler. Elle va chanter. Elles vont danser. Ils vont jouer. Il va dormir. Il va finir. Elle va rougir. Ils vont mentir. Il va réfléchir. Il va dire son nom. Elle va lire le télégramme. Elle va perdre son argent. Ils vont attendre l'autobus. Ils vont voir la Tour Eiffel. Elle va vouloir sortir. Elle va devoir partir. Elle va pouvoir rester. Il va avoir un examen. Il va savoir sa note.

B   *Mettez au passé composé (par exemple,* je mange—j'ai mangé):
Je regarde. Je repasse. Je range. Je visite. Je vois. Je crois. Je fais. Je mets. Je sais. Je connais. Je promets. Je finis. Je dis. Je lis. J'écris. J'obéis. J'attends. Je rends. Je vends. Je mens.

C   *Répétez l'exercice précédent au négatif (par exemple,* je ne mange pas—je n'ai pas mangé).

D   *Mettez au passé composé:*
Je me promène sur la plage. Je ne me baigne pas. Je me repose sur le sable. Je m'étends au soleil. Je ne m'endors pas. Je me rappelle mes devoirs. Je me dépêche de partir. Je me rends à la bibliothèque. Je me mets à étudier.

E   *Voici des phrases tirées d'une lettre écrite par une jeune fille à une autre jeune fille, mais imprimées ici sans montrer l'accord (without showing agreement) du participe passé. Faites l'accord là où il le faut (wherever necessary):*
1. Je vous ai déjà parlé de Paul. 2. Il m'a amené l'autre soir au

théâtre. 3. En route, il m'a acheté des fleurs. 4. Il m'a tellement flatté! 5. Nous vous avons cherché pendant l'entr'acte. 6. Mais nous ne vous avons pas vu. 7. Et je ne vous ai pas retrouvé à l'université le lendemain. 8. C'est pourquoi je vous ai téléphoné lundi soir. 9. Puis je vous ai écrit. 10. Mais vous ne m'avez pas répondu. 11. C'est alors que je vous ai fait visite. 12. Est-ce que je vous ai vraiment dérangé? 13. Paul nous a invité toutes les deux à l'opéra. 14. Il m'a empêché de vous téléphoner tout de suite. 15. Mais il m'a demandé de vous écrire.

F *Préparez des réponses orales et écrites aux questions suivantes:*
1. Comment vous appelez-vous? 2. Quand fêtez-vous votre naissance? 3. Vous rappelez-vous vos sentiments en arrivant à l'université? 4. Menez-vous maintenant la vie d'un étudiant? 5. Vous habitez dans une chambre meublée, n'est-ce pas? Aimez-vous la propriétaire? 6. Promenez-vous volontiers son petit chien? 7. Vous promenez-vous le soir quand vous avez fini d'étudier? 8. Vous levez-vous de très bonne heure? 9. Achetez-vous des tas de livres? 10. Vous achetez-vous parfois quelque édition de luxe? 11. Vous inquiétez-vous un peu avant les grands examens? 12. Répétez-vous jamais les mêmes erreurs? 13. Espérez-vous de meilleures notes cette fois?

COMPOSITION

Écrivez en français:
1. I celebrated my birthday yesterday. 2. I took a walk on the beach. 3. But I didn't walk the dog. 4. She got up early this morning. 5. She has not been able to sleep well. 6. He looked at the menu and ordered his dinner. 7. But he did not pay the check. 8. Have you heard the news on the radio? 9. She told me to bring some French records. 10. But we have not been able to make the record player work.

CHAPTER 6

CONVERSATIONS

1 *Il s'agit de savoir, par le résultat, si une action a été accomplie:*

MODÈLE

A Il commence à pleuvoir (*it is beginning to rain*).
Est-ce qu'on a fermé les fenêtres?

B Oui, elles sont fermées.

1. Est-ce qu'on a tiré les rideaux?   2. A-t-on rangé le salon?
3. Est-ce qu'on a fermé la porte de la salle à manger?   4. On a
mis la table?   5. On a allumé les bougies?   6. A-t-on arrangé les
chaises?   7. A-t-on rempli les verres de (*with*) vin?   8. Est-ce
qu'on a déjà servi les hors d'œuvres?

9. Pour ce qui est de (*concerning*) notre voyage, est-ce qu'on a
fait tous les préparatifs?   10. A-t-on choisi enfin l'itinéraire?
11. On a écrit les lettres nécessaires?   12. Est-ce qu'on a pourvu
(*provided*) le nécessaire d'un long voyage?   13. Naturellement,
on a déjà dépensé tout l'argent?   14. A-t-on fait les malles
(*packed the trunks*)?   15. C'est bien, alors. Est-ce qu'on a fait
les adieux?

2 *Vous venez de revoir une ville que vous et moi nous avons
habitée il y a longtemps* (*a long time ago*). *Voici deux façons de
répondre aux questions que je vous pose:*

42

MODÈLE

A Est-ce que notre petit café est fermé maintenant?
B 1. Oui, on a fermé notre petit café.
  2. Oui, il a été fermé.

Préparez deux réponses aux questions suivantes:
1. Est-ce que notre quartier est beaucoup changé? 2. Est-ce que la pension de Mme Bayard est démolie maintenant? 3. Sans doute, sa pension est remplacée par un immeuble (*apartment house*) moderne? 4. La grande maison vide d'en face est enfin vendue? 5. Notre petite rue étroite est maintenant élargie? 6. Le stationnement est enfin permis là? 7. Est-ce que les grands magasins qu'on proposait sont bâtis maintenant? 8. La construction du nouveau pont est-elle achevée? 9. Est-ce que les restes de l'ancien pont sont effacés? 10. Est-ce que les grands arbres qui bordaient le parc sont coupés maintenant? 11. Alors, je vois que tout est changé.

PARAPHRASE

3 *Dans une Paraphrase, l'étudiant répète ce que dit le professeur, mais il le dit d'une autre façon.*

MODÈLES

A A l'ordinaire, on ferme le musée à six heures.
B A l'ordinaire, le musée se ferme à six heures.
A Mais hier, on l'a fermé à midi.
B Mais hier, il s'est fermé à midi.

Ces phrases suivent les modèles A; faites-en des paraphrases d'après les modèles B:
1. On ferme les grands magasins à six heures. 2. L'été passé, on les a fermés un peu plus tard. 3. On termine les classes au mois de mai. 4. L'année passée, on ne les a terminées qu'en mi-juin. 5. On annonce tout de suite les résultats des examens. 6. Il y a deux ans, on ne les a pas annoncés. 7. Ici on écrit les examens sous l'œil du professeur. 8. L'année passée, histoire d'essayer (*just to try out*) cet autre système, on les a écrits à la maison.

9. Pour les étudiants de première année, on ne permet pas le choix des cours.   10. On a toujours exigé un cours de langue étrangère.

11. Aujourd'hui dans l'Assemblée, on discute le problème des finances.   12. On a déjà posé la question des taxes.   13. C'est une solution à la crise financière qu'on cherche aujourd'hui.[1] 14. On a trouvé dans le passé des solutions à des problèmes autrement (*even more*) difficiles.

EXPLICATIONS
Past Participles after Être in Nonreflexive Constructions

1   *Descriptive Sentences*

Past participles frequently function as adjectives, usually in a passive sense:

> **une chambre meublée** *a furnished room*
> **des pommes de terre frites** *fried potatoes*
> **une journée passée à la campagne** *a day spent in the country*

They may stand with the noun, as in the examples just given, or they may be placed after the verb **être** (agreeing with the subject, as do all adjectives):

> **Cette chambre est bien meublée.**
> *This room is well furnished.*

You have used the latter construction in Conversation 1 to form *descriptive sentences:*

> **La porte est fermée.**
> *The door is closed.*
> **Les lampes sont allumées.**
> *The lights are on.*

2   *Passive Sentences*

The above examples describe a situation resulting from an action already completed; if the door is closed now, someone has closed it, it has been closed.

[1] Replace object **qu'** with subject **qui** before the reflexive.

When we do not know who performed the action, or when the action itself interests us more than the agent, we may report it in French

a. with indefinite **on** as subject of an active sentence;
b. with a *passive* sentence:[1]

La porte est fermée maintenant.
Donc (*therefore*):

a. **On a fermé la porte.**
b. **La porte a été fermée.**

La pension de Mme Bayard est démolie maintenant.

a. **On a démolie la pension de Mme Bayard.**
b. **Elle a été démolie il y a longtemps.**

Thus, the present tense of **être** + past participle *describes* a situation, while the passé composé reports *past action:*

> **Les lampes sont allumées.** (descriptive sentence)
> **Les lampes ont été allumées.** (passive sentence)[2]

Note that in both cases, the participle functions as an adjective agreeing with the subject.

3   *Reflexive as a Substitute for the Passive*

A third way to report an action without expressing a specific agent is to use a reflexive construction:

---

[1] A passive sentence is one whose subject is not the agent, but the receiver of the action. Compare:

> active sentence
> **Un chien a mordu ce petit garçon.**
> passive sentence
> **Ce petit garçon a été mordu par un chien.**

Passive sentences are formed with an appropriate tense of **être** plus the past participle; for example:

> **Il a été mordu.** *He has been (was) bitten.* (passé composé)
> **Il avait été mordu.** *He had been bitten.* (pluperfect)
> **Il aurait été mordu.** *He would have been bitten.* (past conditional)

[2] In past narration, the imperfect of **être** + past participle contrasts similarly with the passé composé:

> **Il était blessé au bras.**
> *He was wounded in the arm.* (describing the state we found him in)
> **Il a été blessé au bras.**
> *He was wounded in the arm.* (reporting what happened)

On a vendu hier la maison d'en face.
La maison d'en face a été vendue hier.

or   La maison d'en face s'est vendue hier.

The house across the street was sold yesterday.

French speakers use **on** or the reflexive construction more commonly than the passive.[1] **On** and the reflexive often are interchangeable, but compare:

On a fermé la porte derrière moi.
The door was closed behind me (by someone).
La porte s'est fermée derrière moi.
The door swung shut behind me (by itself).

Use only **on** or the reflexive for a *customary* action (present tense):

On ferme le musée à six heures.

or   Le musée se ferme à six heures.

The museum is closed at six o'clock.[2]

The reflexive renders many English intransitive as well as passive verbs; for example:

Les magasins se ferment à midi le samedi.
The stores close (are closed) at noon on Saturdays.
Ce livre se vend trois dollars.
This book sells (is sold) for three dollars.
Cette porte ne s'ouvre pas.
That door doesn't open.
Son royaume s'étend à la mer.
His kingdom extends to the sea.

Additional Note

Only the *direct* object of an active verb can become the subject of a passive verb. You may say either:

On l'a invité.

or   Il a été invité.

---

[1] The passive must be used in cases like that of the boy bitten by a dog:

Ce garçon a été mordu à la jambe.
This boy has been bitten in the leg.

On a mordu ce garçon would mean that some *person* bit him, while **Ce garçon s'est mordu** would be taken literally to mean that he bit himself.

[2] **Le musée est fermé** is a *descriptive* sentence in French (see Explication 1).

> *They invited him.*
> *He was invited.*

but only:

On lui a demandé de venir.
They asked him to come.
He was asked to come.

VERBES A REPASSER
Intransitive Verbs Conjugated with Être

Participles of intransitive verbs conjugated with **être** are treated as adjectives and agree with the *subject*. Context will determine whether sentences like **Elle est sortie** or **Ils sont morts** are descriptive (*She is out. They are dead*) or report a past event (*She went out. They died*).

The following common intransitive verbs require **être** as auxiliary in compound tenses:

aller	partir
arriver	rentrer
entrer	rester
descendre	retourner
devenir	sortir
monter	tomber
mourir	venir, revenir
naître	

Monter, descendre, sortir, and **rentrer** may also be used transitively (with an object), in which case they are conjugated with **avoir;** compare:

Elle est montée (descendue).
She went upstairs (downstairs).

but **Elle a monté la rue La Fayette.**
She went up La Fayette Street.
Elle a descendu sa valise.
She brought her suitcase down.

Il est sorti (rentré).
He went out (back in).

but **Il a sorti son mouchoir.**
He took out his handkerchief.
Il a rentré les chaises.
He took the chairs in.

EXERCICES

A *Indiquez l'action qui a produit ce résultat (par exemple,* **La porte est fermée.—La porte a été fermée.** *ou* **On a fermé la porte.**):

1. Les fenêtres sont fermées. 2. Les lettres sont écrites; elles sont mises à la poste. 3. Le stationnement est interdit de ce côté de la rue. 4. Cette chambre est meublée dans le style moderne. 5. Les verres sont remplis d'un bon vin. 6. Tous les exemplaires (*copies*) de ce roman sont vendus. 7. La carte du monde est suspendue au mur. 8. Votre emplette (*purchase*) est déjà enveloppée. 9. Vos souliers ont déjà cirés (*shined*). 10. Vos pantalons sont déjà repassés (*pressed*).

B *Indiquez l'action qui a produit ce résultat (par exemple,* **La porte est fermée.—La porte s'est fermée.**):

1. Cette maison est enfin vendue. 2. Cette édition est épuisée (*sold out, exhausted*). 3. Le ciel est couvert (*clouded over*). 4. Son mariage est annoncé. 5. La guerre est terminée. 6. Ce soldat est blessé au bras.

C *Mettez au passif (par exemple,* **Un chien a mordu ce garçon.— Ce garçon a été mordu par un chien.**):

1. Marie a rangé le salon. 2. La bonne a mis la table. 3. Mon père a fait tous les préparatifs. 4. Ma mère a choisi l'itinéraire. 5. Pierre a fait les malles. 6. Mme Bayard a vendu la pension. 7. La police a défendu le stationnement. 8. L'Assemblée a discuté le problème des finances.

D *Mettez au passif si c'est possible:*[1]

1. On m'a invité au bal. 2. On m'a reconnu malgré mon déguisement (*disguise*). 3. On m'a demandé de chanter. 4. On m'a bien remercié. 5. On m'a trop flatté. 6. On m'a réveillé le lendemain de très bonne heure. 7. On m'a défendu de vous en parler. 8. On m'a nommé président. 9. On m'a choisi à mon insu (*without my knowledge*).

E *Mettez les phrases suivantes au passé composé:*

1. Je vais à l'opéra. 2. Je demande la route à un passant. 3. J'attends l'autobus au coin de la rue. 4. L'autobus arrive.

[1] See the Additional Note, page 46.

5. Je monte dans l'autobus.   6. Je cherche une place.   7. Je lis mon journal.   8. Je descends Place de l'Opéra.   9. Je me dépêche d'entrer.   10. Je reste jusqu'au troisième acte.   11. Je sors de l'opéra à dix heures.   12. Je rentre chez moi.   13. Je monte au quatrième.   14. Je trouve ma clef.   15. J'entre.   16. Je n'allume pas les lampes.   17. Je m'installe dans mon fauteuil.   18. Je sors ma pipe.   19. Je me rappelle les plus beaux moments de l'opéra. 20. Je fredonne (*hum*) les airs que j'aime le mieux.   21. Enfin je me couche.   22. Je m'endors tout de suite.

COMPOSITION

Écrivez en français:

1. The big stores close at six.   2. Classes end here in mid-June. 3. Last year they ended in May.   4. Exams are written in English.   5. A foreign-language course is always required.   6. That question has already been discussed.   7. The necessary letters have not been written yet.   8. Coffee is served after dinner. 9. The curtains have been drawn.   10. Parking is prohibited on (**dans**) our street.   11. We were not invited.   12. We were told not to sing.   13. She was asked to leave.   14. He was given two de-luxe editions.   15. But he was forbidden to read the books.

UNIT 2   SENTENCE PATTERNS

CHAPTER 7

CONVERSATIONS

Dans cette leçon on apprend à faire des questions. C'est donc l'étudiant qui pose les questions ici.

Pour indiquer de quoi il s'agit chaque fois, le professeur (A) prononcera d'abord la réponse. Alors l'étudiant doit formuler une question d'après le modèle B. Un autre étudiant (C) répétera la réponse pour finir la conversation.

1a   MODÈLE

   A (le professeur indique la réponse) **Je parle français.**
   B (l'étudiant pose la question) **Vous parlez français?**
   C (un autre étudiant répond) **Oui, je parle français.**

1. Je suis un cours de français. 2. Je vais en Europe cet été.
3. J'habite à New York. 4. Je connais votre frère. 5. Je sors.
6. Je ne prends pas mon parapluie (*umbrella*). 7. J'aime la pluie. 8. Je fais une promenade. 9. Je prends à gauche ici.

1b   MODÈLE

   A **Je parle anglais.**
   B **Est-ce que vous parlez anglais?**
   C **Oui, je parle anglais.**

1. Je suis Américain. 2. Je passe l'hiver à Paris. 3. J'habite dans

une pension.   4. Je me promène souvent au Jardin des Tuileries.
5. Je ne prends pas le métro.   6. J'attends un autobus.   7. Je descends devant la Madeleine.   8. J'ôte mon chapeau.   9. J'entre
dans l'église.   10. J'y reste pour méditer un peu.   11. Je mets
mon imperméable (*raincoat*).   12. Je sors dans la pluie.   13. Je
cherche un taxi.   14. Je me rends à l'université.

1c   MODÈLES

A   Je parle un peu italien.
B   Parlez-vous un peu italien?
C   Oui, je parle un peu italien.

A   Elle parle très bien l'anglais.
B   Parle-t-elle très bien l'anglais?
C   Oui, elle parle très bien l'anglais.

A   On parle français ici.
B   Parle-t-on français ici?
C   Oui, on parle français ici.

1. Je pars pour l'Italie.   2. Je fais un long voyage.   3. Je profite
de la belle saison.   4. Je prends le train.   5. Je prends mon billet
d'avance.   6. Elle étudie la littérature anglaise.   7. Elle suit un
cours sur Shakespeare.   8. Elle passe un examen demain.   9. Elle
réussit à tous ses examens.   10. Elle habite près d'ici.   11. Elle
prends ses repas à la pension.   12. Elle passe l'été à Londres.
13. Elle m'écrit souvent.   14. Elle m'envoie des cartes postales.
15. Elle ne vous connaît pas.   16. Elle nous invite chez elle.
17. On parle français à Montréal.   18. Pour aller à Paris, on
prend le rapide (*express*).   19. On passe un examen pour entrer
dans cette école.   20. On doit réussir à l'examen, bien sûr.

2a   MODÈLES

A   Paul part déjà.   A   Paul a déjà fini.
B   Paul part déjà?   B   Paul a déjà fini?
C   Oui, il part déjà.   C   Oui, il a déjà fini.

1. Paul a fini l'examen.   2. Les autres étudiants sont sortis.
3. Marie va danser.   4. M. Dupont est tombé dans la rue.   5. Le

bébé dort encore. 6. Mon train est arrivé. 7. Jean est sorti dans la pluie. 8. Ma mère va bien.

2b

MODÈLES

A Paul part déjà.	A Paul a déjà fini.
B Est-ce que Paul part déjà?	B Est-ce que Paul a déjà fini?
C Oui, il part déjà.	C Oui, il a déjà fini.

1. Paul a réussi à l'examen. 2. Les étudiants vont prendre du café. 3. Ces jeunes filles apprennent à danser. 4. M. Dupont a trébuché (*stumbled*). 5. Tout ce tapage n'a pas réveillé le bébé. 6. Mon train est déjà parti. 7. Jean a pris son parapluie. 8. Mes parents se portent bien.

2c

MODÈLES

A Paul part déjà.	A Paul a déjà fini.
B Paul part-il déjà?	B Paul a-t-il déjà fini?
C Oui, il part déjà.	C Oui, il a déjà fini.

1. Cette boutique est fermée. 2. Les grands magasins se ferment à six heures. 3. Pierre veut acheter des gants. 4. Mon ami examine tous les gants. 5. La vendeuse paraît très pressée. 6. Le client prend son temps. 7. Le client a enfin fait son choix. 8. La vendeuse va envelopper les gants. 9. Pierre sort dans la rue. 10. Le jeune homme a déjà mis les gants. 11. Le chauffeur du taxi attend toujours (*still*). 12. La comtesse nous a invités à l'opéra.

3

MODÈLES

Où		Je mange au restaurant.
Quand		Je mange vers midi.
Comment		Je mange très vite.
Combien	mangez-vous?	Je mange très peu.
Que		Je mange une salade.
Avec quoi		Je mange avec une fourchette.
Pourquoi		Je mange parce que j'ai faim.

Qui cherchez-vous?	Je cherche Marie.

A qui ⎱
De qui ⎰ **parlez-vous?**

Je parle à mes amis.
Nous parlons de nos professeurs.

Notez bien les questions des modèles. Puis demandez les informations soulignées dans les réponses suivantes (par exemple, J'habite près d'ici—Où habitez-vous?):
1. J'habite dans une pension.   2. Je prends mon petit déjeuner à la pension.   3. Je prends mes autres repas au restaurant.   4. Je me rends à l'université à pied.   5. Je déjeune vers midi.   6. Pour le déjeuner, je ne prends qu'un sandwich et du lait.   7. J'étudie dans ma chambre.   8. Je trouve ma chambre très commode.[1]
9. Je demeure avec un camarade de chambre.   10. Maintenant, j'étudie mon français.   11. Je l'étudie parce que je dois passer un examen demain.

12. Ce matin, j'ai pris le petit déjeuner dans ma chambre.   13. Je me suis levé de très bonne heure.   14. Je me suis levé de si bonne heure pour repasser mon français.   15. J'ai dormi trés mal cette nuit (*last night*).   16. Je me suis rendu en classe à bicyclette.   17. En route, j'ai rencontré Yvonne.   18. Nous avons parlé de l'examen.   19. Elle a dit: «Moi je suis sûre de réussir cette fois.»   20. J'ai répondu: «Pas moi, hélas.»

21. Je vais bien, merci.   22. Je me porte très bien.   23. Ma mère va bien.   24. Mes parents habitent à Chicago.   25. Mon frère est allé à New York.   26. Paul a pris la lettre sur votre bureau.   27. Paul l'a donnée à Marie.   28. Marie l'a mise à la poste.   29. Jean a invité Pauline au bal.   30. Le bal a lieu (*takes place*) samedi soir.

4a   Parlons géographie.

MODÈLE

A (le professeur) **Monsieur, demandez la capitale de la France.**

[1] Use **Comment . . . ?**

B (l'étudiant) **Quelle est la capitale de la France?**
C (un autre étudiant) **Paris est la capitale de la France.**

Demandez: 1. la capitale des États-Unis. 2. le fleuve le plus long des[1] États-Unis. 3. les états qui bordent le Pacifique. 4. le fleuve qui traverse Paris. 5. les montagnes qui séparent la France et l'Espagne. 6. la montagne la plus élevée du monde. 7. la plus grande ville de la France.

4b   MODÈLE

A (le professeur) **Mademoiselle, demandez ce que c'est que la Seine** (*what the Seine is*).
B (L'étudiante)   **Qu'est-ce que** ⎫
                         Qu'est-ce que c'est que ⎬ **la Seine?**
C (un autre étudiant) **La Seine est un fleuve.**

Demandez ce que c'est que: 1. le Rhin. 2. la Bretagne. 3. la Belgique. 4. les Alpes. 5. la Méditerranée. 6. Versailles. 7. les *Misérables*. 8. la *neuvième* de Beethoven. 9. la *Joconde*. *Demandez une définition de.* 10. la grammaire. 11. la philosophie. 12. l'homme.

EXPLICATIONS

Interrogative Sentences

1 *Yes-or-No Questions*

a. A question to be answered by **oui** or **non** is spoken with a rise in pitch on the final syllable.

b. Although this special intonation is a sufficient signal, a question expecting **oui** or **non** is often begun with **est-ce que** (pronounced as a single syllable [ɛsk]):

> **Vous partez déjà?**
>
> or   **Est-ce que vous partez déjà?**

c. Alternatively, a pronoun subject and its verb may be inverted:

> **Partez-vous déjà?**

[1] After a superlative, *in* = **de.**

Subject **il (ils)** and **elle (elles)**, when placed after the verb, are always pronounced [til] and [tɛl]. Similarly, **on** is pronounced [tõ]. The additional [t] sound is indicated in spelling by inserting **-t-**, unless the last letter of the verb is a **t** or **d**:

a-*t-il*	est-*il*
danse-*t-elle*	dansen*t-elles*
achète-*t-on*	vend-*on*

2 Noun Subjects in Yes-or-No Questions

In yes-or-no questions, a noun subject must stand before the verb, as it does in a statement. The question may be signaled

a. by intonation alone:

Marie part déjà?

b. by placing **est-ce que** before the subject:

Est-ce que Marie part déjà?

c. by repeating the noun with a pronoun ([til] or [tɛl]) placed after the verb:

Marie par*t-elle* déjà?
Son frère va-*t-il* partir avec elle?

The pronoun is placed after the *auxiliary* verb in a compound construction:

Vos parents on*t-ils* beaucoup voyagé?

3 Information Questions[1]

A question requesting information begins with an information-word, such as **quand, comment, où, pourquoi**. To ask *who* or *whom*, use **qui** (invariable); to ask *what*, use **que** (**qu'** before a vowel), but **quoi** after prepositions.

[1] There is no special final intonation for an information question. It is spoken with the same final falling pitch as a statement. An information question normally *begins* on a higher pitch than a statement, however. Compare:

Y allez-vous? Are you going there?
Où allez-vous? Where are you going?
A travers le pont. Across the bridge.

With a *pronoun* subject, use either **est-ce que** or inversion:

> **Où est-ce que vous prenez vos repas?**
> **Où prenez-vous vos repas?**

With a *noun* subject, either insert **est-ce que** before the noun, or add [til] or [tɛl] to the verb:

> **Où est-ce que votre frère achète ses cravates?**
> **Où votre frère achète-t-il ses cravates?**

If the verb has no object, the noun subject of an information question may be placed *after* the verb:

Où va Jean?	**Que voit Jean?**
as well as:	as well as:
Où est-ce que Jean va?	**Qu'est-ce que Jean voit?**
Où Jean va-t-il?	**Que Jean voit-il?**[1]

4   *Special Interrogative Sentences*

a. The forms

> **Quel est**
> **Quelle est**
> **Quels sont**
> **Quelles sont,**

followed by a noun, ask for an identification:

> **Quelle est la capitale de la France?**
> *Paris* **est la capitale de la France.**

b. **Qu'est-ce (que c'est) que**[2] + a noun asks for a definition:

Qu'est-ce que la capitale?
La capitale est le centre politique, administratif et souvent culturel d'une nation.

---

[1] Inversion of a noun subject is usually avoided after **pourquoi** and **quand**. It cannot be used after object **qui** (*whom*), which would then be confused with subject **qui** (*who*):

	Qui est-ce que Jean voit?
or	**Qui Jean voit-il?**
	Whom does John see?
Compare:	**Qui voit Jean?** (subject **qui**)
	Who sees John?

[2] Both **Qu'est-ce** (*What is it?*) and the longer **Qu'est-ce que c'est** (literally, *What is it that it is?*) are commonly used. The final explanatory **que**, introducing the noun to be defined, could be roughly translated *namely*.

VERBES A REPASSER

A *Prendre (apprendre, comprendre)*
The present tense of this verb, although complicated, follows a normal sound pattern for Type II verbs.

Its stem vowel shifts from [ə] before a pronounced ending:

> nous prenons [prənõ]
> vous prenez [prəne]

to [ɛ] where the stem is stressed:

> ils prennent [prɛn]

and is nasalized in the singular, as always occurs when consonant sound [n] is dropped:

> je prends [prɑ̃]
> tu prends
> il prend

It is usually misleading to tie the meaning of any French verb to a single English word—to say, for instance, that **prendre** "means" *to take*. True, the central meaning of **prendre** is *to take* in the sense of *take hold of:*

> **Prenez ce livre.**
> *Take this book.*

But the English word extends to areas not covered by **prendre:**

> **Portez ce livre à Marie.**
> *Take this book to Marie.*
> **Il lui apporte des fleurs.**
> *He takes her flowers.*
> **Il l'amène au théâtre.**
> *He takes her to the theater.*

En français, on prend un train et on prend son temps, mais on *fait* un voyage, on *suit* un cours et on *passe* un examen.

Conversely, the French word may be used where a different English verb is required; for example: **prendre un billet** *to buy a ticket,* **prendre à droite** *to turn right.*

Constructions of **prendre** and **apprendre:**

prendre qqch. sur la table, dans le tiroir, etc. *to take something from the table, from the drawer,* etc.

prendre qqch. à qqn	*to take something from someone*
apprendre qqch.	*to learn something*
apprendre à faire qqch.	*to learn to do something*
apprendre qqch. à qqn	*to teach someone something*
apprendre à qqn à faire qqch.	*to teach someone to do something*

B *Suivre, Vivre*

Review the present tense of these two verbs with final consonant sound [v]. No vowel change occurs.

EXERCICES

A *Après avoir entendu le singulier, prononcez le pluriel (par exemple, il finit—ils finissent)*:

Il suit. Il vit. Il obéit. Il lit. Il écrit. Il dit. Il choisit. Il réfléchit.

Il prend. Il rend. Il vend. Il ment. Il attend. Il apprend. Il défend. Il sent.

Il sert. Il sort. Il dort. Il part. Il perd. Il peut. Il veut. Il doit.

B *Prononcez, puis écrivez à l'interrogatif (par exemple, il est— est-il?)*:

Il va. Ils vont. Elle a. Elles ont. Elles sont. Il répond. Ils répondent. Elle se promène. Il s'appelle. Ils s'appellent. Il répète. On achète. On se trouve. Il monte. Elle descend. On attend.

C *Dites en français:*

1. Where are you going? 2. Where did you go? 3. What did you do? 4. When do you leave? 5. What did he eat? 6. Why is he studying? 7. What is he studying? 8. With whom is he dancing? 9. What did you write this exam with? 10. What did you learn?

D *Dites en français:*

1. Is Marie leaving already? 2. Is John studying? 3. Are the children still sleeping? 4. Is the professor talking to us? 5. Is the maid setting the table? 6. Is your sister going out? 7. Is your mother waiting for you? 8. Are the students writing in French?

COMPOSITION

Écrivez en français:

1. Take your time. 2. Take your choice. 3. Take off your gloves.
4. Put on your raincoat. 5. Take your umbrella. 6. Take the
subway. 7. I took this letter from the table. 8. I took it to the
mailbox (**la poste**). 9. I took her to the movies. 10. Where does
the exam take place? 11. Are your parents taking a trip? 12. Are
they taking advantage of the good weather (**la belle saison**)?
13. Wait for the bus. 14. Get off in front of the library. 15. Go
in and turn right. 16. Go down the stairs (**l'escalier**). 17. Don't
go out. 18. Has your friend bought his ticket yet? 19. I'm
learning to speak French. 20. I'm teaching my brother French.
21. I taught my sister to swim. 22. What is Marie waiting for?
23. What is the largest city in the world? 24. What is man?

c'est

1. He is, she is, it is when followed
directly by le, la, un, une or posses-
ive adj.

ce sont

When followed directly be les, de
des, poss. adj.

EX.- Ce sont les photos de Marie.

est

He is, she is, it is, when followed
directly by a descrip. adj.

EX. Elle est intelligent.

CHAPTER 8

CONVERSATIONS

1a *Le professeur montre quelque chose, en demandant ce que c'est:*

MODÈLES

A	B
Qu'est-ce?	C'est un livre.
Qu'est-ce que c'est?	C'est la porte.
	Ce sont des crayons.

Votre professeur continuera cet exercice en indiquant ce qu'on voit dans la salle de classe.

1b *Maintenant le professeur cherche des définitions:*

MODÈLES

A	B
Qu'est-ce que la Loire?	C'est un fleuve.
Qu'est-ce que les Alpes?	Ce sont des montagnes.

Répondez aux questions suivantes:[1]

1. Qu'est-ce que l'Afrique? et l'Asie? 2. Qu'est-ce que la

[1] Voici du vocabulaire à employer dans vos réponses. Ajoutez-y ce que vous voudrez, par exemple: **Ce sont des montagnes très élevées situées au centre de l'Europe occidentale.**

une cathédrale	un fleuve	un océan	un port
un château	une mer	un palais	une province
un continent	une montagne	un parc	un théâtre
une église	un musée	un pays	une ville

Suisse? la Belgique? 3. Qu'est-ce que la Normandie? la Pro-
vence? 4. Qu'est-ce que le mont Blanc? 5. Qu'est-ce que les
Pyrénées? 6. Qu'est-ce que la Méditerranée? le Pacifique?
7. Qu'est-ce que Fontainebleau? Versailles? 8. Qu'est-ce que
Le Havre? 9. Regardons une carte de Paris. Qu'est-ce que la
Seine? 10. Qu'est-ce que le Louvre? 11. Qu'est-ce que Notre-
Dame de Paris? la Sainte-Chapelle? le Sacré-Cœur? la Made-
leine? 12. Qu'est-ce que l'Odéon? 13. Qu'est-ce que le Bois
de Boulogne? 14. Qu'est-ce que les Tuileries? le Jardin des
Tuileries?

2   *Le professeur continue avec des questions auxquelles deux
étudiants répondront:*

MODÈLES

A   (le professeur) **Paris est-il beau?**
B   (l'étudiant) **Oui, il est beau.**
C   (un autre étudiant) **C'est une belle ville.**

A   **La Loire est-elle longue?**
B   **Oui, elle est longue.**
C   **C'est un long fleuve.**

*Préparez deux réponses, d'après les modèles B et C, à chacune
des questions suivantes:*
1. Le Mississippi est-il long? 2. L'Afrique est-elle grande? 3. Le
Pacifique est-il vaste? 4. La Suisse est-elle montagneuse? Et la
Hollande, est-elle plutôt plate? 5. Le mont Blanc est-il très
élevé? 6. La Normandie est-elle pittoresque? 7. A Rouen, la
Seine est-elle large? 8. Le Havre est-il important pour le com-
merce? 9. Notre-Dame de Paris est-elle énorme? 10. La Sainte-
Chapelle est-elle très belle? 11. Le Louvre est-il célèbre?
12. L'Odéon est-il bien connu? 13. Le Bois de Boulogne est-il
très étendu? 14. Le Jardin des Tuileries est-il bien joli?

3a   *Voici un bout de conversation au musée d'art:*

MODÈLES

A   **Comment, vous passez vos après-midi au musée?**
B   **Du moins, ça ne coûte rien.**

A A propos, avez-vous acheté ce petit tableau que nous admirions?

B Non, *il* coûte trop.

Pour répondre aux questions suivantes, employez $\left\{ \begin{array}{l} \textbf{il} \\ \textbf{elle} \\ \textbf{ils} \\ \textbf{elles} \end{array} \right\}$ *ou* ça

devant le verbe donné entre parenthèses:[1]

1. Alors, vous passez votre temps à étudier Renoir? (m'intéresse)
2. Vous admirez son choix de couleurs? (m'intrigue)   3. Que pensez-vous de ce tableau-ci? (m'enchante)   4. Il est certainement de Renoir. (saute aux yeux)   5. Et cet autre petit tableau? (me laisse indifférent)   6. Là votre sœur n'est pas d'accord avec vous. (ne prouve rien)   7. Depuis des semaines (*for weeks now*), elle ne parle que de ce tableau-là. (ne me fait rien)
8. Passons maintenant dans cette galerie-là. Que pensez-vous de ces grandes statues modernes? (m'amuse)   9. Pourtant, les critiques les ont beaucoup admirées. (ne me surprend pas)   10. Vous n'avez donc pas le goût de la sculpture moderne; c'est un goût qu'on doit acquérir. (prend du temps)   11. Et la musique moderne? (m'agace)   12. Alors, il y a toujours l'art médiéval. (m'ennuie)   13. Vous n'aimez pas à examiner minutieusement des tapisseries? (m'ennuie)   14. Cette fois je suis d'accord. Sortons prendre quelque chose; je connais un petit café pas loin d'ici. (m'intéresse beaucoup)

3b *Nous nous rencontrons un matin dans un grand magasin:*

MODÈLES

A Allez-vous acheter cette cravate-là?
B *Elle est* trop chère.

A Voulez-vous déjeuner en ville?
B *C'est* trop cher.

[1] Mettez le verbe au pluriel si nécessaire.

Pour répondre, employez $\left\{\begin{array}{l}\textbf{il est}\\ \textbf{elle est}\\ \textbf{ils sont}\\ \textbf{elles sont}\end{array}\right\}$ *ou* **c'est** *devant l'adjectif*

donné entre parenthèses:[1]
1. Comptez-vous aller en France cet été? (trop cher) 2. Pouvez-vous m'accompagner? (impossible) 3. Va-t-il faire chaud cet après-midi? (probable) 4. Franchement, que pensez-vous de ma cravate? (très joli) 5. Je l'ai payée trois dollars. (trop cher) 6. Que pensez-vous de ce roman-là? (intéressant) 7. J'en connais l'auteur. (intéressant) 8. On montre ce soir un film avec Fernandel. (merveilleux) 9. Ma vieille tante a peur des chats. (ridicule) 10. Pourquoi lisez-vous tant de romans policiers? (amusant) 11. Ma sœur bavarde constamment quand on veut écouter la radio. (agaçant) 12. Avez-vous appris tous les verbes? (difficile) 13. Nous aurons demain encore un examen. (ennuyant) 14. Savez-vous mettre au féminin tous les adjectifs? (compliqué) 15. Comment trouvez-vous cette leçon? (facile) 16. Faut-il repasser le verbe **être**? (inutile)

4 *Voici encore une conversation de la même sorte:*

MODÈLES

A **Je veux apprendre le français.**
B **Il est facile à apprendre.**
A **Je veux perfectionner ma prononciation.**
B **C'est facile à faire.**

Pour répondre, employez $\left\{\begin{array}{l}\textbf{il est}\\ \textbf{elle est}\\ \textbf{ils sont}\\ \textbf{elles sont}\end{array}\right\}$ *ou* **c'est** *devant l'expression*

donnée entre parenthèses:[1]
1. Je veux lire les poèmes de Baudelaire. (facile à lire) 2. Je veux les traduire en anglais. (difficile à faire) 3. Je veux les traduire en anglais. (difficile à traduire) 4. J'aimerais lire les

---

[1] Faites l'accord (*agreement*) de l'adjectif si nécessaire.

romans de Flaubert. (intéressant à lire) 5. Sont-ils plus difficiles que les romans de Balzac? (difficile à dire) 6. Mais pour apprendre le français, faut-il savoir tous les verbes? (important à savoir) 7. Faut-il les apprendre par cœur? (utile à faire) 8. En passant, comment trouvez-vous votre chambre? (agréable à habiter) 9. Votre camarade de chambre est un étranger, n'est-ce pas? Comment le trouvez-vous? (intéressant à connaître) 10. Il parle avec un accent? (drôle à entendre quand il parle anglais)

EXPLICATIONS

Identifying and Descriptive Sentences

1 Identifying Sentences

Ce is normally used as subject of an *identifying* sentence (**être** + a noun):

> **Qu'est-ce? —C'est un camion.** *It's a truck.*
> **Qui est cet homme? —C'est mon père.** *He's my father.*
> **Qui est cette jeune fille? —Ce doit être Marie, mais ce pourrait être ma sœur.**

2 Descriptive Sentences

When referring to a noun already stated, use **il, elle, ils, elles** as subject of a *descriptive* sentence (**être** + adjective). Compare the two patterns, identifying and descriptive, as used in Conversation 2:

> **La Loire est-elle longue?**
> **Oui, elle est longue.** (descriptive)
> **C'est un long fleuve.** (identifying)

Profession, Nationality, etc.

Words indicating profession, nationality, religion, or political inclination, although normally nouns, may be used as *adjectives* in descriptive sentences. In such sentences, the subject of **être** must be **il, elle, ils,** or **elles.**

Ce must be used as subject of **être,** however, when these words are used with an article or other modifying word. Compare:

Ne connaissez-vous pas Pierre Arnaud?

Il est médecin.	**C'est un médecin.**
	C'est le médecin de notre quartier.
Il est Français.	**C'est un bon Français.**
Il est socialiste.	**C'est un socialiste très modéré.**

3   *Gender and Neuter Forms*

French pronouns of the third person often distinguish between *gender* forms (forms for masculine and feminine, singular and plural) and a *neuter* form.[1]

The subject gender forms used in Conversation 2—il, elle, ils, elles— replace a noun already stated. Contrasting with them as neuter pronouns are:

a. **ça,** as subject of verbs other than **être.**

b. **ce,** as subject of **être** or constructions with **être** (ce doit être, ce pourrait être).

> **Allez-vous acheter cette robe-là?**
> **Non, elle** (la robe) **coûte trop, elle est trop chère.**
> **Allez-vous voyager en France cet été?**
> **Non, ça coûte trop, c'est trop cher** (that is, going to France).
> **Avez-vous appris tous les verbes?**
> **Non, ils** (les verbes) **sont trop difficiles.**
> **Non, c'est trop difficile** (that is, learning them all).

4   *A + Infinitive after Adjectives*

An infinitive introduced by **à,** following an *adjective,* specifies how the adjective applies:

> **bon à manger** *good to eat*
> **ennuyant à écouter** *boring to listen to*
> **impossible à éviter** *impossible to avoid*
> **libre à partir** *free to go*[2]

---

[1] *Neuter,* when applied to French, does not have the same meaning it has for English. All French nouns, whatever their meaning, are either masculine or feminine. A French noun can be replaced only with a pronoun of the same gender. Neuter pronouns are used in French to refer, not to a noun, but to an element which has no gender—a verb phrase, a clause, or a whole statement.

[2] Compare à + infinitive after a *noun:*

specifying what is to be done to the noun: **une lettre à écrire** *a letter to write;* **un livre à lire** *a book to read;* **une robe à repasser** *a dress to press;*

specifying its purpose: **une salle à manger** *a dining room;* **une machine à coudre** *a sewing machine.*

Avez-vous vu le film français qu'on montre ce soir?
Oui, il (le film) est amusant à voir.
Vous allez souvent voir des films français?
Oui, c'est amusant à faire (that is, going to see French movies).

FORMES A REPASSER

Feminine of Adjectives

Spelling

You are familiar with the simple rule that all feminine adjectives must end in **-e**. Unless the masculine already ends in *unaccented* **e**, this letter must be added: **fort—forte, bleu—bleue, usé—usée;** but **vide—vide.**

Pronunciation

In order to converse in French, you must recognize both the masculine and the feminine forms of an adjective without relying upon their spelling. The following observations will help:

1. When the masculine ends with a *pronounced consonant,* the feminine will ordinarily sound alike: **rouge—rouge, frêle—frêle, seul—seule, réel—réelle, cher—chère, net—nette.** Exceptions:

sec—sèche

[f] to [v]: **neuf—neuve, actif—active,** etc.
some masculines in [r]: **fort—forte, vert—verte, lourd—lourde**

2. When the masculine ends with a *vowel sound,* the feminine is sometimes pronounced the same: **joli—jolie, gai—gaie, fatigué—fatiguée.**

3. More often the feminine will add a consonant sound: **petit—peti*t*e, haut—hau*t*e, chaud—chau*d*e, grand—gran*d*e, rond—ron*d*e.** Occasionally, the spelling of the masculine must be altered so that the feminine spelling will reflect the consonant sound added:

adding [z] spelled with one **s: gris—grise, jaloux—jalouse, heureux—heureuse** (and all others in **-eux**);

adding [s], requiring double **ss: gros—grosse, bas—basse, faux—fausse** (but note **doux—douce**);

adding hard [g]: **long—longue** (pronounce and compare **longe**);

adding [ʃ]: **blanc—blanche, frais—fraîche.**

4. Consonants **l**, **r**, and **t** after unaccented **e**. Whether or not these consonants are pronounced in the masculine, in the *feminine* write **ll** and sometimes **tt**, and write an accented **è** before **r** and sometimes **t**: réel—réelle, net—nette, muet—muette; fier—fière, léger—légère, inquiet—inquiète.

5. When the masculine ends with a *nasal vowel*, and the feminine adds consonant sound [n] (spelled **nn** after **o** and **e**), the vowel is denasalized: **bon—bonne, ancien—ancienne, plein—pleine, vilain—vilaine, voisin—voisine.**

6. Special masculine forms. Four adjectives with feminine in [l] require special attention: **belle, nouvelle, folle** (*crazy*), and **molle** (*soft*). Their original masculine forms, sounding just like the feminine, are now used only before a vowel or mute **h**: **bel, nouvel, fol, mol.** Elsewhere the masculine is **beau, nouveau, fou, mou.** Thus we say: **un bel homme, un nouvel ami,** but **un beau tableau, un nouveau livre.** Compare the forms **cette femme, cet enfant,** but **ce garçon.**

Double masculine forms also exist for one adjective in [j]: **une vieille actrice, un vieil acteur,** but **un vieux danseur.** Other adjectives in [j] are regular: **pareil—pareille, gentil—gentille.**

EXERCICES

A *Après avoir entendu le masculin, prononcez ces adjectifs au féminin:*
1. rare, riche, rose, gauche, seul, sale, sec, solide, vide, tranquille.
2. cher, dur, fort, mort, lourd, sourd, noir. 3. petit, joli, poli, gentil, gris, gros, gras, bas, plat. 4. frais, gai, laid, usé, léger, vrai, français, mauvais, épais, dernier, pareil. 5. affreux, bleu, heureux, fou, mou, beau, faux. 6. lent, blanc, différent, grand, méchant, rond, bon, long, profond, certain, plein, voisin.

B *Lisez, puis écrivez, en faisant l'accord de l'adjectif:*
1. Une (bon) action, un (bon) enfant, en (plein) hiver, une (certain) femme, un (certain) homme, la table (voisin), un (ancien) ami, l'histoire (ancien). 2. Une robe (neuf), une feuille (sec), une jeune fille (actif), une auto (sportif), une route (dangereux). 3. Une pomme (frais), une maison (blanc), une place (public), une frontière (naturel), une chambre (net), une faute (léger), le (premier) acte, la (premier) scène. 4. Un

(gros) enfant, une (gros) femme, une maison (gris), une (mauvais) idée, une (long) leçon, une (nouveau) salle, le (nouveau) an, une (bon) année, un (beau) endroit, un (mou) oreiller (*pillow*). 5. Une (vieux) amie, un (vieux) ami, un (gentil) garçon, une (gentil) petite fille, une raison (pareil), une chambre (tranquille).

C *Lisez les phrases suivantes, en insérant le pronom qu'il faut (il, elle, ça, ce):*
1. Voilà Jean Frénard. _____ est un ancien ami du collège. 2. _____ est professeur maintenant au même collège. 3. _____ est un très bon professeur, dit-on. 4. Je ne connais pas sa femme, mais _____ est Américaine. 5. _____ est une de ces touristes qui, ayant vu la France, y passent leur vie. 6. Vraiment? _____ ne m'étonne pas. 7. _____ est un très beau pays. 8. Mais la vie est difficile pour beaucoup de Français; _____ est bien chère. 9. _____ est vrai. 10. Quand je fais visite chez des Français, et que[1] je vois leurs problèmes, _____ me rend content de pouvoir habiter en Amérique.

COMPOSITION

Écrivez en français:
1. What is the Odéon? It's a well-known theater. 2. I'm studying French art. I spend hours looking at the pictures in the Louvre. 3. It takes time, but it's interesting. 4. As for modern sculpture, it bores me. 5. It leaves me cold (= indifferent). 6. Do you like modern music? It gets on my nerves. 7. I don't agree with you. 8. Who is that handsome man?—He's my brother. 9. He's an engineer (**ingénieur**). 10. It's the cat. I'm afraid of cats. It's silly, isn't it? 11. What do you think of this lesson? It's easy. 12. As for choosing (*infinitive*) the necessary pronoun, it's easy.

[1] **que = quand. Que** may be used to repeat any conjunction in the same sentence.

UNIT 3   PRONOUN FORMS

PARTITIF

I I have some oranges
   j'ai des oranges

II I have some of the ~~oranges~~ chalk.
   j'ai de la craie

   j'ai de l'encre.
   j'ai du papier.

   Je n'ai pas d'oranges
   Je n'ai pas de craie
   Je n'ai pas d'encre
   Je n'ai pas de papier

Adj before noun
   J'ai d'excellent pêches.

Adj after noun
   J'ai des pêches mûres.

Some
   en replaces { un
                  une
                  de
                  des
                  du
                  de la
                  de l'

des lettres intéressantes
leur professeur de français
le professeur ont/ils aiment les autres
ces étudiants-là

Quelques Définitions

1 *Units of Sentence Structure*

The major units of French sentence structure are the *noun-group* and the *verb-group*. The following example includes:

> a subject noun-group
> a verb-group
> a direct-object noun-group
> an object noun-group introduced by **à**

Ces deux étudiants-là | ont souvent écrit | des lettres intéressantes | à leur bon vieux professeur de français.

2 *Noun-Group*

A noun-group is a noun *with its modifiers*. Elements of the noun-group are:

a. a noun

> **étudiants**
> **lettres**
> **professeur**

b. usually a preceding *determiner*

> *ces* **étudiants** (demonstrative)
> *leur* **professeur** (possessive)
> *des* **lettres**, *une* **lettre**, *les* **lettres** (an article)

75

c. any intervening modifiers

> ces *deux* étudiants
> leur *bon vieux* professeur

d. modifiers following the noun, such as an adjective, a phrase, a relative clause, or the particles -ci and -là.

> des lettres *intéressantes*
> leur professeur *de français*
> le professeur *qu'ils aiment le mieux*
> ces étudiants-*là*

3   *Verb-Group*

The French verb-group includes not only the verb and its modifiers (ont **souvent** écrit), but certain pronouns as well.

a. Pronouns replacing a subject noun-group:

SUBJECT NOUN-GROUP	VERB-GROUP
Ces étudiants-là	ont souvent écrit.
	Ils ont souvent écrit.

b. Pronouns replacing a direct-object noun-group:

VERB-GROUP	OBJECT NOUN-GROUP
Ils ont écrit	ces lettres intéressantes.
Ils *les* ont écrites.	

c. Pronouns replacing an object noun-group with its introductory preposition:

VERB-GROUP	OBJECT NOUN-GROUP
Ils ont écrit	à leur bon vieux professeur.
Ils *lui* ont écrit.	

When the introductory preposition cannot be replaced, however, the pronoun will stand outside the verb-group:

Ils ont souvent pensé	à leur bon vieux professeur.
Ils ont souvent pensé	à *lui*.

d. Other personal pronouns:

> *Vous* ne *nous* avez pas écrit.

CHAPTER 9

CONVERSATIONS

✓1

MODÈLES

D.O.

A   B

Aimez-vous vos classes?   Je les aime.
Aimez-vous cette classe?   Je l'aime.
Connaissez-vous bien le professeur? Je le connais bien.

Répondez aux questions suivantes en employant le pronom qu'il faut:
1. Choisissez-vous vos cours? 2. Aimez-vous vos professeurs?
3. Apprenez-vous le français? 4. Préparez-vous bien vos leçons?
5. Comprenez-vous cette leçon? 6. Regardons par la fenêtre.
Voyez-vous la rue? 7. Voyez-vous les gens qui passent? 8. Regardez-vous cette belle blonde-là? 9. Admirez-vous cette belle
auto neuve? 10. Entendez-vous la voix du professeur? 11. Avez-vous vos livres? 12. Avez-vous votre livre de français? 13. Avez-vous étudié cette leçon? 14. Avez-vous lu le journal du matin?
15. Avez-vous écouté les nouvelles à la radio?

2a *Le professeur indique par nom, ou avec le doigt, divers objets
qui se trouvent dans la salle de classe (A). Alors l'étudiant en
fait une phrase, sur le modèle B:*

77

MODÈLES

A	B
Qu'est-ce qu'il y a dans cette salle?	
(table)	**Il y a une table dans cette salle.**
(chaises)	**Il y a des chaises.**
(grandes fenêtres)	**Il y a des grandes fenêtres.**
(tableaux-noirs)	**Il y a des tableaux-noirs.**
(craie)	**Il y a de la craie.**

L'exercice continue avec des objets comme: pupitres ou bancs pour les étudiants, fauteuil pour le professeur, dictionnaire, livres scolaires, petits ou grands cahiers, crayons, papier, encriers, encre, carte murale de France, autres cartes, beaux tableaux, horloge, lampes, lumière, porte(s), fenêtres, plafond, plancher, poussière sur le plancher, etc.

2b

MODÈLE

A	B
Voulez-vous du café noir?	**Oui, j'en veux.**
des fruits?	**Non, je n'en veux pas.**
un bonbon?	

Répondez par oui ou par non, selon l'indication du professeur ou selon le sens:

1. Voulez-vous du champagne? 2. Voulez-vous de l'eau fraîche? 3. Voulez-vous une cigarette? 4. Cherchez-vous des allumettes? 5. Avez-vous du tabac? 6. Avez-vous de bons livres? 7. Lisez-vous des romans? 8. Avez-vous lu des romans français? 9. Achetez-vous des revues politiques? 10. Avez-vous acheté des journaux? 11. Vend-on des journaux ici? 12. Le boucher vend-il du porc? 13. Le charcutier vend-il du bœuf? 14. Le chemisier vend-il des complets? 15. La modiste vend-elle des chapeaux? 16. Peut-on acheter des timbres dans un bureau de tabac? 17. Voulez-vous écrire des lettres? 18. Trouve-t-on des touristes américains à Paris? 19. Y a-t-il des châteaux sur la Loire? 20. Y a-t-il des bananes dans le frigidaire?

3

A	**B**
Aimez-vous le café noir?	Oui, je l'aime.
Aimez-vous les bonbons?	Oui, je les aime.
Aimez-vous les pommes sures?	Non, je ne les aime pas.

Répondez par oui ou par non, comme vous voudrez: cider
1. Aimez-vous les pommes de terre frites? 2. Aimez-vous le cidre
of Normandy normand? 3. Fumez-vous la pipe? 4. Aimez-vous le tabac turc
(*Turkish*)? 5. Lisez-vous les romans policiers? 6. Ou préférez-
vous les romans d'aventures? 7. Autant que possible, évitez-vous
les livres érudits? 8. Aimez-vous le poisson? Ou préférez-vous la
viande? 9. Comment, vous détestez le poisson? 10. En général,
aimez-vous les légumes? la laitue, par exemple? même les épinards? et les fruits?

EXPLICATIONS

Replacing a Direct-Object Noun-Group

Direct-object pronouns are chosen according to the type of *determiner*
used in the noun-group to be replaced.

1 *With Specifying Determiner*

A direct-object noun-group with one of the *specifying* determiners
(a demonstrative, a possessive, or the definite article) is replaced by
le, la, or **les.** The specifying determiners single out a *particular* item
or group of items.[1]

[1] Imagine a woman in a hat shop asking her husband to indicate his reaction
to various specific hats. She may point to one, using the demonstrative as
a specifier:

> **Aimes-tu ce chapeau-ci?** —Je ne l'aime pas.
> **Aimes-tu ce chapeau-là?** —Je ne l'aime pas.

Or she might ask, using a possessive:

> **Aimes-tu mon chapeau?** —Je le déteste.

Or she might use a phrase or clause to single out one hat, employing the
definite article before the noun:

> **Et le chapeau de cette cliente?** —Je l'aime bien.
> **Et le chapeau qui est dans la vitrine?** —Je le trouve très chic.

2   *With Nonspecifying Determiner*

A direct-object noun-group with a *nonspecifying* determiner is replaced by **en.** A nonspecifying determiner refers to *any* item named by the noun.[1]

The nonspecifying determiners are:

a. **un, une** (singular) and **des** or **de**[2] (plural), for nouns referring to things or beings which can be counted (books, horses, Frenchmen) and can therefore have a plural:

un livre	des livres
un cheval blanc	des chevaux blancs
un vieux Français	de vieux Français

> Avez-vous des allumettes? —Oui, j'en ai.
> Voulez-vous une cigarette? —Merci, je n'en veux pas.
> Vend-on des livres français ici? —On en vend ici.

b. **du, de la, de l'** for nouns which have no plural[3]—that is, for nouns used abstractly (music, beauty) or referring to things measured in bulk (cheese, water, coal):

> Entendez-vous de la musique? —Oui, j'en entends.
> Il trouve de la beauté ici? —Il en trouve partout.
> Voilà du bon fromage. —Donnez-m'en, s'il vous plaît.
> De l'eau? —Merci, je n'en désire pas.
> On a trouvé du charbon là? —On en a trouvé.

---

[1] Note these examples:

> Je cherche un dictionnaire français.
> *I am looking for a French dictionary* (any French dictionary).
> Apportez des fleurs.
> *Bring flowers* (any flowers will do).
> Je veux du vin.
> *I want wine* (not specifying any particular wine).

[2] **Des** becomes **de** before an adjective, unless the adjective is linked with the noun in a specialized meaning: **des jeunes filles** (*girls*), **des petits pains** (*rolls*), **des petits pois** (*peas*).

[3] Note that in one sense a noun may permit a plural, and in another sense not:

> Il a acheté un pain (des pains).
> *He bought a loaf (some loaves) of bread.*
> Il a acheté du pain. Ils ont mangé du pain.
> *He bought bread. They ate bread.*

after verbs like

avoir
acheter } *usually followed by nouns—used*
manger } *in partitive sense.*
vouloir

aimer
préferer } *usually use specific (le, la, etc)*
détester } *or general.*
admirer

Except for **un, une,** all the nonspecifying determiners contain **de.** This **de** is known as the *partitive,* and has the meaning *some, an unspecified amount of:*

> **Je veux du pain.**
> *I want some bread.*
> **Donnez-moi des livres.**
> *Give me some books.*

Partitive **de** may be used before a *specifying* determiner:

> **Je veux de** *ce* **pain-là.**
> *I want some of that bread.*
> **Donnez-moi de** *vos* **livres.**
> *Give me some of your books.*

Such constructions are also replaced by **en:**

> **A-t-il de vos livres? —Oui, il en a.**

Partitive **de** does not function as a preposition, since the verbs just seen take a direct object (**Je veux quelque chose, Donnez-moi quelque chose**). Verbs which require *preposition* **de** to introduce their object will be treated in Chapter 10 (**Je me souviens de quelque chose.** *I remember something*).

---

un
une
de la } *replaced by "en"*
du
de l'
des

3   *With Generic Determiner*

A direct-object noun-group with *generic* determiner is replaced by the pronouns **le, la, les:**

> **Aimez-vous les romans policiers? —Je ne les aime pas.**
> **Préfère-t-elle la musique moderne? —Elle la préfère.**

The generic determiner is identical in form with the definite article. It refers to the whole class of things or beings named by the noun, or is used with abstract nouns taken in a general sense:

> **Les romans m'ennuyent.**
> *Novels bore me.*
> **Les paysans sont souvent conservateurs.**
> *Peasants are often conservative.*
> **Même les héros connaissent la crainte de la mort.**
> *Even heroes know fear of death.*
> **La guerre et la paix.**
> *War and peace.*

Additional Note: Agreement of Past Participles

Past participles agree with the pronouns **la** and **les** replacing a direct-object noun-group, but never with **en:**

> **Avez-vous lu les romans de Stendhal? —Je les ai lus.**
> **Avez-vous lu des romans français? —J'en ai lu.**

FORMES A REPASSER
Review the table of determiners, Appendix A, page 217.

EXERCICES
A   *Exercice oral. Faites ce qu'indique le professeur:*[1]
1. Citez *un* fleuve.   2. Nommez *le* fleuve qui traverse Paris.
3. Citez *des* villes françaises.   4. Nommez *la* plus grande ville de la France.   5. Citez *de* hautes montagnes.   6. Nommez *les* hautes montagnes qui séparent la France et l'Espagne.   7. Citez *le* plus grand état des États-Unis.   8. Y a-t-il *des* états qui bordent le Pacifique?   Citez *ces* états.   9. Citez *des* états qui bordent l'Atlantique.

[1] Which of the italicized determiners are *specifying,* which are *nonspecifying?* In what way does the type of determiner affect your answer?

B *Devant chacun des noms (nouns) suivants, dites en français
«my, your, his, her, their»:* oncle, tante, ami, amie, parents,
cousin, cousine, enfant, enfants, nièce, neveu.

C *Devant chacun des noms suivants, dites en français «this» or
«these»:* maison, table, tableau, image, endroit, endroits, garçon,
enfant, enfants, jeunes filles.

D *Faites la liste de ce que vous voulez acheter, en employant
l'article[1] devant le nom (par exemple: roman—un roman, livres
—des livres, papier—du papier):*

à la librairie: dictionnaire, nouveaux romans policiers, revues
politiques, beau papier blanc, crayons, stylo, encrier, encre.

au bureau de tabac: cigarettes, pipe, tabac, allumettes, timbres-
poste.

chez le boucher: bœuf, biftek, côtelettes (*chops*), rôti (*roast*,
masc.)

chez le charcutier: porc, jambon (*ham*, masc.), lard (*bacon*,
masc.)

chez le boulanger ou à la pâtisserie: pain, bon pain noir, petits
pains, choux à la crème (*cream puffs*).

à la crémerie: lait, crème, beurre, fromage de Brie.

à l'épicerie: farine (*flour*, fem.), sel, poivre (*pepper*, masc.),
épices, sucre, café, thé, laitue, choux de Bruxelles, carottes,
épinards, petits pois, petits oignons, aïl (*garlic*), fruits.

à la pharmacie: pâte dentifrice, aspirine, autres remèdes pour
un rhume.

chez le chemisier (pour un homme): chemises blanches, chemise
de laine (*wool*), gants, chaussures (*socks*), jolies cravates.

dans un grand magasin (pour une femme): robe verte, jupes
(*skirts*) de coton, longs gants, pull-over, bas de nylon, parfum.

---

[1] Use nonspecifying determiners throughout. You will not need to point out
a particular novel, or specify any particular paper, until you get to the store.

E *Insérez l'article qu'il faut:*

1. Aimez-vous __le__ pain noir? 2. Je veux mettre ces lettres à la poste; où puis-je acheter __des__ timbres? 3. __les__ timbres français m'intriguent. 4. Moi, j'aime __le__ café. Mais je déteste __le__ café turc. 5. Elle veut acheter __de__ beaux gants bleus; elle adore __des__ gants bleus. 6. Il y a __de la__ poésie dans ce passage de prose; __de la__ poésie existe parfois dans __la__ prose, vous savez. 8. J'ai __de__ longs examens à passer cette année. Je n'aime pas du tout __les__ longs examens. 9. Elle a fait de son mieux pour combattre __les__ préjugés de son temps, car elle savait que __des__ préjugés peuvent, à eux seuls, causer __la__ persécution et même __les__ guerres.

COMPOSITION

Écrivez en français:

1. I don't like long novels. 2. Detective stories amuse me, though. 3. Milk is an excellent beverage (**une boisson**). 4. But Frenchmen prefer wine to milk. 5. Water, please. 6. Coffee, monsieur? Cream and sugar? 7. Bananas? Of course there aren't any in the refrigerator. 8. We bought some at the grocery store. 9. Don't you like fruit after dinner? Do you have any? 10. We did our best.

CHAPTER 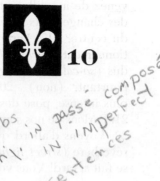 10

2 verbs in passé composé
con l' in imperfect
2 sentences

CONVERSATIONS

MODÈLES

A	B
Revenez-vous d'Europe?	Oui, j'en reviens.
Parle-t-on toujours de la der-nière guerre?	Oui, on en parle toujours.
Vous souvenez-vous de la guerre?	Non, je ne m'en souviens pas.

Répondez par oui aux questions suivantes, sauf indication entre parenthèses:

Je vous rencontre en ville un soir, au sortir du cinéma, et je vous demande: 1. Sortez-vous du cinéma? 2. A quelle heure sort-on du cinéma à l'ordinaire? vers minuit? 3. Cela dépend-il du film qu'on montre? 4. Profitez-vous souvent de vos soirées libres pour aller au cinéma? 5. Vous êtes-vous servi de votre vélo ce soir pour venir en ville? (non) 6. Ah! vous profitez du beau temps qu'il fait pour aller à pied? 7. Jouissez-vous de ces beaux soirs de juin? 8. Moi aussi. A propos, disposez-vous de l'auto demain? (non) 9. C'est dommage; j'avais envie de faire un pique-nique à la campagne. Vous occupez-vous demain de vos affaires? 10. En tout cas, j'ai une longue composition à écrire. Vous servez-vous de votre machine à écrire? (non) 11. Puis-je m'en servir alors? 12. Je vous en remercie. Pouvez-vous vous

85

passer de votre machine pendant quelques jours?   13. Vous vous contentez alors de tout écrire à la main?   14. Dites donc, vous venez de ma ville natale, n'est-ce pas?   15. Vous étonnez-vous des changements récents?   16. Vous souvenez-vous du joli parc du centre?   17. Parle-t-on d'y faire construire un parc de stationnement (*parking lot*)?   18. Vous méfiez-vous de ces prétendus (*so-called*) «progrès»?   19. Doutez-vous de leur nécessité, pourtant? (non)   20. Mais la circulation (*traffic*), toujours plus intense, pose des problèmes pressants. En convenez-vous?   21. Parlons de nos souvenirs d'enfance. (Répondez à l'impératif)   22. Voyons d'abord quelle heure il est; approchons-nous de ce réverbère (*street light*). (Répondez à l'impératif)   23. Mais il se fait si tard! Vous vous en allez, donc?

2   MODÈLES

A	B
Êtes-vous fier de votre nouvelle automobile?	J'en suis fier.
Êtes-vous impatient de l'essayer en pleine campagne?	J'en suis impatient.
Êtes-vous sûr de la condition des pneus?	J'en suis sûr.
Le réservoir (*gas tank*) est-il plein d'essence?	Il en est plein.

1. Êtes-vous content de vos progrès dans le français?   2. Êtes-vous fier de votre belle prononciation?   3. Êtes-vous sûr maintenant de tous les verbes?   4. En tout cas, êtes-vous persuadé de la valeur de savoir une langue étrangère?   5. On dit que pour vraiment connaître un pays, il faut en parler la langue. En êtes-vous d'accord?   6. Comme étudiant, êtes-vous avide de tout savoir—dans les limites du possible?   7. Votre table est-elle couverte de livres?   8. Les murs de votre chambre sont-il ornés de cartes?   9. N'êtes-vous pas las (*tired*) parfois de tant travailler?   10. Votre maison est-elle entourée d'arbres?   11. Au printemps, les arbres sont-ils pleins d'oiseaux?   12. Êtes-vous toujours triste de voir tomber les feuilles d'automne?   13. En hiver, la terre est-elle couverte de neige?   14. Le lac est-il couvert de glace?   15. Êtes-vous heureux alors d'y aller patiner?   16. Ou êtes-vous

impatient de voir enfin venir le printemps? 17. Mais en été,
n'êtes-vous pas content de vous reposer à l'ombre de quelque
arbre? 18. Les beaux jours de printemps sont-ils toujours suivis
de la chaleur de l'été?

3   MODÈLES

A	B
Élise se promène dans la forêt?	
N'a-t-elle pas peur d'y rencontrer	
un serpent?	Non, elle n'en a pas peur.
Elle n'a pas peur des serpents?	Si, elle en a peur.

Répondez selon l'indication entre parenthèses:
1. Votre camarade de chambre a-t-il peur des examens? (non)
2. Mais il a honte des mauvaises notes qu'il a reçues, n'est-ce pas?
(oui) 3. Et il a peur d'échouer aux examens prochains? (oui)
4. A-t-il besoin d'aide? (oui) 5. Avez-vous l'intention de l'aider?
(oui) 6. A propos, moi j'ai soif, et voilà un petit café. Avez-vous
envie d'une bière? (oui) 7. Avez-vous envie de passer la soirée
en ville? (non) 8. Vous n'avez pas besoin d'argent? (si)
9. Avez-vous peur d'en demander à votre père? (non) 10. Mais
vous avez honte de lui en demander avant la fin du mois? (oui)
11. Avez-vous l'intention de lui écrire? (non) 12. Alors, si vous
avez besoin de quelques dollars . . . (merci, oui)

4   MODÈLES

A	B
Combien d'argent avez-vous?	
Avez-vous assez d'argent?	J'en ai assez.
N'avez-vous pas assez d'argent?	Je n'en ai pas assez.
N'avez-vous pas d'argent du tout?	Je n'en ai pas du tout.

1. Avez-vous beaucoup d'amis ici à l'université? 2. Connaissez-
vous pas mal de belles jeunes filles? 3. Leur achetez-vous énormément de fleurs? 4. Assurément, vous dépensez trop d'argent.
5. A la fin du mois, vous reste-t-il (*do you have left*) un tout
petit peu d'argent? 6. Et avec cela, vous ne perdez pas trop de

temps?   7. Mais vous avez tant de leçons à préparer!   8. Et autant d'exercices à écrire?   9. Vous n'avez pas beaucoup de vocabulaire à apprendre?   10. Mais il y a tout un tas de livres à lire, n'est-ce pas?   11. Maintenant, n'avez-vous pas de questions à me poser?   12. Et moi, est-ce que je n'ai plus de questions à vous poser?

EXPLICATIONS

Replacing de + Noun-Group

Use the pronoun **en** to replace
de + a noun-group (but usually only when referring to things);
de + an infinitive;
when they stand in the following positions:

1   After Verbs

A number of verbs require **de** to introduce their object:

Vous souvenez-vous de cette lettre? Vous souvenez-vous d'avoir écrit cela? —Je ne m'en souviens pas.

Other verbs require the preposition **de** to complete their meaning:

Parlons de votre examen. —Eh bien, parlons-en.
Parle-t-il d'aller en France? —Il en parle souvent.
Cela dépend-il du temps qu'il fait? (*Does that depend on the weather?*) **—Cela en dépend.**

En also stands for **de** (*from*) + a place:

Reviennent-ils de Paris demain? —Ils en reviennent demain.

2   After Adjectives

Certain adjectives are followed by **de:**

Êtes-vous content de vos progrès? —J'en suis content.
Êtes-vous fier d'avoir réussi à l'examen? —J'en suis fier.

Many past participles used as adjectives are followed by **de;** for example, **rempli de** *filled with;* **couvert de** *covered with;* **entouré de** *surrounded by;* **suivi de** *followed by:*

Les verres sont-ils remplis de vin? —Ils en sont remplis.

3 *After Common Verb + Noun Constructions*

> avoir besoin de *to need*
> avoir envie de *to desire, care for, feel like*
> avoir honte de *to be ashamed of*
> avoir l'intention de *to intend*
> avoir peur de *to be afraid of*

> **Avez-vous envie d'une boisson rafraîchissante?**
> *Do you care for a cool drink?*
> **Avez-vous envie de faire une promenade?**
> *Do you feel like taking a walk?*
> **—Je n'en ai pas envie maintenant.**

En also replaces *possessive* de + a thing after a noun:

Aimez-vous ce roman-là? J'en connais l'auteur. (l'auteur de ce roman)
Cette histoire vous intéresse? En voici la fin. (la fin de cette histoire)
Le résultat en est que . . .
The result (of it) is that . . .

4 *After Expressions of Quantity*

a. Nouns of measure (**une livre de** *a pound of;* **une bouteille de** *a bottle of*), proportion (**la plupart de** *most of*), or vague amounts like **un tas de** *a pile of,* are all followed by **de:**

> **Avez-vous lu la plupart de ces livres?**
> **—J'en ai lu la plupart.**

b. Most adverbs of quantity require **de;** for example:

combien de *how much, how many*
assez de *enough;* **trop de** *too much, too many*
un peu de *a little;* **peu de** *little, few* (emphasizing lack)
pas mal de *quite a little, quite a few* (does not require **ne** before a
  verb, being positive in meaning)
beaucoup de *a lot of, much, many;* **énormément de** *a great deal of*
tant de, tellement de, *so much, so many* (exclamatory)
autant de *as much, as many;* **plus de** *more* (in comparisons)
pas de *no;* **plus de** *no more;* **jamais de** *never any;* **guère de** *scarcely any*
  (all with **ne** before a verb)

> **A-t-elle beaucoup d'argent? —Elle en a pas mal.**
> **Combien en avez-vous? —Je n'en ai plus.**

En is also used to replace a noun-group standing after certain other expressions of quantity which do *not* require **de:**

Numerals

> **Elle a trois chiens. Elle en a trois. Moi, je n'en ai qu'un.**

Bien (many), Encore (some more)

J'ai des questions. J'en ai.
I have some questions.
J'ai bien des questions. J'en ai bien.
I have many questions (literally, *I indeed have some questions*).
J'ai encore des questions. J'en ai encore.
I have more questions (literally, *I still have some questions*).

Plusieurs (several), Quelques (a few)

Voici plusieurs livres français. En voici plusieurs.
J'ai lu quelques poèmes de Baudelaire. J'en ai lu quelques-uns.[1]

[1] All these expressions require **de** before a *specifying determiner:*

> **Trois de ses chiens.**
> *Three of her dogs.*
> **Plusieurs de ces livres.**
> *Several of those books.*
> **Encore de vos amis?**
> *More of your friends?*

Quelques becomes **quelques-uns, quelques-unes** when followed by **de** or when its noun is replaced by **en:**

Je connais quelques-unes de vos amies. J'en connais quelques-unes.

Additional Note: Determiners after Preposition **de**

After **de,** *nonspecifying* determiners, except **un, une,** are omitted (that is, an unspecified noun has no determiner):

> **Il parle d'un pays exotique.**
>
> but   **Il parle de pays lointains.**
>
> *He is talking about far-off countries* (not specifying which ones).
>
> **J'ai besoin d'argent.**
>
> *I have need of money* (any money will do).

Specifying and generic determiners are used as the sense requires:

Il parle de notre pays, de ce pays-ci.
Il parle du pays qu'il aime le mieux. (du = de + le, definite article)
Il parle des pays scandinaves. (des = de + les, definite article)
Elle a peur des serpents. (des = de + les, generic; compare: **Elle**
   déteste *les* serpents)
J'ai besoin de l'argent que je vous ai prêté hier.

VERBES A REPASSER

Review the present and **passé composé** of the following verbs:

a. **Venir** (**revenir** *to come back, return;* **devenir** *to become;* **convenir**[1]
to agree, to suit). Compare the present tense of **venir** with that of
prendre. Remember that when an [n] sound is dropped in the present
tense singular, the stem vowel is nasalized: **nous venons, je viens** [vjɛ̃].

b. **Se souvenir,** conjugated like **venir** and used only reflexively.

c. **S'en aller.** When used reflexively and with the pronoun **en** (literally,
from this place), **aller** means *to leave, to go away.*

EXERCICES

A *Dites en français:*
  (sur les modèles **J'en parle** *I'm talking about it,* **Je m'en souviens**
I remember it) I'm enjoying it. I depend upon it. I'm taking
advantage of it. I doubt it. I don't remember it. He remembers
it. He's using it. She gets along without it (**se passer**). They are
going away. They are coming back from it. They agree on it.

---

[1] Like other compounds of **venir, convenir** is conjugated with **être** when it
means *to agree:* **Nous en sommes convenus** *We agreed on it.* When **convenir**
means *to suit,* it is conjugated with **avoir: Cela ne m'a pas convenu** *That did
not suit me.*

(sur les modèles **J'en ai parlé, Je m'en suis souvenu**) I took advantage of it. I did not enjoy it. He did not speak of it. He did not use it. I used it. I took care of it. I got along without it. He remembered it. He mistrusted it. She did without it. She did not remember it. They did not use it. They did not agree on it.

(sur les modèles **En parlez-vous? Vous en souvenez-vous?**) Do you doubt it? Do you agree on it? Are you using it? Aren't you using it? Are you going away? Aren't you amazed at it?

B *Répétez les phrases suivantes, en y insérant l'expression donnée entre parenthèses. Par exemple,* **Il a de l'argent. (beaucoup de)** —**Il a beaucoup d'argent.**

1. Il a perdu l'argent que vous lui avez donné. (beaucoup de) 2. Voici des verbes irréguliers. (une liste de) 3. Voici les verbes de cette leçon. (une liste de) 4. Voici du vin. (un peu de) 5. J'aimerais mieux le vin que vous avez servi hier soir. (un peu de) 6. Le petit a mangé des bonbons. (trop de) 7. Il a des amis. (ne . . . pas de) 8. Il a de l'argent. (ne . . . plus de) 9. Elle envoie des cartes postales. (énormément de) 10. Mais elle écrit des lettres. (ne . . . jamais de) 11. J'ai écrit des lettres. (un tas de) 12. Ayant beaucoup voyagé, il a vu le monde. (beaucoup de) 13. Allons-nous-en, il y a du monde (*a crowd*) ici. (trop de) 14. Cette femme a des bijoux. (assez de) 15. Mais son enfant a des joujoux. (ne . . . pas assez de) 16. Il y a des problèmes. (encore) 17. J'ai lu des romans français. (pas mal de) 18. Il y a des touristes là. (bien) 19. Les touristes sont déjà partis. (bien de) 20. J'ai invité les jeunes filles que je connais ici. (quelques-unes de)

COMPOSITION

Écrivez en français:

1. Any more questions? —Yes, I have several to ask you. 2. But I have little time. 3. You waste too much time. 4. He hasn't any money left. 5. Coffee, monsieur? Enough sugar? More cream? 6. How many of Balzac's novels have you read? There are so many! 7. Have you read most of them? 8. I have read a few. I have read six. 9. I have a fine typewriter at my disposal. You may use it. 10. I can get along very well without it. 11. The streets are covered with ice.

CHAPTER 11

CONVERSATIONS

1 *Ce que je vous demande de faire, vous me dites que vous l'avez déjà fait:*

MODÈLES

A	B
Répondez au professeur.	Mais je lui ai déjà répondu.
Répondez à sa question.	Mais j'y ai déjà répondu.

Répondez selon les modèles, en employant l'adverbe donné entre parenthèses:

1. Écrivez à Pauline. (déjà) 2. Répondez à sa lettre. (déjà)
3. Téléphonez aux Dupont. (déjà) 4. Parlez à Maurice. (hier soir) 5. Obéissez à vos parents. (toujours). 6. Ne mentez pas à votre père. (jamais) 7. Pensez à vos devoirs de fils ou de fille. (toujours) 8. Ne ressemblez pas à cet enfant prodigue de la Bible. (jamais) 9. Écrivez donc à vos parents. (souvent)
10. Songez à leur plaisir en recevant de vos nouvelles (*in hearing from you*). (déjà) 11. Obéissez à leurs moindres demandes. (toujours) 12. Travaillez à être digne de leur amour. (toujours)

2 *Parlons de la vie des étudiants à cette université.*

MODÈLES

A	B
Choisissez-vous vos cours?	Nous les choisissons.

93

Suivez-vous des cours obligatoires?	**Nous en suivons.**
Parlez-vous des examens?	**Nous en parlons.**
Assistez-vous à toutes les classes?	**Nous y assistons.**

Commençons par vos professeurs; répondez avec «nous»:
1. Écoutez-vous bien leurs explications?   2. Posez-vous des questions en classe?   3. Riez-vous de leurs petites anecdotes? 4. Répondez-vous exactement à toutes leurs questions?   5. Profitez-vous de leur désir de vous aider?   6. Suivez-vous leurs bons conseils?   7. Assistez-vous régulièrement aux conférences? 8. Apprenez-vous de belles choses?   9. Admirez-vous le beau savoir de vos professeurs?   10. Pourtant, doutez-vous parfois de leur infaillibilité?   11. Mais songez-vous aux longues études préliminaires qu'ils ont dû faire?   12. Vous ne manquez jamais à vos devoirs (*duties*) d'étudiants, n'est-ce pas?   13. Mais de temps à autre, manquez-vous vos classes?   14. A propos, manquez-vous jamais à un rendez-vous?   15. Vous ne manquez jamais à votre parole, bien sûr?   16. Maintenant, pensez-vous aux examens prochains?   17. A l'ordinaire, réussissez-vous aux examens? 18. N'échouez-vous jamais aux examens?   19. Recevez-vous tous de bonnes notes?   20. Cette fois, tenez-vous à recevoir de meilleures notes?

3a   MODÈLES

A	B
Vous rappelez-vous votre première leçon de français?	**Je me la rappelle.**
Vous rappelez-vous des mots de cette leçon?	**Je m'en rappelle.**
Vous souvenez-vous de cette première classe?	**Je m'en souviens.**
Vous intéressez-vous à la littérature française?	**Je m'y intéresse.**

Répondez cette fois avec «je»:
1. Vous rappelez-vous vos premiers jours à cette université? 2. Vous souvenez-vous de vos sentiments en arrivant ici?   3. Vous étonnez-vous de votre naïveté d'alors?   4. Vous habituez-vous

maintenant à la vie universitaire? 5. Vous rendez-vous compte de vos responsabilités? 6. Vous mêlez-vous à la vie des étudiants? 7. Vous abonnez-vous au journal des étudiants? 8. Vous occupez-vous des affaires des étudiants? 9. Vous intéressez-vous à vos études? 10. Vous achetez-vous des tas de livres? 11. Vous servez-vous de tous ces livres? 12. En passant, vous apercevez-vous des prix de plus en plus élevés de tout ce que vous achetez? 13. Vous inquiétez-vous de la vie de plus en plus chère (*the rising cost of living*) de l'étudiant? 14. Vous efforcez-vous de faire des économies? 15. Dites-moi, à quelle heure vous mettez-vous au travail le soir? 16. Parfois vous vous permettez des soirées en ville, n'est-ce pas? 17. Vous préparez-vous maintenant aux examens? 18. Vous attendez-vous à y réussir?

3b   MODÈLES

A	B
Le professeur vous donne-t-il des conseils?	Il nous en donne.
Vous prête-t-il ses propres livres?	Il nous les prête.

Répondez encore une fois avec «nous»:
1. Le professeur vous explique-t-il toutes les leçons? 2. Vous montre-t-il des cartes et des images de France? 3. Vous apprend-il le français tel qu'on le parle? 4. Vous donne-t-il librement de son temps? 5. Vous refuse-t-il jamais son aide? 6. Mais vous rappelle-t-il vos propres devoirs? 7. Vous demande-t-il de grands efforts? 8. Vous pardonne-t-il vos bêtises (*stupid mistakes*)? 9. Vous exige-t-il votre meilleur travail? 10. Vous promet-il des examens pas trop difficiles? 11. Et vous souhaite-t-il de bonnes notes?

4   MODÈLE

A	B
Allez-vous souvent au cinéma?	Nous y allons souvent.

Continuez à répondre avec «nous»:
1. Vous rendez-vous de bonne heure en classe? 2. Entrez-vous

dans la classe avant le professeur? 3. Comment y entrez-vous?
par les fenêtres, par exemple? 4. Allez-vous d'abord au tableau-
noir? 5. Ou allez-vous directement à vos places? 6. Vous
penchez-vous immédiatement sur votre travail? 7. Restez-vous
dans la classe si le professeur n'arrive pas bientôt? 8. Vous
amusez-vous bien dans votre classe de français? 9. Après la
classe, retrouvez-vous vos camarades dans la cour? 10. Vous
dirigez-vous alors vers la bibliothèque? 11. Vous vous plongez
tout de suite dans quelque lecture (*reading assignment*)?

Voici quelques questions de géographie: 12. Lyon se trouve-t-il
sur le Rhône? 13. La source du Rhône se trouve-t-elle en Suisse?
14. Est-ce que le Rhône se jette dans la Méditerranée? 15. En
suivant le Rhône, passe-t-on par Avignon? 16. Vous êtes-vous
jamais arrêté à Avignon pour voir le célèbre pont?

EXPLICATIONS

1   *Replacing à + Noun-Group*

In Conversation 1, you found examples of verbs which require à to
introduce an object noun or noun-group.
When referring to persons, à + noun-group is in most cases[1] replaced
by **lui** (singular) or **leur** (plural):

> **Répondez-vous à votre professeur?—Je lui réponds.**
> **Obéissez-vous aux professeurs?—Je leur obéis.**

When referring to things, à + noun-group is always replaced by **y**
(singular or plural):

> **Répondez-vous à toutes les questions?—J'y réponds.**
> **Avez-vous réussi à cet examen?—J'y ai réussi.**

The pronoun y also replaces à + infinitive:

> **Avez-vous réussi à trouver un appartement?—J'y ai réussi.**

2   *Review of Object Pronouns Referring to Things*

Conversations 2a (nonreflexive verbs) and 2b (reflexive verbs) review
object pronouns referring to things. These pronouns may now be sum-
marized as follows:

[1] Exceptions will be taken up in Chapter 12.

Replacing a direct-object noun-group

    with specifying or generic determiner: **le, la, les**
    with nonspecifying determiner: **en**

Replacing an object noun-group

    introduced by **de**:   **en**
    introduced by **à**:   **y**

3   *Double Pronoun Objects*

a. With a *reflexive* verb, the reflexive object precedes **le, la, les, y,** or **en.**

b. When using two or more pronoun objects with a *nonreflexive* verb, always observe the following order:

me and **nous**		**le**		**lui**	
vous or **te**	precede	**la**	precede		precede **y** and **en**[1]
se		**les**		**leur**	

4   *Adverbial y*

In addition to its use as an object pronoun, **y** may mean *there* (referring to a place already mentioned):

Va-t-elle en France?	—Elle y va.
Est-elle au Canada?	—Elle y est.
Se dirigent-ils vers la porte?	—Ils s'y dirigent.
Entrent-ils dans la salle?	—Ils y entrent.
Restent-ils à la maison?	—Ils y restent.
Paris se trouve-t-il sur la Seine?	—Il s'y trouve.

VERBES A REPASSER

A Review the present and passé **composé** of **tenir,** with forms paralleling those of **venir.** Note that **tenir** in compound tenses is conjugated with **avoir.** Consult the vocabulary for meanings of this verb, especially when followed by **à.**

[1] See Appendix A, page 218, for order of pronoun objects in the affirmative imperative.

B   Review the following verbs with vowel change in the present tense: **boire; recevoir**[1] and **s'apercevoir.**

EXERCICES

A   *En entendant la forme «il», prononcez la forme «ils» (par exemple,* **il finit—ils finissent***):*
Il choisit. Il suit. Il vit. Il dit. Il lit. Il est. Il fait. Il sait. Il connaît. Il permet. Il croit. Il voit. Il doit. Il boit. Il reçoit. Il s'aperçoit. Il s'en va. Il veut. Il vend. Il vient. Il ment. Il prend. Il attend. Il tient.

B   *Mettez au passé composé (par exemple,* **je le finis—je l'ai fini***):*
Je lui obéis. Je l'écris. Je le dis. Je le lis. Je vis. Je suis. Je pars. Je sors. Je dors. Je m'endors. Je les sers. Je m'en sers. J'y tiens. Je viens. Je m'en souviens.
Je le fais. Je le sais. Je les connais. Je l'y mets. Je m'y mets. J'y vais.
Je le veux. Je le peux. Je dois. Je bois. Je vois. Je crois. J'en reçois. Je m'en aperçois.

C   *Remplacez chaque nom souligné par le pronom qu'il faut (par exemple,* **Il nous a appris le français—Il nous l'a appris***):*
1. J'ai emprunté ce livre au professeur.   2. Il m'a prêté ce livre. 3. J'ai demandé l'auto à mon père.   4. J'ai apporté des fleurs à Marie.   5. J'ai amené Marie au bal.   6. Il n'y a pas d'Américains ici. 7. Je me suis servi de votre vélo.   8. On ne s'est pas aperçu de mon erreur.

D   *Dites en français:*
écrire qqch. à qqn: I'm writing it. I'm writing her. Did you write them (les lettres)? Did you write them (vos parents)?

répondre à qqn, à qqch.: Have you answered them (vos parents)? Have you answered them (les lettres)? Answer her. Answer it. Don't answer it.

s'intéresser à qqch.: I'm interested in it. Are you interested in

[1] **Recevoir** is the model for verbs in **-cevoir** (others are: **apercevoir** and **percevoir** *to perceive;* **concevoir** *to conceive;* **décevoir** *to deceive, disappoint*).

them (les romans policiers)? I have never been interested in them.

se servir de qqch.: I'm using it. Are you using it? She has never used it. They used it. Use it.

se rappeler qqch.: I remember it (la guerre). Do you remember them (les premières leçons)?

se souvenir de qqch.: I don't remember it. Do you remember it? I remembered it. She did not remember it.

se rendre compte de qqch.: He realizes it. He doesn't realize it. I realized it.

prêter qqch. à qqn: I am lending it (cette auto) to you. She lent it (son vélo) to me. She lent them (ses livres) to me.

emprunter qqch. à qqn: I am borrowing it from you. She borrowed them (mes livres) from me. Don't borrow it (l'argent) from him. Don't borrow any from me.

demander qqch. à qqn: Ask for it (sa bicyclette). Don't ask me for it. I asked her for it.

parler à qqn de qqch.: I spoke to them about it. Don't talk to her about it.

COMPOSITION

Écrivez en français:

1. I'm taking a course in (de) French history, and I'm very much interested in it.   2. The professor requires a lot of work of us, but I've got used to it.   3. His lectures are excellent. I attend them regularly. I never miss them.   4. His little jokes aren't always funny, but we laugh at them.   5. His questions are usually difficult to understand, and I can't always answer them.   6. As for my exams, I'm not thinking about them.   7. I'm not worried about them; I always pass them.

CHAPTER 12

CONVERSATIONS

1 *Quelqu'un frappe à la porte:*

MODÈLES

A	B
Qui est-ce?	**C'est moi. C'est nous.**
Est-ce Paul?	**Oui, c'est lui.**
Est-ce Alice?	**Non, ce n'est pas elle.**
Est-ce vos amis?	**Oui, ce sont eux.**
Est-ce vos amies?	**Non, ce ne sont pas elles.**

Répondez à l'affirmatif et aussi au négatif:
1. Est-ce vous? (au singulier)   2. Est-ce vous? (au pluriel)
3. Est-ce votre mère?   4. Est-ce Paul et Alice?   5. Est-ce votre camarade de chambre?   6. Est-ce le chat qui a fait tomber ce vase?   7. Les trois charmantes petites dames dans cette photographie, ce sont vos tantes?   8. (en auto) Cet agent de police poursuit quelqu'un. Est-ce nous, par hasard?   9. (devant une glace murale) Quel bel homme! Est-ce donc moi?

2 *Le professeur a découvert—et juste à temps—une punaise placée dans son fauteuil. L'étudiant répond comme suit, en indiquant avec le doigt son voisin (ou sa voisine):*

MODÈLE

A	B
Qui a donc fait cela?	**Lui. (Elle.)**
	Pas moi.

Répondez avec un pronom, selon l'indication entre parenthèses:
1. Qui a laissé la porte entr'ouverte? (pas vous) 2. Qui a fermé toutes les fenêtres? (votre voisin de gauche) 3. Qui s'est absenté de la classe hier? (ces deux garçons à l'arrière de la classe) 4. Qui sait l'heure? (vous) 5. Qui vous pose tellement de questions en classe? (moi)

3a

MODÈLES

A	B
Qui parle français ici?	**Moi, je parle français.**
	(Indiquant des voisins:)
	Lui parle français.
	Elle parle français.
	Eux (Elles) parlent français.
	(Indiquant le professeur:)
	Vous parlez français.

Répondez suivant un des modèles, avec une phrase complète:
1. Qui porte une belle cravate aujourd'hui? 2. Qui porte une robe rouge (verte, bleue) aujourd'hui? 3. Qui a les yeux bleus? 4. Qui a les cheveux noirs (blonds)? 5. Qui est Américain? 6. Qui vient de New York (de Chicago, de la Californie)? 7. Qui a vu la chute du Niagara (le Mississipi, les Montagnes Rocheuses)? 8. Qui prononce bien le français? 9. Qui prononce le mieux de tous les étudiants? 10. Qui est le professeur de cette classe?

3b *J'ai malheureusement dû manquer une soirée où vous avez assisté. Je vous demande qui vous y avez vu:*

MODÈLES

A	B
Avez-vous vu Paul?	**Je ne l'ai pas vu, lui, mais j'ai vu Louise.**
Avez-vous vu Yvonne aussi?	**Je l'ai vue, elle aussi.**

Répondez selon l'indication entre parenthèses. La première question répète le premier modèle:
1. Avez-vous vu Paul? (pas lui, mais Louise) 2. Franchement, aimez-vous Louise? (pas elle, mais sa charmante sœur) 3. Et vous aimez bien Yvonne? (elle aussi) 4. Avez-vous vu les Lenoir? (pas eux, mais les Calvet) 5. Vraiment? On a invité les Calvet? (eux aussi) 6. Vous connaissez donc les Calvet? (pas trop eux, mais bien leur fils) 7. Ils donnent une soirée de gala en février, dit-on. Vous ont-ils invité? (pas vous malheureusement, mais votre frère)

3c   MODÈLES

A	B
Allez-vous au cinéma, vous et Pauline?	**Oui, nous allons au cinéma, elle et moi.**
Paul et sa sœur vous accompagnent?	**Oui, lui et elle nous accompagnent.**

Ne remplacez, en répondant, que les noms soulignés dans les questions:
1. Allez-vous chez les Calvet demain soir, vous et Pauline? 2. Vous et Pauline, vous aimez bien danser, n'est-ce pas? 3. Alors, on vous a invités, vous et votre frère Robert? 4. Robert et sa fiancée y vont donc aussi? 5. Allez-vous voyager cet été, vous et vos parents? 6. Votre petit frère Jacques et votre sœur Alice vous accompagnent? 7. Vous et votre famille, vous allez séjourner au bord de la mer? 8. Assistez-vous à la soirée de gala du Cercle Français, vous et votre camarade de chambre?

4

MODÈLES

A

Votre voisin de classe est-il
aussi grand que vous?

B

Il est plus grand que moi.
Il est aussi grand que moi.
Il n'est pas aussi[1] grand que moi.
Il est moins grand que moi.

Suivez le modèle qui convient à la situation:
1. Regardez votre voisin de gauche. Est-il aussi grand que vous?
2. Êtes-vous plus grand(e) que votre voisin de droite?   3. Êtes-vous plus âgé(e) que votre voisine?   4. Est-elle plus âgée que vous?   5. Est-elle plus intelligente que vous?   6. Êtes-vous plus âgé(e) que le professeur?   7. Est-il plus âgé que vous?   8. Est-ce qu'il est plus jeune, pourtant, que votre père?

5a

MODÈLE

A

Avez-vous dîné avec Maurice?

B

J'ai dîné avec lui.

Répondez en remplaçant tous les noms possibles:
1. Est-ce que Maurice cherche un appartement pour sa belle-mère (*mother-in-law*)?   2. Il s'est donc marié avec Louise?
3. Louise est assez riche, dit-on. Tant mieux pour Maurice, hein?
4. Mais la mère de Louise habite avec les nouveaux mariés?
5. Maurice ne s'entend-il pas avec sa belle-mère?   6. On dit qu'il y a déjà des problèmes dans le ménage; c'est à cause de cette femme?   7. Sans la belle-mère, tout irait au mieux (*everything would be fine*), n'est-ce pas?   8. La mère de Louise va donc déménager?   Elle peut toujours vivre près de ses enfants, n'est-ce pas?   9. C'est mieux ainsi, je crois. Êtes-vous d'accord avec moi?

5b

MODÈLE

A

Parlez-vous de mon père?

B

Je parle de lui

[1] On peut dire **aussi** ou **si** après **pas.**

1. Vous souvenez-vous de mes parents? 2. Vous souvenez-vous de ma vieille tante? 3. Parlez-vous de mon frère Robert? 4. Vous vous méfiez de Robert? 5. Et vous doutez de moi aussi? 6. Regardez ce pauvre enfant-là. A-t-il besoin de sa mère? 7. Cette mère ne s'occupe-t-elle jamais de ses enfants? 8. Votre mère est-elle fière de vous? 9. Vos parents sont-ils contents de vous et de vos frères? (remplacez par «nous») 10. Parlez-vous de votre professeur de chimie (*chemistry*)? 11. Avez-vous peur de cet homme farouche? 12. Avez-vous peur de moi?

5c   MODÈLE

A   **B**
Pensez-vous à vos parents?   **Je pense à eux.**

1. Pensez-vous à moi parfois? 2. Pensez-vous à Hélène? 3. Dites-moi, tenez-vous à Hélène? 4. Elle vous a écrit en vous implorant de venir, n'est-ce pas? Eh bien, allez-vous à Hélène? 5. Quel drôle de chien! Il est à vous? 6. Vraiment, tenez-vous à ce chien-là? 7. Vient-il à vous quand vous l'appelez? 8. Ne faites-vous pas attention au professeur? 9. Vous habituez-vous peu à peu à votre professeur de français? 10. Est-ce qu'il s'intéresse vraiment aux étudiants, croyez-vous?

EXPLICATIONS
Stressed Pronoun Forms
We have so far reviewed pronouns which are placed within the verb-group.

Connaissez-vous ce jeune homme-là?—Je ne *le* connais pas.

For pronouns standing apart from the verb-group, special *stressed* forms must be used:

Je voudrais danser avec *lui*.

STRESSED PRONOUN FORMS

	singular	plural
first person	**moi**	**nous**
second person	**vous** (polite)	**vous**
	toi (familiar)	

third person	lui (masc.)	eux (masc.)
	elle (fem.)	elles (fem.)
	soi (indefinite)[1]	

Use the stressed form of the pronoun:

1 *When It Follows the Verb Être*

> **Est-ce vous? C'est moi. C'est nous.**
> **Ce doit être lui. Ce n'est pas elle.**
> **Est-ce eux? Ce sont eux. Ce ne sont pas elles.**

2 *When It Stands Alone*

> **Qui a fait cela?—Lui. Pas moi.**

3 *When It Is Placed Outside the Verb-Group*

a. for stress (repeating a pronoun in the verb-group)[2]
b. in order to receive a modifier
c. as part of a group (*pronoun* + *pronoun* or *pronoun* + *noun*) identifying a plural pronoun in the verb-group:

a. stressed subject or object:

> **Moi, je[3] ne l'ai pas vu. Je ne l'ai pas vu, moi.**
> <u>I</u> *didn't see him.*
> **Je ne l'ai pas vu, lui.**
> *I didn't see <u>him</u>.*
> **Je ne veux pas lui écrire, à elle.**
> *I don't want to write to <u>her</u>.*

[1] **Soi** relates to an *indefinite* subject. It is seldom used except in the emphatic **soi-même** (*oneself*) or after a preposition:

> **Il faut le faire soi-même.**
> *One must do it oneself.*
> **On est chez soi ici.**
> *One is at home here.*
> **Chacun pour soi.**
> *Everyone for himself.*

[2] Pronouns *within* the verb-group cannot be vocally stressed, nor can they be modified. The fixed intonation of the French verb-group permits stress only of the verb: **Je ne l'ai pas vu** *I didn't <u>see</u> him.* The fixed grammatical structure of the verb-group permits modifiers only of the verb: **Je sais patiner aussi** *I can skate too* (besides my other talents).

[3] Following stressed forms other than **moi,** subject pronouns normally are *omitted* from the verb-group:

> **Lui ne m'a pas vu.** <u>He</u> *didn't see me.*
> **Eux seuls peuvent venir.** *They alone can come.*

b. modified subject or object

> **Je sais patiner, moi aussi.**
> *I, too, can skate.*
> **Je les connais, eux aussi.**
> *I know them, too* (as well as all the others).
> **Moi seul, je peux le faire.**
> *I alone can do it.*
> **Il l'a fait lui-même.**
> *He did it himself.*

c. compound subject or object

> **Elle et moi, nous[1] allons au cinéma.**
> *She and I are going to the movies.*
> **On vous a invités, vous et votre frère.**
> *They have invited you and your brother.*
> **Je ne les aime pas, lui et sa sœur.**
> *I don't like him and his sister.*

4 After *Que* (*than*) in a Comparison

> **Il est plus âgé que moi.**
> **Je suis plus intelligent que lui.**

5 As Object of a Preposition

a. After a preposition other than **de** or **à**:

> **Voyagez-vous avec vos parents?**
> **—Oui, je voyage avec eux.**
> **—Non, ils voyagent sans moi.**

b. After **de**, when referring to persons:

> **Vous souvenez-vous de moi? —Je me souviens de vous.**
> **Vous souvenez-vous des Lebrun? —Je me souviens d'eux.**
> **A-t-elle peur du professeur? —Elle a peur de lui.**
> **Est-il fier de sa sœur? —Il est fier d'elle.**

When referring to things, both **de** and its object are replaced by **en:**

[1] Following a compound subject, subject pronouns other than **nous** are normally omitted from the verb-group:
Lui et elle ont beaucoup parlé. *He and she talked a lot.*
Vous et vos amis êtes tous invités. *You and your friends are all invited.*

Vous souvenez-vous de leur adresse? —Je m'en souviens.
A-t-elle peur des examens? —Elle en a peur.
Est-il fier de son succès? —Il en est fier.

c. After à, required by certain verbs before a pronoun object, but only when referring to persons:[1]

> **penser** and **tenir**
> **Je pense à elle.** *I am thinking of her.*
> **Je tiens à vous.** *I am fond of you.*
> but for things: **J'y pense. J'y tiens.**

> reflexives requiring à
> **Je m'intéresse à lui.** *I am interested in him.*
> but for things: **Je m'y intéresse.**

> certain verb + noun expressions requiring à
> **Faites attention à moi.** *Pay attention to me.*
> but for things: **Faites-y attention.**

> verbs of motion
> **Il va à elle.** *He is going to her.*
> but for places **Il y va.**

> **être** expressing possession
> **Ce livre est-il à vous?** *Is this book yours?*
> **Non, il n'est pas à moi, il est à eux.**

> any verb whose direct object is **me, nous, vous,** or **se**
> **Il m'a présenté à elle.** *He introduced me to her.*
> but **Il *les* lui a présentés.** *He introduced them to her.*

FORMES A REPASSER

See Appendix A, Section 2: Pronouns Replacing an Object Noun-Group (page 218).

EXERCICES

A *Dites en français, comme dans cet exemple:*

> I *saw* him. **Je l'ai vu.**
> *I* saw him. **Moi, je l'ai vu.**
> I saw *him.* **Je l'ai vu, lui.**

[1] Most verbs which require à before their object do so only with a noun: **Obéissez à vos parents, Écrivez à Pauline.** For a pronoun object, they simply take the indirect object forms: **Obéissez-leur, Écrivez-lui, Écrivez-moi.**

1. *I know* them (the Calvets). *I* know them. I know *them*. 2. He *knows* me well. *He* knows me well. He knows *me* well. 3. They (the Calvets) didn't *invite* you. They didn't invite *you*. *They* didn't invite you. 4. They didn't *write* you. They didn't write to *you*. 5. I don't want to *see* her. I don't want to see *her*. 6. I don't want to *talk* to her. I don't want to talk to *her*. 7. I don't *like* her. *I* don't like her. Does *he* like her? 8. *He* left, but *she* stayed. 9. *They* (masc.) went out. 10. *We* like fish, but *they* (fem.) prefer meat.

B *Dites en français:*
1. I alone can do it. 2. He alone can do it. 3. Do you speak French, (you) too? 4. I like you, my friend, but I like *her* too. 5. I did it myself. 6. Even I (**même moi**) have problems. 7. They (masc.) are going there themselves. 8. They, too, want to see it. 9. Marie is coming, (she) too.

C *Dites en français:*
1. André and I went to the theater. 2. He and I know one another very well. 3. He and his mother are not coming tonight. 4. You and Pierre are coming, aren't you? 5. I saw you together, you and her. 6. They didn't invite my brother and me. 7. He's looking at you and me. 8. Do you know him and his wife? 9. I often think of you and her. 10. I don't want to write to her, nor to her mother.

D *Dites en français:*
1. Look at her. 2. Write to her. 3. Listen to her. 4. Obey her. 5. Think of her. 6. Pay attention to her. 7. Write to her. 8. Go to her. 9. Speak to her. 10. Don't speak to her. 11. Don't speak to *her*. 12. Answer her. 13. Listen to me. 14. Write to me.

COMPOSITION

Écrivez en français:
1. What a funny little dog! Is it yours? 2. It's not mine; it's Paul's. 3. Don't be afraid of me. 4. Don't you remember me? 5. Don't you ever think of me? 6. She's going to move, because he and his wife don't get along with her. 7. I am taller than he, but he is older than I. 8. He has blue eyes and blond hair. 9. He introduced us to them. 10. He introduced them to us.

CHAPTER 13

CONVERSATIONS

1a *Le professeur montre deux objets. L'étudiant répond à sa question, en indiquant avec le doigt l'un des deux objets:*

MODÈLES

A	**B**
Lequel de ces deux crayons est le plus long?	**Celui-ci.**
Laquelle de ces deux photos est en couleurs?	**Celle-là.**

1. Lequel de ces deux livres est le plus grand? 2. Lequel de ces deux morceaux de craie est le plus court? 3. Laquelle des fenêtres est grande ouverte? 4. Regardez par la fenêtre. Lequel de ces arbres-là est le plus haut? 5. Laquelle des autos qui stationnent là (ou qui passent dans la rue) préférez-vous? 6. Laquelle de vos voisines de classe est la plus belle? Peut-on choisir?

1b *On vous demande vos préférences:*

MODÈLES

A	**B**
Préférez-vous:	
la vie de la ville ou la vie de la	
campagne?	**Celle de la campagne.**

109

le climat de la Floride ou le climat
du Nord?   Celui de la Floride.
les sports d'été ou les sports d'hiver?   Ceux d'été.
les vacances de Noël ou les vacances
du printemps?   Celles du printemps.

1. Mademoiselle, regardez la cravate de votre voisin, puis la cravate du professeur. Laquelle préférez-vous?   2. Monsieur, vous connaissez l'accent de Boston? et l'accent d'Atlanta? Lequel préférez-vous?   3. Aimez-vous mieux les jeunes filles du Nord ou les jeunes filles du Sud?   4. Aimez-vous le vin, monsieur? En fait de vins, préférez-vous les vins de France ou les vins de Californie?   5. Voici pour la politique, mademoiselle: préférez-vous le gouvernement de tout le peuple ou le gouvernement d'un dictateur?   6. Quant à la musique, mademoiselle, aimez-vous mieux les symphonies (fem.) de Beethoven ou les symphonies de Brahms?   7. Le jazz de Brubeck, monsieur, ou le jazz d'Ellington?   8. Quant à l'art, mademoiselle, aimez-vous mieux les tableaux (masc.) de Cézanne ou les tableaux de Picasso?   9. Monsieur, préférez-vous les films de Bardot ou les films de Monroe?

1c   MODÈLE
                    A   **B**
**Pour ce qui est du cinéma, préférez-vous
les films qui font penser ou les films
qui font rire?**   **Ceux qui font rire.**

1. Quand vous faites un long voyage, préférez-vous les trains qui vont vite ou les trains qui s'arrêtent à chaque village?   2. A l'université, aimez-vous mieux les professeurs qui vous font travailler ou les professeurs qui ne vous demandent rien?   3. Mademoiselle, préférez-vous les jeunes gens qui étudient tout le temps ou les jeunes gens qui savent s'amuser un peu?   4. Monsieur, préférez-vous les jeunes filles qui sont belles ou les jeunes filles qui sont intelligentes?   5. En tout cas, préférez-vous les jeunes filles qui vous parlent ou les jeunes filles qui vous écoutent?

2   *Il est toujours question de choisir entre deux objets:*

MODÈLE

A	B
Dois-je porter ce soir ma robe bleue ou ma robe verte?	**Portez votre bleue.**

1. Voici mes gants, dans ce tiroir. Dois-je porter mes gants bleus ou ces gants noirs? 2. Vous voulez un choix de journaux français? Dois-je vous apporter tous les journaux les plus récents, ou seulement les journaux les plus importants? 3. Voici notre musée d'art. Voulez-vous que je vous montre les tableaux les plus célèbres, ou seulement les plus beaux tableaux à mon avis? 4. Comme professeur, dois-je punir les bons élèves ou les mauvais élèves? 5. Lesquels dois-je donc récompenser?

3 *On répond ici de façon à insister sur la qualité. Dans les modèles, c'est une conversation entre deux professeurs:*

MODÈLES

A	B
Avez-vous des étudiants intelligents?	J'en ai de[1] très intelligents.
Avez-vous des étudiants qui parlent bien le français?	J'en ai qui parlent très bien le français.
Vous n'avez pas d'étudiants de talent médiocre?	J'en ai de talent très médiocre.

1. Mademoiselle, avez-vous des chapeaux chics? 2. Avez-vous des robes qui vous vont bien (*are becoming to you*)? 3. Monsieur, avez-vous des souliers élégants? 4. Avez-vous de belles cravates? 5. Avez-vous des chaussures de couleur vive? 6. Connaissez-vous des jeunes filles charmantes? 7. Connaissez-vous des jeunes filles qui dansent bien? 8. Mademoiselle, connaissez-vous des jeunes hommes qui dansent mal? 9. Mademoiselle, écrivez-vous parfois de longues lettres? 10. Monsieur, avez-vous lu de longs romans? 11. Avez-vous lu des romans qu'on oublie vite?

[1] Remember that **des** becomes **de** before an adjective.

Maintenant, parlons de Paris: 12. Trouve-t-on de riches touristes à Paris? 13. Et voit-on de belles femmes là? 14. Est-ce qu'il y a de larges boulevards? 15. Mais y a-t-il des rues étroites? 16. Y a-t-il de bons restaurants? 17. Est-ce qu'on sert des dîners qui coûtent cher? 18. Trouve-t-on aussi des restaurants de prix modéré? 19. Et pour le soir, y a-t-il des boîtes de nuit intimes?

4 *Monsieur B refuse l'offre de Monsieur A de la façon suivante:*

MODÈLE

A	B
Voulez-vous mon stylo?	**Merci, je préfère le mien.**

Répondez de la même façon:
1. Voulez-vous mon dictionnaire? 2. Vous pourrez vous servir de ma machine à écrire. 3. Essayez mes lunettes (*glasses*). 4. Voici ma bicyclette, si vous voulez vous en servir. 5. Prenez mon auto. 6. Faites votre choix de mes cravates. 7. Puis-je vous présenter à mes amis?

5a *Il faut encore choisir, mais cette fois le choix est difficile:*

MODÈLE

A	B
Voici deux pommes, une pour vous et une pour moi. Quelle pomme choisissez-vous?	**Ah! laquelle dois-je choisir?**

1. (Vous passez le week-end chez moi) Vous voulez passer la soirée à lire un roman? Choisissez parmi ces bons romans-ci. Enfin, quel roman choisissez-vous? 2. (Dans un grand magasin) Madame cherche une robe de bal? En voici trois qui sont toutes très belles. Alors, quelle robe madame choisit-elle? 3. (Au restaurant) Quel vin monsieur choisit-il? Le vin rouge est toujours très bon, mais nous avons aussi un vin blanc extraordinaire. 4. (A la confiserie) Tous nos bonbons sont délicieux, madame, c'est entendu. Voyez ceux-ci, . . . et ceux-là. Quels bonbons madame choisit-elle donc?

5b *Nous faisons une tournée (tour) en province, et nous arrivons à un carrefour (crossroads):*

MODÈLE

A	B
Voici deux routes, dont l'une seulement est la bonne (*right one*).	**Oui, mais quelle est la bonne?**

1. Attention! Il ne faut pas suivre la mauvaise.   2. Voilà plusieurs portes, dont l'une, je crois, est celle de Paul.   3. Voici tous les romans de Balzac. Naturellement, vous voulez lire le plus intéressant.   4. Si vous allez acheter du champagne français, choisissez une des meilleures marques (*brands*).   5. Et insistez sur la meilleure année.

6

MODÈLES

A	B
Êtes-vous content?	**Je le suis.**
Êtes-vous riche?	**Je ne le suis pas.**

Répondez selon l'indication entre parenthèses:
1. Vos parents sont-ils riches? (non)   2. Votre fiancée est-elle belle et charmante? (bien sûr)   3. Est-elle aussi âgée que vous? (non)   4. Vous êtes heureux de vous marier avec elle? (mais oui) 5. Selon ma femme, l'appartement que vous avez loué n'est pas à vrai dire vaste. (non)   6. Mais vous en êtes satisfait? (oui) 7. Il paraît commode? (oui)   8. Les pièces (*rooms*) sont-elles bien arrangées? (oui)   9. Les meubles ne sont pas déjà usés (non)   10. La cuisine est assez moderne? (oui)   11. Le frigidaire n'est pas sans doute neuf? (si)   12. Et le loyer (*rent*) n'est pas trop élevé? (non)   13. Là vous avez de la chance. La vie est très chère pour les jeunes mariés, n'est-ce pas? (bien sûr)   14 Vous êtes donc très contents d'avoir trouvé cet appartement, vous et votre fiancée? (oui)

EXPLICATIONS

Replacing a Noun While Retaining a Modifier

We have so far been using pronouns which replace an entire noun-group (the noun along with its modifiers), as in this bit of conversation in a department store:

La vendeuse: Est-ce que madame désire *cette robe-ci?*
La cliente: Oui, je *la* désire.

Suppose, however, that our shopper must make a choice:

La vendeuse: Madame préfère-t-elle cette robe-ci ou cette robe-là?

In this case, although the noun **robe** need not be repeated, the *entire* noun-group can no longer be replaced; one of the *distinguishing modifiers* (**-ci** or **-là**) must of course be retained to make an answer:

La cliente: Je préfère celle-ci (or celle-là).

1   *Celui*

Use **celui, celle, ceux, celles** to replace a noun and a specifying determiner, when retaining:

a. **-ci** or **-là**

La vendeuse: Madame choisit-elle ces gants-ci ou ces gants-là?
La cliente: Je prends ceux-ci.[1]

b. a prepositional phrase

La vendeuse: Madame est Américaine? Entre nous, préférez-vous les modes de Paris ou les modes de New York?
La cliente: Je préfère celles de Paris, c'est pourquoi j'aime tant les magasins parisiens.

[1] **Celui-ci** and **celui-là** (or their feminine and plural forms) are also used to indicate *the former* and *the latter:*

Verlaine et Debussy sont célèbres, celui-ci (the last one named) **pour sa musique, celui-là pour ses poèmes.**

The neuter pronouns **ceci** and **cela, ça** (*this, that*) are used when no specific noun has been mentioned, and hence when no gender has been established.

Une cliente chez un marchand de bric-à-brac:
Qu'est-ce que c'est que cela? (*What's that?*)
Ceci ne m'intéresse pas, mais cela m'intrigue bien.
Ça c'est un cendrier, madame.

c. a relative clause

La vendeuse: **Madame désire-t-elle le chapeau qu'elle vient d'essayer ou le chapeau qu'elle a vu dans la vitrine?**
La cliente: **Je désire celui qui est dans la vitrine.**

2 *Retaining an Adjective*

Omit a noun with specifying determiner when retaining an adjective:

La vendeuse: **Est-ce que madame choisit ces gants noirs ou ces gants bleus?**
La cliente: **Je n'aime pas trop les noirs, mais je ne veux pas ces bleus non plus.**

3 *Use of en*

Use **en** to replace a noun with *nonspecifying* determiner, when retaining:

an adjective

La cliente: **Avez-vous d'autres gants? Je voudrais voir des gants moins chers.**
La vendeuse: **Oui, nous en avons d'autres. A prix modéré, il y en a de très chics.**

a relative clause

La vendeuse: **Voici des gants qui ne coûtent pas cher.**
La cliente: **C'est cela. J'en veux qui ne coûtent pas trop, vous savez. En voilà qui me plaisent.**

a prepositional phrase

La vendeuse: **Et maintenant, des bas? Est-ce madame veut des bas de soie (*silk*) ou des bas de nylon?**
La cliente: **J'en veux de nylon, mais j'en veux de bonne qualité.**

4 *Possessive Pronouns*

Omit the noun when retaining a possessive, but use a possessive *pronoun* preceded by **le, la, les:**

La cliente: Je cherche une cravate pour mon mari. **Ses cravates sont de si mauvais goût.**

or   ***Les siennes* sont de si mauvais goût.**

5   *Lequel and Quel*

a. Omit the noun after forms of interrogative **quel,** but use the following pronoun forms:

lequel? laquelle?	*which one?*
lesquels? lesquelles?[1]	*which ones?*

La vendeuse: **Je regrette, madame, mais pour les cravates ce sera un autre rayon** (*counter*).
La cliente: **Quel rayon, donc?**
    or   ***Lequel,* donc?**

b. Use the adjective form **quel** before **être** + noun-group:

Quel est le rayon des cravates?
Quelles sont vos meilleures cravates?
Quelles sont les meilleures? (noun-group, with the noun itself omitted)
but   **Lesquelles sont tissues** (*woven*) **à la main?**
Lesquelles sont de soie?

Replacing an Adjective

6   *Special Use of Neuter* **le**

Use **le** with the verb **être** (**paraître, sembler,** etc.) to replace an adjective, regardless of gender and number:

Ses emplettes faites (*her shopping completed*), **notre cliente se dirige vers la porte du magasin lorsqu'elle rencontre une amie:**
—**A cette heure, les taxis sont-ils difficiles à trouver?**
—**Malheureusement, ils le sont.**
—**Mais vous êtes prête à partir?**
—**Oui, je le suis.**
—**Voilà un autobus qui s'approche. Paraît-il bondé** (*full*)?
—**Non, il ne le paraît pas.**

---

[1] These pronouns contract with **à** and **de:**

Il y a deux Dumas, le père et le fils. Auquel pensez-vous? Duquel parlez-vous?

VERBES A REPASSER

Review the present and **passé composé** of the following verbs:

a. **plaire** (**déplaire** *to displease*) and **se taire** *to stop talking, to keep silent* (compare these verbs with **faire**);

b. **naître** *to be born* (compare with **connaître**);

c. **coudre** *to sew;*

d. **valoir** *to be worth* (note vowel change in the present tense).

EXERCICES

A   *Lisez en français, avec omission du nom souligné: (par exemple,* **Voici votre stylo; où est mon** stylo?—**Voici votre stylo; où est le mien?**)

1. Voici mon stylo; où est votre stylo?   2. J'ai mes livres; avez-vous vos livres?   3. J'aime bien votre petite auto, mais je préfère leur auto.   4. Vous avez déjà pris vos billets? Alors, nous allons prendre nos billets.   5. Malheureusement, Paul a perdu son billet.   6. Connaissez-vous la mère d'Alice?—Oui, je connais sa mère, mais je ne connais pas la mère d'Hélène.

B   *Dites en français:*

1. Look at that.   2. Listen to this.   3. What do you think of that?   4. Do you like this?   5. Do you prefer this or that?   6. *That* is their new house?   7. This is nothing.

C   *Prononcez la forme «vous»:*

Je vais. Je sais. J'ai. Je connais. Je parais. Je fais. Je plais. Je me tais.

Prononcez le singulier:

Ils vont. Ils font. Ils naissent. Ils plaisent. Ils peuvent. Ils veulent. Ils valent.
Elles ne disent rien. Elles se taisent. Elles le savent. Elles cousent.

Mettez au passé composé:

Je le sais. Je le fais. Je nais. Ça me plaît. Je me tais. Je m'en vais.
Ça vaut la peine. Je veux vous voir. Je ne vous crois pas. Je couds.

COMPOSITION

Écrivez en français:

1. I like the northern climate better than that of the South.   2. I prefer that of California.   3. As for ties, do you like mine or the professor's better?   4. Show her those dresses. Does she want the red one or the blue one?   5. Is she happy with it?—Yes, she is. No, she isn't.   6. Which of those rooms is the kitchen?   7. Is it small? This one isn't.   8. Which one are you speaking of? 9. Which one of the boys are you writing to?   10. Have you seen many French films? I prefer the ones that make me laugh.   11. I have seen some very funny ones.   12. Nylon stockings cost less than silk ones.

UNIT 4 VERB TENSES

CHAPTER  14

CONVERSATIONS

1a Vers onze heures du soir, un camarade frappe à votre porte:

MODÈLE

A	B
Travaillez-vous en ce moment?	Oui, je travaille.

1. Est-ce que je vous dérange? (répondez que non) 2. Étudiez-vous votre français? 3. Vous écoutez en même temps la radio? 4. Repassez-vous l'imparfait? 5. Le trouvez-vous bien facile à comprendre?

Or, le même camarade a essayé de vous téléphoner la veille au soir (the evening before):

Travailliez-vous hier soir, vers cette même heure?	Non, je ne travaillais pas.

6. Vous n'étudiiez pas votre français? 7. N'aviez-vous pas de leçons à faire? 8. Vous n'étiez donc pas chez vous? 9. Passiez-vous la soirée en ville? (répondez que oui) 10. Où étiez-vous vers onze heures? toujours en ville?

121

1b

MODÈLES

A	B
A l'ordinaire, passez-vous vos va- cances à la campagne?	Non, je ne les passe pas à la campagne.
Dans votre enfance, passiez-vous vos vacances à la campagne?	Oui, je les y passais.
Passiez vous de belles journées à ne rien faire?	Oui, j'en passais.

Répondez par oui ou par non selon l'indication entre parenthèses. Attention au temps (tense) du verbe. Employez des pronoms dans vos réponses, si vous le voulez.

1. Avez-vous des parents qui habitent à la campagne? (oui)
2. Leur faites-vous souvent visite? (non) 3. Leur faisiez-vous de longues visites quand vous étiez jeune? (oui) 4. Aimiez-vous la vie de la campagne alors? (oui) 5. Mais vous ne l'aimez plus? (si) 6. C'est que vous préférez les distractions de la ville maintenant? (oui) 7. Aviez-vous hâte de partir pour la campagne chaque juin? (oui) 8. Jouissiez-vous des beaux jours d'été? (oui) 9. En jouissez-vous toujours, même en pleine ville? (oui) 10. Et le soir, vous aimiez le bruit monotone des grillons (*crickets*)? (non) 11. Vous ne l'aimez toujours pas? (non) 12. Voyons, que faisiez-vous pendant ces vacances à la campagne? Par exemple, faisiez-vous de longues promenades à travers les champs? (oui) 13. Passiez-vous de longues heures au bois? (oui) 14. Preniez-vous part aux travaux de la ferme? (non) 15. Regardiez-vous traire (*being milked*) les vaches? (oui) 16. Donniez-vous parfois du foin (*hay*) aux chevaux? (non) ou bien un morceau de sucre? (oui) 17. Cherchiez-vous des œufs le matin? (oui) 18. Est-ce qu'il fallait les prendre à la poule (*hen*)? (oui bien) 19. Mais vous n'en aviez pas peur? (mais si) 20. Quand il pleuvait, ne vous ennuyiez-vous pas? (pas du tout) 21. Jouiez-vous au cache-cache (*hide-and-seek*) dans la grange, par exemple? (oui) 22. Alors, vous vous amusiez bien, n'est-ce pas? (mais oui)

2   MODÈLES

A	B
Sommes-nous dans la salle de classe maintenant?	**Nous y sommes.**
Depuis quand sommes-nous dans la salle de classe?	**Nous y sommes depuis dix heures et demie.**
Étiez-vous dans la salle de classe quand je suis entré, mademoiselle?	**J'y étais, monsieur.**
Depuis combien de temps y étiez-vous alors?	**J'y étais depuis cinq minutes.**

1. Je suis arrivé en classe un peu en retard aujourd'hui. Vous m'attendiez, n'est-ce pas? 2. Depuis combien de temps m'attendiez-vous? 3. Parlez-vous français? Depuis combien de temps parlez-vous français? depuis très peu? 4. Et vous parlez anglais aussi? Depuis combien de temps parlez-vous anglais? depuis longtemps? 5. Vous étudiez le français maintenant, n'est-ce pas? Depuis combien de temps étudiez-vous le français? 6. Depuis quand étudiez-vous le français? 7. Depuis quelle date assistez-vous à cette université? 8. Est-ce qu'il pleut aujourd'hui? Depuis quand pleut-il (ou fait-il beau)? depuis lundi? 9. Fait-il chaud ou froid aujourd'hui? Depuis combien de temps fait-il chaud (ou froid)? depuis plus d'une semaine? 10. Depuis combien de temps portez-vous des lunettes? depuis quelques jours seulement? depuis des semaines? des mois? des années? 11. Vous avez votre propre automobile, n'est ce pas, monsieur? Depuis combien de temps l'avez-vous? 12. Avant d'avoir une auto, vous vous serviez d'un vélo, pas vrai? Depuis combien de temps vous serviez-vous d'un vélo? 13. Pour qui (*one who*) n'a pas d'auto, une bicyclette est bien nécessaire à cette université. Depuis combien de temps vous passiez-vous d'une bicyclette, mademoiselle, avant d'en acheter une? 14. Qui a voyagé en Europe (au Mexique, en Orient)? Depuis combien de temps rêviez-vous de faire ce voyage, avant de le faire enfin?

3   *C'est une conversation en septembre, au début du nouveau semestre:*

MODÈLES

A	B
Avez-vous voyagé en Europe cet été?	J'y ai voyagé.
Êtes-vous allé à Paris?	J'y suis allé.
Où habitiez-vous à Paris?	J'habitais au quartier latin.

Attention au temps du verbe:
1. Pendant combien de temps êtes-vous resté à Paris? pendant tout l'été?   2. Vous n'êtes pas sorti de Paris? (répondez par *si*)
3. Qu'avez-vous vu aux environs de Paris? Versailles? Fontainebleau?   4. Pourquoi n'avez-vous pas quitté Paris? Suiviez-vous des cours à l'université?   5. Avez-vous beaucoup appris?   6. Vous avez sans doute perfectionné votre français?   7. Faisait-il chaud pendant tout l'été?   8. A-t-il souvent plu?   9. Pleuvait-il le jour où vous êtes arrivé(e)?   10. Mais Paris était beau sous la pluie ce jour-là, n'est-ce pas?   11. Vous avez trouvé une chambre près de l'université?   12. La trouviez-vous commode pendant que vous l'habitiez?   13. Que voyiez-vous de vos fenêtres en vous levant chaque matin? la Seine? la Tour Eiffel? la cathédrale de Notre-Dame?   14. Passiez-vous tous les jours devant la cathédrale?   15. Êtes-vous monté(e) une fois dans la tour? La vue de là est magnifique, dit-on.   16. C'est la première fois que vous avez été à Paris?   17. Depuis combien de temps êtes-vous de retour?

4a   Je vous montre un disque que j'ai acheté hier. C'est un morceau de musique moderne pour le piano, enregistré (recorded) par un pianiste peu connu:

MODÈLES

A	B
Avez-vous jamais entendu ce pianiste?	Mais oui, je l'ai entendu.
Avez-vous jamais écouté ce disque?	Non, je ne l'ai jamais écouté.

Répondez par oui ou par non, selon l'indication entre parenthèses:
1. C'est un enregistrement superbe. Avez-vous acheté, comme moi, la plupart de ses disques? (oui) 2. Avez-vous jamais fait du piano (*studied the piano*) vous-même? (non) 3. Moi non plus. Mais vous avez souvent voulu en faire un peu, n'est-ce pas? (oui) 4. Avez-vous écouté récemment les émissions musicales à la radio? (oui) 5. Écoutons le concert de ce soir. Avez-vous consulté le programme annoncé dans les journaux? (oui) 6. Qu'est-ce? . . . Comment, une partie de base-ball à cette heure! A-t-il fallu remettre le concert? (oui) 7. Alors, avez-vous lu les comptes-rendus (*reviews*) du cinéma? (non) 8. On annonce un film français, mais je ne sais pas ce que c'est. Vous avez vu bien des films français? (oui) 9. A propos, vous n'avez jamais été à Hollywood, je suppose? (mais si) 10. Dans ce cas, vous avez vu pas mal de vedettes (*stars*), hein? (mais oui)

4b *Je viens d'apprendre que vous avez emprunté l'auto d'un ami lundi après-midi, et que cela a fini mal (*turned out badly*):*

MODÈLES

A	B
Étiez-vous sorti de la ville au moment de la crevaison (*blowout*)?	Oui, j'étais sorti de la ville.
Aviez-vous vérifié les pneus?	Non, je ne les avais pas vérifiés.

1. Vous étiez monté dans l'auto sans vérifier les pneus? (oui) 2. Aviez-vous jamais eu une crevaison auparavant? (non) 3. Une crevaison, c'est déjà mal; mais une panne d'essence (*running out of gas*) aussi! Étiez-vous parti sans remplir le réservoir? (oui) 4. Mais vous aviez passé des postes d'essence avant de quitter la grand'route, n'est-ce pas? (oui) 5. Au carrefour, aviez-vous pris à gauche? (oui) 6. Étiez-vous arrivé aux travaux en cours (*construction work*)? (oui) 7. Vous aviez déjà fait le détour? (non, pas encore) 8. Du moins, aviez-vous demandé si la route était praticable? (non) 9. Depuis combien de temps restiez-vous en panne quand le garagiste est arrivé? depuis plus d'une

heure?   10. Combien de temps aviez-vous donc perdu en panne?
11. Étiez-vous revenu en ville quand il a fait nuit (*when it got
dark*)? (oui)   12. Mais vous n'aviez pas vu ce feu rouge? (non)
13. Pardonnez-moi de vous le demander, mais aviez-vous jamais
conduit auparavant? (mais oui)   14. Vous aviez apporté votre
permis de conduire, j'espère? (oui)

EXPLICATIONS

Past Tenses

1   *Imperfect Tense Compared with the Present*

The present tense and imperfect tense express the same two basic
situations:

a. An action or state of affairs *going on* right now:

> **En ce moment, mon oncle *voyage* en Orient.**

or at a defined point in the past:

> **En mai 1940, au moment de l'invasion, il *voyageait* en France.**
> **A ce moment-là, la situation de la France *était* très désespérée.**

b. A *customary* or *frequently repeated* action in the present:

> **Mon oncle *voyage* beaucoup.**
> **Il *écrit* des livres sur ses voyages.**

or in the past:

> **Jusqu'à la guerre il *passait* chaque hiver à Rome et le printemps
> à Paris.**

2   *Depuis Construction*

Use the present tense in French for an action going on now, even
when adding *how long* it has been going on:

> **Mon oncle voyage en Orient maintenant.**
> **Il voyage en Orient depuis l'été passé.**
> *He has been travelling in the Orient since last summer.*
> **Il y voyage depuis des mois.**
> *He has been travelling there for months.*

Use the imperfect tense when telling how long a past action or state of affairs *had been* going on:

> En mai 1940, mon oncle était à Paris, et la France était en guerre.
> Il y était depuis le premier mars.
> *He had been there since the first of March.*
> La France était en guerre depuis moins d'une année.
> *France had been at war for less than a year.*[1]

An *amount of time* can be emphasized by placing the **depuis** phrase first, or by beginning **Il y a, Il y avait, Voilà,** or **Voici, . . . que:**

> Depuis moins d'une année, la France était en guerre.
> Il y avait deux mois et demi que mon oncle était à Paris.
> Voilà (Voici, Il y a) des mois qu'il voyage en Orient.

3 *Imperfect and **Passé Composé** Contrasted*

Use the imperfect in its two basic meanings:

a. to present an action as *going on* when something else occurred (but use the **passé composé**[2] to report that occurrence)

> Il était presque minuit, et je me couchais déjà, quand quelqu'un a frappé à ma porte.

b. to present an action or state of affairs as *customary,* or to emphasize *duration* or *repetition*

> Pendant toute mon enfance, je me couchais de bonne heure, car j'étais toujours maladif (*sickly*).
> Victor Hugo vivait 83 ans. (emphasizing the length of time)
> Jour après jour, elle venait me voir. (emphasizing repetition)

But use the **passé composé** when simply reporting a fact:

> Comme petit enfant, je me suis souvent couché de bonne heure.
> Victor Hugo a vécu 83 ans.
> Elle est venue me voir chaque jour à l'hôpital.

---

[1] When the action has not been continuous, or the verb is negative, *compound* tenses are used with **depuis:**

> Il nous a écrit deux fois depuis son arrivée en Orient.
> *He has written us twice since his arrival in the Orient.*
> Nous ne l'avions pas vu depuis une année.
> *We had not seen him for a year.*

[2] The **passé composé** is formed with the *present* of **avoir** or **être** plus the past participle.

The primary use of the **passé composé** is to relate past events—to report what did or did not happen, or to tell when, where, or how something occurred:

> **Je me suis couché très tard hier soir.**
> **Personne ne m'a téléphoné.**
> **Victor Hugo a écrit plusieurs longs romans.**
> **Il est mort à Paris en 1885.**

4 *Passé Composé and Pluperfect Compared*

a. The **passé composé** is also used in its literal sense as a compound tense to express what *has happened* up to now:

> **Personne ne m'a téléphoné jusqu'ici.**
> *No one has phoned me so far.*
> **Ce monsieur-là a écrit bien des pièces.**
> *That gentleman has written many plays.*
> **Elle est souvent venue nous voir à Paris.**
> *She has often come to see us in Paris.*

b. In this sense, the **passé composé** is paralleled by the pluperfect (**plus-que-parfait**),[1] which expresses what *had happened* up to a certain point in the past:

Personne ne m'avait téléphoné jusqu'à ce point-là.
No one had phoned me up until that point.
Avant son premier succès au théâtre, il avait écrit trois pièces très mal reçues. *Before his first success in the theater, he had written three very badly received plays.*
Elle n'y était jamais allée auparavant.
She had never gone there before.

Additional Note on Imperfect and *Passé Composé*
Verbs denoting mental processes, or mental, emotional, or physical state, are ordinarily used in the imperfect for past time.

> **Je la connaissais quand j'étais à Paris.**
> *I knew her when I was in Paris.*
> **Je savais qu'elle était malade.**
> *I knew she was sick.*
> **Le ciel était couvert, et je croyais qu'il allait pleuvoir.**
> *The sky was cloudy, and I thought it was going to rain.*

[1] The pluperfect is formed with the *imperfect* of **avoir** or **être** plus the past participle.

J'avais peur.
I was afraid.
J'avais faim.
I was hungry.
Pendant toute la semaine, je me sentais malade.
All week I felt sick.

With such verbs, the **passé composé** expresses initial, sudden, or momentary occurrence:

Je l'ai connue à Paris.
I met (got to know) her in Paris.
J'ai su qu'elle était malade.
I found out she was sick.
Le ciel s'est couvert, et j'ai cru un moment qu'il allait pleuvoir.
The sky clouded over, and I thought for a moment that it was going to rain.
J'ai eu peur.
I became frightened; I was (momentarily) frightened.
J'ai eu faim.
I got hungry.
Tout à coup, je me suis senti mieux.
All of a sudden, I felt better.

FORMES A REPASSER
Formation of the Imperfect

Imperfect endings are added to the same stem as the ending **-ons** of the present tense. Thus the **nous** form of the present is the most convenient point of departure for forming the imperfect; for example:

Venir. PRESENT TENSE: **nous venons.** STEM: **ven-**

IMPERFECT:	je venais	nous venions
	tu venais	vous veniez
	il venait	ils venaient

The endings **-ais, -ait, -aient** sound alike. To preserve the soft sound of the consonant, a g preceding these endings must be written **ge**, and a c with a cedilla **ç**:

PRESENT TENSE	IMPERFECT TENSE
je mange	**je mangeais**
il commence	**il commençait**

Note, in the **nous** and **vous** forms, the spelling of such verbs as **étudier** or **prier**, with stem in **-i-:**

nous étudions	nous étudiions
vous priez	vous priiez

and the spelling of **voir** and **croire**, with stem in **-y-:**

nous voyons	nous voyions
vous croyez	vous croyiez

Être has a special imperfect stem **ét-:**

j'étais	nous étions
tu étais	vous étiez
il était	ils étaient

VERBES A REPASSER

A   Review and compare the following verbs, all conjugated alike: **conduire,**[1] **traduire, construire,**[2] **cuire** *to cook.*

B   Learn these two impersonal verbs:

INFINITIVE	**falloir** *to be necessary*	**pleuvoir** *to rain*
PRESENT TENSE	**il faut**	**il pleut**
IMPERPECT	**il fallait**	**il pleuvait**
PASSÉ COMPOSÉ	**il a fallu**	**il a plu**
PLUPERFECT	**il avait fallu**	**il avait plu**

EXERCICES

A   *Ayant entendu le présent, prononcez l'imparfait de la même personne* (*par exemple,* **nous donnons—nous donnions**):

Nous parlons. Vous parlez. Il parle. Il chante. Il écoute. Ils écoutent.

Nous partons. Vous partez. Je pars. Je sors. Je dors. Je sers le dîner. Je perds mon temps.

Nous attendons. Vous attendez. Il attend. Il entend. Il se rend en classe. Il vend sa bicyclette. Il ment. Il prend le train. Il ne comprend pas.

---

[1] **Conduire** is the model for verbs in **-duire,** such as **produire** *to produce;* **réduire** *to reduce;* **introduire** *to introduce* (as a key into a lock; use **présenter** for introducing persons).

[2] Like **construire** are **détruire** *to destroy;* **instruire** *to instruct.*

Nous disons. Vous dites. Elle dit. Elle lit. Elle écrit. Elle conduit. Elle réfléchit. Elle traduit. Elle coud.

Nous le faisons. Vous le faites. On le fait. On le sait. Ça me plaît. On met la table. Il le faut. Il vaut mieux le faire.

Je ne peux pas. Je ne dois pas. Je ne veux pas. Il ne pleut pas. J'y tiens. Je reviens. Je m'en souviens.

B *Écrivez à l'imparfait:*

1. Il commence à lire. 2. Je range ma chambre. 3. Vous criez (*you are shouting*). 4. Nous ne voyons pas. 5. Ils placent les chaises. 6. Elle rince son linge (*she is rinsing her laundry*). 7. Cela me pince le doigt (*it pinches my finger*). 8. Le bébé suce son pouce (*the baby is sucking its thumb*). 9. Les enfants songent à la fête qu'on leur arrange.

C *Ayant entendu le passé composé, prononcez à l'imparfait (par exemple,* **il a donné—il donnait**):

Il a parlé. Il est parti. Il est sorti. Il nous a servi. Il a fini. Il a construit.

Il nous a vus. Il les a vendus. Il y est venu. Il y a tenu. Il en a reçu. Il s'en est aperçu.

D *Ayant entendu l'imparfait, prononcez le passé composé (par exemple,* **il donnait—il a donné**):

Il y assistait. Il y arrivait. Il montait. Il se levait. Il devait le faire. Il le faisait. Il comprenait.

Elle prenait à gauche. Elle conduisait trop vite. Elle s'en servait. Elle vous écrivait. Elle me voyait. Elle ne me croyait pas. Elle se taisait.

Je le disais. Je le lisais. Je le traduisais. Il le fallait. Il ne pleuvait pas.

E *Remplacez* **depuis** *par* **il y a, voilà** *ou* **voici** (*par exemple,* **J'habite ici depuis trois mois—Voici trois mois que j'habite ici**):

1. Depuis des semaines je cherche un nouvel appartement. 2. Il cherche un taxi depuis une demi-heure. 3. J'attendais le tram depuis vingt minutes. 4. Il pleut à verse (*it has been pouring*) depuis des heures. 5. Nous restions en panne depuis plus d'une heure. 6. Je conduisais depuis des années 7. Elle vous regarde depuis quelques minutes. 8. Elle vous aime depuis longtemps.

COMPOSITION

Écrivez en français:

1. You used to live in the country, didn't you? 2. As a small child, I spent my vacations there. 3. I enjoyed the fine summer days. 4. I would often take walks through the fields. 5. But I was bored when it rained. 6. One had to (use *falloir*) stay in the house. 7. I didn't like the rain when I was little. 8. I still don't like it. 9. How long have you been waiting for me? Since one o'clock? 10. How long had you been waiting when the bus arrived? For an hour? 11. It has been raining for more than a week. They have had to put off the baseball game. 12. I was driving rather fast when I had the blowout. 13. I had not checked the tires. 14. I was looking for a gas station when I ran out of gas. 15. It was getting dark when I got back to town. 16. I had never driven before.

CHAPTER 15

CONVERSATIONS

1a *Je vous rencontre au coin de la rue, et je vous demande:*

MODÈLES

A	B
Allez-vous en ville?	Oui, je vais en ville.
Allez-vous attendre le tram?	Non, je ne vais pas l'attendre.
A propos, alliez-vous me télé-phoner?	Oui, j'allais vous téléphoner.

Répondez par oui ou par non, selon l'indication:
1. Alliez-vous me dire l'adresse de votre sœur? (oui)   2. Allez-vous me la donner maintenant? (oui)   3. Merci; je veux l'inviter à ma soirée. Vous allez venir, n'est-ce pas? (non)   4. Comment? Mais vous alliez venir, n'est-ce pas? (oui)   5. Alors, vous n'allez pas remettre votre voyage? (non)   6. Je regrette beaucoup, mais si c'est impossible. . . . Allez-vous partir demain? (oui) 7. A quelle heure allez-vous à la gare?   8. Vous allez prendre pas mal de bagages, je suppose? (oui)   9. Permettez-moi de vous y conduire dans mon auto. Alliez-vous prendre un taxi? (oui) 10. C'est entendu, donc. Vous allez m'attendre devant votre maison? (oui)

1b *Ce que je vous dis de faire, vous venez de le faire (you have just done it):*

MODÈLES

A	B
Cirez vos souliers.	Je viens de les cirer.
Prenez votre bain.	Je viens de le prendre.
Brossez-vous les dents.	Je viens de me les brosser.

Répondez selon les modèles:

1. (Il s'agit de votre départ) Avant de partir, téléphonez à Marie.
2. Et écrivez à vos parents, pour leur faire savoir où vous serez.
3. Consultez l'indicateur (*timetable*). 4. Alors, envoyez un télégramme aux Dupont, pour qu'ils vous cherchent (*so they will meet you*) à la gare. 5. Maintenant, allez à la banque; il vous faudra (*you will need*) de l'argent. 6. Faites vos valises, donc. 7. Préparez-vous des sandwichs; il n'y aura pas de wagon-restaurant sur votre train. 8. Rangez votre chambre avant de la quitter. 9. (A la gare, dans la salle d'attente) Prenez votre billet. 10. Achetez-vous des revues à lire sur le train. 11. Demandez au chef de gare si le train sera à l'heure. 12. Donnez vos valises au porteur. 13. Passez sur le quai, pour voir si le train arrive encore.

2   *C'est une conversation au mois de mai, vers la fin des classes:*

MODÈLES

A	B
Voyagez-vous en Europe cet été?	Oui, je voyage en Europe.
Allez-vous parcourir la France?	Oui, je vais la parcourir.
Y passerez-vous tout l'été?	J'y passerai tout l'été.

1. Quand partez-vous? dans deux semaines? 2. Partirez-vous de New York ou de Montréal? 3. Pour combien de temps allez-vous en France? 4. Comment irez-vous en Europe? en bateau? en avion? 5. Où allez-vous d'abord? à Paris, je suppose? 6. Pendant combien de temps resterez-vous à Paris? pendant quelques semaines seulement? 7. Ensuite, allez-vous voyager un peu partout? 8. Comment voyagerez-vous en France? en autobus, par exemple? Ou prendrez-vous le train? 9. Vous ser-

virez-vous d'une automobile? 10. Allez-vous acheter une Renault
à Paris? 11. Vous en servirez-vous dans les régions monta-
gneuses? 12. Pourrez-vous la revendre avant de revenir aux
États-Unis? 13. Ou la rapporterez-vous en Amérique? 14. En
général, descendrez-vous à des hôtels de prix modéré? 15. Vous
permettrez-vous parfois un hôtel de luxe? 16. Où serez-vous le
14 juillet? à Paris? 17. Alors, vous verrez les feux d'artifice (*fireworks*) de Versailles, n'est-ce pas? 18. Espérons qu'il ne pleuvra
pas, hein? 19. Allez-vous faire un voyage dans le Midi? 20. Pas-
serez-vous par Lyon? 21. Vous y arrêterez-vous? 22. Les Dupré
y habitent, vous savez. Leur ferez-vous visite? 23. Leur écrirez-
vous d'abord? Il le faudra, n'est-ce pas? 24. Allez-vous voir la
vallée de la Loire? Vous verrez donc le «jardin de la France».
25. Est-ce que vous ferez le tour des châteaux? 26. Après, vous
voudrez visiter la Bretagne, n'est-ce pas? 27. Aurez-vous le
temps de parcourir le Nord? 28. Pour tout voir, vous n'aurez pas
trop de tout l'été (*the whole summer won't be too much*), pas
vrai? 29. Vous vous amuserez bien, n'est-ce pas? 30. Et vous
m'enverrez des cartes postales?

PARAPHRASES

*3a L'étudiant répète la phrase du professeur. Puis il change la con-
struction du verbe, mais sans en changer le sens:*

MODÈLE

A	B
Il dit qu'il va manger plus tard.	**Il dit qu'il va manger plus tard.**
	Il dit qu'il *mangera* plus tard.

1. Il dit qu'il va faire un voyage. 2. Il dit qu'il va partir demain.
3. Il dit qu'il va aller à Paris. 4. Il croit qu'il va acheter une
Renault. 5. Il espère qu'il va pouvoir la rapporter. 6. Quant au
14 juillet, je crois que je vais y être. 7. Voici une lettre de Blanche.
Elle dit qu'elle va venir. 8. J'espère que nous allons faire un
pique-nique. 9. Elle croit qu'il va pleuvoir. 10. Je crois qu'il
va falloir remettre la fête. 11 Vous savez que vous allez avoir
un examen. 12. Ils disent qu'ils vont savoir ces verbes.

3b   MODÈLE

A	B
Il a dit qu'il allait manger plus tard.	Il a dit qu'il allait manger plus tard.
	Il a dit qu'il *mangerait* plus tard.

1. Il a dit qu'il allait faire un voyage.   2. Il a dit qu'il allait partir tout de suite.   3. Il a dit qu'il allait revendre son auto.   4. Je croyais que j'allais y être.   5. J'espérais qu'elle allait venir. 6. Elle avait dit qu'elle allait vous voir.   7. Je croyais que vous alliez la voir.   8. Nous croyions qu'il allait pleuvoir.   9. Je savais qu'il allait nous donner un examen.   10. Ils m'avaient juré qu'ils allaient savoir ces verbes.

4   *L'étudiant répète encore la phrase du professeur. Mais cette fois il en change le sens, en transposant toute l'expression au temps passé:*

MODÈLE

A	B
J'espère qu'il aura mangé.	J'espère qu'il aura mangé.
	J'espérais qu'il aurait mangé.

1. Nous allons arriver à la gare juste à temps. J'espère qu'il aura déjà pris son billet.   2. Il n'y a pas de wagon-restaurant sur son train. J'espère qu'il aura apporté son déjeuner.   3. J'espère que les Dupont auront reçu son télégramme.   4. J'y vais dans une semaine pour faire du ski, mais il n'y a pas encore de neige. J'espère qu'il aura neigé.   5. J'aimerais voir Pauline à Paris, mais je ne vais y arriver que le quatorze. Je crois qu'elle sera déjà partie.   6. Je crois qu'elle sera allée à Tours.   7. On n'a pas encore fini ma nouvelle robe, et c'est pour lundi. J'espère qu'on l'aura finie.   8. Nous allons être en retard, il est déjà huit heures. Je sais qu'on se sera mis à table sans nous.

5   MODÈLE

A	**B**
Je crois qu'il mange mainte- nant.	Je crois qu'il mange mainte- nant. Je croyais qu'il mangeait alors.

1. Je crois qu'il finit son déjeuner. 2. Je crois qu'il part maintenant pour Marseille. 3. Je crois qu'il fait ses valises maintenant.
4. Je crois qu'il leur écrit maintenant. 5. Il croit que nous sommes
à Paris. 6. Il croit que nous habitons au quartier latin. 7. Il croit
que nous prenons nos repas chez nous. 8. Je sais qu'elle est
malade. 9. Je sais qu'elle ne peut pas quitter la maison. 10. Je
crois qu'il pleut. 11. J'espère que vous vous trompez. 12. Elle
croit qu'il faut remettre le pique-nique. 13. Je sais qu'il leur
donne un examen. 14. Ils jurent qu'ils savent former le futur.

6   MODÈLE

A	**B**
Il dit qu'il a mangé.	Il dit qu'il a mangé. Il a dit qu'il avait mangé.

1. Il dit qu'il a déjà pris son petit déjeuner. 2. Il dit qu'il a
apporté des sandwichs. 3. Il dit qu'il a déjà pris son billet.
4. Elle dit qu'il est déjà parti. 5. Elle dit qu'il a été à Paris
auparavant. 6. Il dit qu'ils ont réussi à l'examen. 7. Le garçon
qui vous a servi dit que vous êtes sorti sans laisser de pourboire.
8. Le chauffeur de notre taxi dit que nous nous sommes trompés
d'adresse. 9. Elle dit qu'il a plu pendant la nuit, car les trottoirs
sont mouillés (*wet*). 10. Elle dit qu'il a gelé, car le lac est
couvert de glace.

EXPLICATIONS

1 *Aller, Venir de* + *Infinitive*

Only the present and imperfect tenses are used in these two constructions:

a. Aller + infinitive
Present tense of *aller* for what *is going to happen:*

> Mon oncle va passer l'année en Orient.

Imperfect tense of **aller** for what *was going to happen:*

Il allait visiter la Corée (*Korea*) **en 1949, mais la situation mondiale était déjà menaçante.**

b. Venir de + infinitive
Present tense of **venir de** for what *has just happened:*

Il vient d'arriver à Tokyo.

Imperfect tense of **venir de** for what *had just happened:*

Au commencement de la guerre de Corée, il venait de quitter l'Orient.

2 *Future*

Future time is expressed in French, as in English, by the present tense (when the context is clearly future):

Je pars demain.
I am leaving tomorrow.

by **aller** + the infinitive:

Je vais partir demain.
I am going to leave tomorrow.

or by the future tense:

Je partirai demain.
I will leave tomorrow.

Sequence of Tenses

The tense of a subordinate verb depends upon its time relation to the tense of the main verb.

3 The subordinate verb presents a *proposed* action (a future action in relation to the main verb):

a. If the main verb is in the present, use either the present of **aller** + infinitive, or the future tense:

Il dit qu'il va le faire.
He says he is going to do it.
Il dit qu'il le fera.
He says he will do it.

b. If the main verb is in the past, use either the *imperfect* of aller + infinitive or the *conditional* tense:

> **Il a dit qu'il allait le faire.**
> *He said he was going to do it.*
> **Il a dit qu'il le ferait.**
> *He said he would do it.*

4 The subordinate verb presents an action *to be completed* by a relatively future point in time:

If the main verb is in the present, use the *compound future* tense:[1]

> **Il dit qu'il l'aura fait avant ce soir.**
> *He says he will have done it by this evening.*
> (that is, he has not done it yet, but it will be done by then)

If the main verb is in the past, use the *compound conditional:*[2]

> **Il a dit qu'il l'aurait fait avant ce matin.**
> *He said he would have done it by this morning.*
> (that is, he had not yet done it at the time, but it was to have been done by then)

5 The subordinate verb presents a *simultaneous* action:

If the main verb is in the present, use the present tense:

> **Il dit qu'il le fait maintenant.**
> *He says he is doing it now.*

If the main verb is in the past, use the imperfect tense:

> **Il a dit qu'il le faisait alors.**
> *He said he was doing it then.*

6 The subordinate verb presents an action *already completed:*

If the main verb is in the present, use the **passé composé**:

> **Il dit qu'il l'a déjà fait.**
> *He says he has already done it.*

If the main verb is in the past, use the pluperfect:

> **Il a dit qu'il l'avait déjà fait.**
> *He said he had already done it.*

[1] The future of **avoir** or **être** plus the past participle.
[2] The conditional of **avoir** or **être** plus the past participle.

FORMES A REPASSER

Formation of the Future and Conditional

The endings of the future tense are, in origin, the present tense of **avoir**. The endings of the conditional are those of the imperfect. Both sets of endings are added to the infinitive,[1] and are thus always preceded by **r**:

manger

FUTURE		CONDITIONAL	
je manger*ai*	nous manger*ons*	je manger*ais*	nous manger*ions*
tu manger*as*	vous manger*ez*	tu manger*ais*	vous manger*iez*
il manger*a*	ils manger*ont*	il manger*ait*	ils manger*aient*

As a future stem, the infinitive of certain verbs has been contracted or its vowel weakened. Learn the following, noting that all still end in **r**:

aller	ir-	pouvoir	pourr-
avoir	aur-	savoir	saur-
devoir	devr-	tenir	tiendr-
envoyer[2]	enverr-	venir	viendr-
être	ser-	voir	verr-
faire	fer-	vouloir	voudr-

falloir	il faudra, il faudrait
valoir	il vaudra, il vaudrait
pleuvoir	il pleuvra, il pleuvrait

EXERCICES

A *Ayant entendu le présent, prononcez le futur de la même personne (par exemple,* il donne—il donnera*):*
Il chante. Il pense. Elle reste. Elle danse. Elles arrivent.
Elles parlent. Elles mangent.

[1] The final **e** of an infinitive is dropped:

croire: je croirai, je croirais
vendre: je vendrai, je vendrais

Type I verbs with stem vowel **e** or **é** change this vowel to **è**:

acheter: j'achèterai, j'achèterais
répéter: je répèterai, je répèterais

[2] Except for its future stem, **envoyer** is a regular Type I verb.

Nous la regardons.   Nous l'écoutons.   Nous le répétons.   Nous nous levons.

Vous couchez-vous?   Vous promenez-vous?   Vous inquiétez-vous?

Je finis.   Je choisis.   Je lis.   Je le dis.   Je vous écris.

On descend.   On en vend.   On attend.   On s'y rend.

B   *Ayant entendu le présent, prononcez le futur:*
J'ai.   Je vais.   Je fais.   Je sais.

Il est.   Il a.   Il va.   Il veut.   Il peut.

Il pleut.   Il le faut.   Ça vaut mieux.

Je dois.   Je vois.   Je viens.   J'y tiens.

C   *Ayant entendu l'imparfait, prononcez le conditionnel de la même personne (par exemple,* **il donnait—il donnerait***):*
Il fumait.   Il songeait.   Nous mangions.   Nous chantions.   Vous jouiez.   Vous étudiiez.

Je mettais.   Je battais.   Je rompais.   Je me trompais.

Elle parlait.   Elle pleurait.   Elle partait.   Elle se sentait.   Elle s'en servait.

Je le vendais.   Je venais.   Je devais.   Je faisais.

Il le fallait.   Il y allait.   Ça valait la peine.

COMPOSITION

Écrivez en français:

1. I'm going to Paris for[1] two months.   2. I will go to Versailles, too. I will stay there for[2] a few days, and I will see the fireworks.   3. I will travel alone, and I will use my car.   4. I didn't know you had never been there before.   5. My brother lived in Paris for[3] two years.   6. He lives in New York now. He has been living there for[4] four years.   7. I hope you will visit him.   8. I brought my umbrella. I thought it was going to rain. I thought I would need it.   9. They said they had already bought their tickets, but I didn't know they had lost them.   10. I had been waiting for an hour when the train arrived. I knew it would be late, but they (on) hadn't told me it would be necessary to wait a whole hour.

[1] **Pour,** for proposed future time with **aller** or **venir.**
[2] **Pendant,** for proposed future time with most other verbs.
[3] **Pendant,** with the passé composé.
[4] **Depuis,** when the action is (or was) still going on.

SUPPLEMENT

Expressions of Probability

1 A supposition or deduction concerning the *present* may be expressed by:

a. the present tense of **devoir** + the infinitive:

> **Vous avez veillé toute la nuit? Vous devez être fatigué.**
> *You stayed up all night? You must be tired.*
> **Elle est absente? Elle doit être malade, donc.**
> *She is absent? She must be sick, then.*

b. the future tense of the verb itself:

> **Vous serez fatigué.**
> *You must be tired.*
> **Elle sera malade.**
> *She must be sick.*

2 A supposition or deduction concerning the *past* may be expressed by:

a. the present tense of **devoir** + compound infinitive, or **devoir** in the **passé composé** + simple infinitive:

> **Vous devez avoir veillé toute la nuit.**
> or   **Vous avez dû veiller toute la nuit.**
> *You must have stayed up all night.*
>
> **Il doit avoir manqué son train.**
> or   **Il a dû manquer son train.**
> *He must have missed his train.*

142

b. the *compound future* tense of the verb itself:

> **Vous aurez veillé toute la nuit.**
> **Il aura manqué son train.**

3 Questions suggesting a possibility are expressed by the *conditional:*

a. the *simple* conditional concerning the present:

> **Serait-elle malade?**
> *Can she be sick?*
> **Serions-nous en retard?**
> *Are we possibly late?*

b. the *compound* conditional concerning the past:

> **Aurait-il manqué son train?**
> *Might he have missed his train?*
> **Serait-elle déjà partie?**
> *Can she have left already?*

4 Statements based on hearsay are also often put into the conditional (simple conditional for the present, compound for the past):

Selon sa mère, elle serait malade aujourd'hui.
According to her mother, she is sick today.
A ce qu'on dit, cette église aurait été bâtie au XIVᵉ siècle.
From what they say, this church was (supposedly) built in the 14th century.

Exercices

Dites en français, en employant le verbe **devoir:**
1. You must be pleased with it (**être content de qqch.**). 2. You must have your problems, though. 3. You must have studied this lesson well. 4. He must have taken a taxi. 5. We must have missed our train. 6. There must be some milk in the refrigerator.

Dites en français, en employant le futur ou le futur composé:
1. They must be very tired. 2. She must be in the garden. 3. He must have forgotten his key. 4. He must have lost his money.

5. We must have taken the wrong road (**prendre la mauvaise route**). 6. You must have got the wrong house (**se tromper de maison**).

Dites en français, en employant le conditionnel ou le conditionnel composé:
1. Are you sick perhaps? 2. Might the train be late? 3. Could it be (use subject **ce**) your mother? 4. Can she have phoned already? 5. Did he possibly forget his key? 6. Might he have got the wrong door?

Devoir in the Conditional

1 Use the *simple* conditional of **devoir** when expressing what *ought to be done* but probably will not be:

> **Il devrait étudier ce soir.**
> *He ought to study tonight* (but probably won't).
> **Vous ne devriez pas faire cela.**
> *You shouldn't do that* (but you probably will).

2 Use the *compound* conditional of **devoir** when expressing what *should have been done* but was not:

> **Il aurait dû étudier hier soir.**
> *He should have studied last night* (but didn't).
> **Vous n'auriez pas dû faire cela.**
> *You shouldn't have done that* (but you did).

Exercice

Dites en français:
1. He ought to work tomorrow. 2. I ought to go to the library. 3. I shouldn't tell you (it). 4. You shouldn't smoke too much. 5. One shouldn't waste one's time. 6. I ought to have studied. 7. I should have stayed up all night. 8. At least, I should have got up early. 9. You shouldn't have gone to the movies. 10. She ought to have read you his letter, and she shouldn't have answered it.

UNIT 5 SUBORDINATE CLAUSES

CHAPTER  16

CONVERSATIONS

1

A	B
a. A l'ordinaire, mangez-vous quand vous avez faim?	Oui, je mange quand j'ai faim.
Vous couchez-vous quand vous avez fini vos leçons?	Oui, je me couche quand j'ai fini mes leçons.
b. Quand mangerez-vous ce soir?	Je mangerai quand j'aurai faim.
Quand vous coucherez-vous?	Je me coucherai quand j'aurai fini mes leçons.

1a. A l'ordinaire, vous mettez-vous au travail dès que vous avez fini votre dîner? 1b. Quand vous mettrez-vous au travail ce soir? 2a. Vous rendez-vous à la bibliothèque quand vous avez fini de manger? 2b. Quand vous rendrez-vous à la bibliothèque ce soir? 3a. Y travaillez-vous tant que la bibliothèque reste ouverte? 3b. Pendant combien de temps travaillerez-vous à la bibliothèque ce soir? 4a. Allez-vous prendre du café quand on ferme la bibliothèque? 4b. Quand irez-vous prendre du café ce soir? 5a. Rentrez-vous dès que vous avez bu votre café. 5b. Quand rentrerez-vous ce soir? 6a. Pendant combien de temps veillez-vous alors? tant que vous avez des leçons à faire? 6b. Pendant combien de temps veillerez-vous ce soir? 7a. D'habitude,

147

écrivez-vous des lettres quand vous avez fini d'étudier? 7b. Quand comptez-vous écrire des lettres ce soir? 8a. Mais vous n'écrivez à votre père que lorsque vous avez besoin d'argent? 8b. Quand allez-vous lui écrire? 9a. A l'ordinaire, vous réveillez-vous quand vous entendez sonner votre réveille-matin? 9b. Quand vous réveillerez-vous demain matin? 10a. Vous levez-vous aussitôt que vous vous êtes réveillé(e)? 10b. Quand vous lèverez-vous demain matin? 11a. Déjeunez-vous dès que vous vous êtes habillé(e)? 11b. Quand déjeunerez-vous demain matin? 12a. Vous mettez-vous en route pour l'école quand vous avez fini votre petit déjeuner? 12b. Quand vous mettrez-vous en route pour l'école demain matin? 13a. D'habitude, le professeur rend-il les examens aussitôt qu'il les a corrigés? 13b. Quand rendra-t-il nos examens d'hier? 14a. Vous rentrez toujours pour la Noël, n'est-ce pas? A l'ordinaire, partez-vous dès que les classes finissent? 14b. Quand allez-vous partir cette année-ci? 15a. Revenez-vous quand les classes reprennent? 15b. Quand reviendrez-vous cette fois?

2a *Je vous demande si vous sortez parfois le soir quand vous n'avez pas de leçons à faire. Alors, c'est seulement à cette condition (on that condition, under certain circumstances) que vous le faites:*

MODÈLES

A	B
Sortez-vous parfois le soir quand vous avez déjà fini vos leçons?	Je sors le soir seulement si j'ai déjà fini mes leçons.
Sortez-vous parfois quand vous n'avez rien à faire?	Je ne sors que si je n'ai rien à faire.

Répondez à chaque question par une phrase complète, en employant seulement si *ou* ne . . . que si: 1. Passez-vous la soirée en ville quand vous avez congé le lendemain? 2. Allez-vous parfois au cinéma lorsqu'on montre[1] quelque bon film? 3. A quelle condition étudiez-vous à la bibliothèque

[1] Reply: **si l'on montre.** An **l'** is usually inserted between the two vowels of **si on,** unless another [l] sound follows: **si on le montre.**

le soir? Y allez-vous quand vous avez des renseignements (*reference work*) à faire? ou bien, quand vous avez donné rendez-vous à quelque demoiselle? 4. Vous vous couchez assez rarement de bonne heure, je suppose. Mais vous couchez-vous parfois de bonne heure quand vous êtes terriblement fatigué? 5. En revanche, veillez-vous toute la nuit quand vous avez un examen très important? 6. Avez-vous jamais faim le soir quand vous avez dîné très tôt? 7. Sortez-vous prendre quelque chose vers minuit quand vous avez grand'faim? 8. Prenez-vous du café quand vous voulez encore veiller? 9. A quelle condition dormez-vous tard les jours de classe? Par exemple, dormez-vous tard quand vous n'avez pas entendu votre réveille-matin?

2b *Vous m'avez dit qu'à l'ordinaire vous vous rendez en classe à pied. Alors je vous demande:*

MODÈLE

A

B

Mais quand il pleut, que faites-vous?

S'il pleut, je prends mon parapluie.

Répondez par une phrase complète qui commence avec **si**:
1. En cas de pluie, portez-vous votre imperméable? 2. Les jours qu'il fait froid, portez-vous un pardessus? 3. Les matins qu'il a neigé, portez-vous des galoches? 4. Assurément, il y a des matins où vous êtes en retard. Dans ce cas, vous servez-vous de votre vélo? 5. Les matins où vous venez en classe à bicyclette, arrivez-vous vite? 6. Assez souvent, pourtant, on habite très loin de l'université. Se sert-on d'une automobile alors? 7. Mais quand on a une auto, on a cet autre problème de la faire stationner quelque part, pas vrai?

3a *Deux étudiants répondent à ce que propose le professeur dans cette conversation:*

MODÈLE

A (le professeur) **S'il fait beau demain, faisons un piquenique.**

B (premier étudiant) **Eh bien, s'il fait beau demain, nous ferons un pique-nique.**

C (un autre étudiant) **Mais s'il ne fait pas beau demain, nous ne ferons pas de pique-nique.**

1. S'il fait beau demain, allons au Bois de Boulogne. 2. S'il fait chaud, baignons-nous dans le lac. 3. Si le lac est calme, louons un canot (*canoe*). 4. Si nous avons envie de marcher, promenons-nous dans la forêt. 5. Si nous voulons, restons-y jusqu'au soir. 6. Si nous avons faim vers le soir, cherchons quelque établissement (*eating place*) dans le parc. 7. Si nous sommes fatigués alors, rentrons quand il fera nuit. 8. Si nous sommes pressés, prenons le métro. 9. Puis, si nous voulons passer la soirée en ville, allons au cinéma.

3b *Deux étudiants répondent aux questions du professeur. Il s'agit de Louis Laval, qui est en France depuis plusieurs mois, mais de qui (from whom) nous n'avons pas reçu de nouvelles:*

MODÈLES

A **Est-il à Paris maintenant? Ou est-il parti pour le Midi?**

B **Naturellement, s'il est à Paris maintenant, il n'est pas parti pour le Midi.**

C **Mais s'il n'est pas à Paris maintenant, il est parti pour le Midi.**

1. A-t-il trouvé un appartement? Ou demeure-t-il dans une pension? 2. Travaille-t-il dans un bureau? Ou suit-il des cours à l'université? 3. Son frère l'a-t-il accompagné? Ou voyage-t-il seul? 4. Est-il allé en France en bateau? Ou est-il allé en avion? 5. A-t-il débarqué au Havre? Il a des parents là, je crois; les a-t-il vus? 6. Leur avait-il écrit? L'attendaient-ils (*were they expecting him*)?

4a   MODÈLE

A	**B**
Avez-vous assez d'argent pour aller en Europe?	Non, je n'ai pas assez d'argent pour aller en Europe.

Si vous aviez assez d'argent, iriez-vous en Europe?

Si j'avais assez d'argent, j'irais en Europe.

1. Avez-vous des parents en France? Non? Si pourtant vous aviez des parents en France, leur feriez-vous visite? 2. N'êtes-vous pas très riche? Si vous étiez très riche, voyageriez-vous beaucoup? 3. Si vous pouviez beaucoup voyager, où iriez-vous de préférence? 4. Voyons, si vous vous trouviez à Paris maintenant, que voudriez-vous voir d'abord? 5. Mademoiselle, dépensez-vous beaucoup pour vous habiller? Si pourtant vous aviez beaucoup à dépenser, que vous achèteriez-vous? des robes du soir ravissantes? des fourrures (*furs*) magnifiques? 6. Et vous, monsieur, si vous disposiez d'une grande somme d'argent, qu'achèteriez-vous? une Jaguar rouge? un joli yacht?

4b   MODÈLE

A

Avez-vous voyagé en Europe l'été passé?

Si vous aviez voyagé en Europe l'été passé, auriez-vous parcouru la France?

B

Non, je n'ai pas voyagé en Europe l'été passé.

Si j'avais voyagé en Europe l'été passé, j'aurais parcouru la France.

1. Étiez-vous en Europe l'été de 1958? Si vous aviez été en Europe cet été-là, auriez-vous visité l'Exposition de Bruxelles? 2. Si vous aviez visité l'Exposition, auriez-vous voulu voir Paris aussi? 3. Si vous étiez allé en France, m'auriez-vous envoyé une jolie carte postale? 4. Si vous aviez voyagé en Orient avec mon oncle, quel pays auriez-vous voulu voir surtout? 5. Mademoiselle, vous êtes trop jeune pour avoir voté dans la dernière élection générale. Mais si vous aviez pu, pour qui auriez-vous voté? 6. Monsieur, vous êtes trop bon étudiant pour n'avoir pas étudié cette leçon. Mais si vous ne l'aviez pas étudiée, auriez-vous su me répondre maintenant?

EXPLICATIONS

1 *Quand Clauses*

In a clause introduced by

> **quand** or **lorsque** (when)
> **dès que** or **aussitôt que** (as soon as)
> **tant que** (as long as)

a. use the present or **passé composé** to express a customary occurrence:

Je n'aime pas sortir lorsqu'il pleut.
I don't like to go out when it is raining.
Dès qu'il a neigé ici, on arrive pour les sports d'hiver.
As soon as it has snowed here, people arrive for the winter sports.
On vient ici tant qu'il y a de la neige.
People come here as long as there is snow.

b. use the future or compound future when future time is expressed or implied:

Je vais me promener lorsqu'il cessera de pleuvoir.
I'm going to take a walk when it stops raining (it is still raining now).
Revenez quand il fera nuit.
Come back when it gets dark (it is not dark yet).
Dès qu'il aura neigé suffisamment, nous comptons faire du ski.
As soon as it has snowed enough (there is not enough snow yet), *we plan to do some skiing.*
Ils veulent rester ici tant qu'il y aura de la neige.
They want to stay here as long as there is snow (as long as the snow lasts).[1]

Si Clauses

Si clauses which state a condition may be divided into three main types.

2 *Si Clauses* (*customary occurrence*)

Tense: present or **passé composé**

---

[1] For future time in relation to a *past* tense, use the conditional or the compound conditional in a **quand** clause:

> **Je vous ai dit de revenir quand il ferait nuit.**
> **Nous comptions faire du ski dès qu'il aurait neigé suffisamment.**
> **Ils voulaient rester tant qu'il y aurait de la neige.**

a. Stating on what condition an action takes place:

> **Je ne me sers de l'auto le matin que si je suis en retard.**
> *I use the car in the morning only if I am late.*

b. Telling what happens, given a certain circumstance:

> **Mais je ne sors pas l'auto s'il a neigé pendant la nuit.**
> *But I don't take out the car if it has snowed during the night.*[1]

3 *Si Clauses* (*conjectural*)

A second type of si clause states a condition about which the speaker is uncertain.

a. Tense: present or **passé composé**
Making a conjecture about the future:

S'il est à Paris l'été prochain, nous le verrons.
If he is in Paris next summer (maybe he will be, maybe he won't),
   we will see him.

Making a conjecture about the present:

S'il n'est pas encore parti pour le Midi, il est toujours à Paris.
If he has not left for the south of France yet, he is still in Paris.

This type of si clause may also present a possibility to be considered or a contingency that may arise:

> **Et si votre ami n'est pas à Paris quand vous y arriverez?**
> *What if your friend is not in Paris when you get there?*
> **S'il pleut, nous remettrons notre pique-nique.**
> *If it should rain, we'll put off our picnic.*

b. Tense: **passé composé**, imperfect, or pluperfect
Making a conjecture about the past:

S'il s'est arrêté à Lyon, il a vu les Dupré.
If he stopped off at Lyon (maybe he did, maybe he didn't), *he saw
   the Duprés.*

---

[1] Use the imperfect or pluperfect when stating the condition governing a *past* customary action:

S'il pleuvait, elle ne sortait jamais.
Il partait souvent de bonne heure, mais seulement s'il avait fini son travail.

Si elle était malade, pourquoi n'a-t-elle pas fait venir le médecin?
If she was sick (as she claims), *why didn't she call the doctor?*
Si en fait ils avaient quitté la ville, ils n'y étaient pas au moment du crime.
If in fact they had left town (as they claim), *they were not there at the time of the crime.*

4   *Si Clauses (unreal)*

The third type of **si** clause supposes an *unreal* situation; it states a condition assumed by the speaker to be contrary to fact.

a. Tense: imperfect

Supposing a contrary-to-fact situation in the present or future:

Si vous étiez à Paris en ce moment
If you were in Paris right now (of course I know you are not)
Si vous alliez en Europe l'été prochain
If you were going to Europe next summer (I assume you are not)

b. Tense: pluperfect

Supposing a contrary-to-fact situation in the past:

S'il avait été à Paris alors
If he had been in Paris then (but he wasn't)
Si vous étiez allé en Europe cet été-là
If you had gone to Europe that summer (I assume you did not)

This type of **si clause** is used with a main verb in the conditional:

a. the *simple* conditional to ask or state what *would happen,* given circumstances different from what they are:

Si vous étiez à Paris, que feriez-vous ce soir?
If you were in Paris, what would you do this evening?
Si j'allais en Europe cet été, je passerais le mois de juillet à Paris.
If I were going to Europe this summer, I would spend July in Paris.

b. the *compound* conditional to ask or state what *would have happened,* had circumstances been otherwise:

S'il avait été à Paris, lui auriez-vous fait visite?
If he had been in Paris, would you have paid him a visit?
Si j'étais allé en Europe cet été, j'aurais vu l'Exposition mondiale.
If I had gone to Europe that summer, I would have seen the World's Fair.

Additional Note: Idiomatic Use of **Si** + *Imperfect*

Si + the imperfect is often used conversationally to propose an action:

> **Si nous faisions une promenade?**
> *Shall we take a walk?*
> **Si on allait au cinéma?**
> *How about going to the movies?*

VERBE A REPASSER

Review the verb **s'asseoir,** a reflexive verb referring to the *action* of sitting down:

> **Asseyez-vous.**
> *Sit down.*
> **Elle s'est assise.**
> *She sat down.*

The past participle **assis** is also used as a descriptive adjective:

> **Elle est assise.**
> *She is sitting* (not standing).
> **Restez assis.**
> *Stay seated.*

EXERCICES

A *Remplacez l'infinitif par la forme du verbe qu'il faut:*
1. S'il (faire) beau demain, nous irons au Bois. 2. Quand j'(être) petit, nous passions toujours le dimanche au Bois s'il (faire) beau. 3. S'il (faire) beau hier, nous y serions allés; malheureusement, il a plu toute l'après-midi. 4. Nous partirons demain dès que nous (finir) de déjeuner. 5. Nous y chercherons un établissement si nous (avoir) faim. 6. Nous y chercherons un établissement quand nous (avoir) faim. 7. Votre ami pourra nous accompagner s'il le (vouloir). 8. A propos, invitez-le à dîner avec nous quand il le (vouloir). 9. M'a-t-il téléphoné ce matin lorsque j'(être) en ville? 10. S'il vous (téléphoner) ce matin, je n'en sais rien.

B *Dites en français:*
1. Sit down. 2. Please (**veuillez** + infinitive) be seated. 3. He told us to sit down. 4. I'm not sitting, I'm standing. 5. I'll sit

down when I find myself a chair.   6. They (fem.) were sitting in the last row.

COMPOSITION

Écrivez en français:
1. I'll go down for breakfast as soon as I have straightened my room.   2. I'll be ready to (**prêt à**) eat as soon as I have washed up a bit (**se faire un peu de toilette**).   3. He expects to stay here as long as he has work to (**à**) do.   4. If I'm hungry around midnight, I'll go out to get something to eat.   5. I'll have coffee and a sandwich when I'm hungry.   6. If it should rain, I'll take my umbrella.   7. Shall we rent a canoe?   8. How about looking for an eating place here in the park?   9. Let's go home when it gets dark.   10. Return that book to me when you have had time to read it.   11. I would go to the movies with you if they were showing a good French film.   12. She wouldn't stay out of class if she weren't feeling sick.   13. I would have gone to bed early last night if I hadn't started a detective story.   14. If I had realized what time it was (**l'heure qu'il était**), I wouldn't have finished it.   15. In any case, I wouldn't have slept late this morning if I had heard my alarm clock ring.

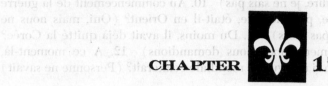
CONVERSATIONS

1 *Il s'agit de votre oncle—celui qui voyage tant et qui publie des livres sur ses voyages:*

MODÈLES

A	B
Est-ce qu'il reviendra cette fois pour la Noël? A-t-il fini son livre sur l'Orient?	Il ne nous a pas dit s'il reviendra pour la Noël. Je ne sais pas s'il a fini son livre sur l'Orient.

Répondez aux questions suivantes en employant si *après l'expression verbale donnée entre parenthèses:*

1. Votre oncle aime-t-il l'Orient? (Je ne sais pas encore)   2. Passera-t-il tout l'hiver au Japon? (Nous ne savons pas)   3. A propos, peut-on visiter la Chine maintenant? (Je ne sais pas)   4. C'est l'Afrique qui m'intéresse, moi. Votre oncle ira-t-il un jour en Afrique? (Qui sait)   5. A-t-il jamais pensé à un livre sur l'Afrique? (Je lui demanderai)   6. Est-ce que ses livres se vendent bien? (Il n'a jamais dit)   7. Mais vous les lisez vous-même. Ses renseignements sont-ils toujours exacts? (Je ne saurais vous dire)   8. Du moins, il a toujours vu ce qu'il décrit, n'est-ce pas? (Parfois je me demande)   9. Il serait pourtant impossible de tout voir de ses propres (*with one's own*) yeux. Dites,

157

aimeriez-vous une vie comme la sienne, même avec ses dangers?
(A vrai dire, je ne sais pas)   10. Au commencement de la guerre
de Corée, par exemple, était-il en Orient? (Oui, mais nous ne
savions pas alors)   11. Du moins, il avait déjà quitté la Corée?
(Précisément, nous nous demandions)   12. A ce moment-là,
savait-on si une guerre mondiale éclaterait? (Personne ne savait)

2   *Cette fois deux étudiants (B et C) répondent, de façon dif-
férente, à chaque question:*

MODÈLES

A   **Votre oncle quittera-t-il l'Orient cette année?**
B   **Je crois qu'il quittera l'Orient cette année.**
C   **Je ne crois pas qu'il quitte[1] l'Orient cette année.**

A   **A-t-il déjà fini son livre?**
B   **Je crois qu'il a déjà fini son livre.**
C   **Je ne crois pas qu'il ait déjà fini son livre.**

*Répondez en employant les deux expressions verbales données
entre parenthèses. La première sera suivie de l'indicatif; la
seconde, du subjonctif:*
1. Est-il encore au Japon? (Je crois que; Je ne crois pas que)
2. Y restera-t-il tout l'hiver? (Il est probable que; Il est peu
probable que)   3. Partira-t-il avant l'été? (Je suis sûr que; Je ne
suis pas sûr que)   4. A-t-il renoncé à voir la Chine? (Il me
semble que; Il semble que)   5. Peut-on y aller, vu (*in view of*)
la situation politique? (Je crois que; Je ne crois pas que)   6. C'est
impossible? (Je suis certain que; Je ne dis pas que)   7. Il veut
y aller quand même? (Je comprends que; Je ne comprends pas
que)   8. Il a déjà vu la Chine? (Je sais que; Je doute que)
9. Vous montrera-t-il son livre sur l'Orient avant de le faire
publier? (J'espère que; Je ne pense pas que)   10. Reviendra-t-il
bientôt (Nous croyons que; Nous ne croyons pas que)   11. Ira-t-il
ensuite en Amérique du Sud? (Il est probable que; Il se peut
que)   12. Il tient à voir le monde entier? (Je suis persuadé que;
Je ne doute pas que)

[1] subjonctif.

3 *Il y a une vente de soldes (sale) dans un des grands magasins du centre. Élise et Pauline se rencontrent au rayon de la ganterie:*

MODÈLES

Élise: Quels jolis gants! Tu les achèteras?
Pauline: J'espère les acheter.
Élise: Ah! il y a tant de monde ce matin. A propos, as-tu jamais acheté des gants ici?
Pauline: Je ne crois pas en avoir acheté ici.

Répondez pour Pauline, en employant l'infinitif après l'expression verbale donnée entre parenthèses:
1. Moi, je ne peux pas me décider entre ces gants jaunes et ces bleus. Préfères-tu ceux-ci? (Je crois)   2. Moi aussi. En as-tu vu de plus chics? (Je ne crois pas)   3. Maintenant, j'ai besoin de bas. Est-ce que tu en as besoin? (Je ne pense pas)   4. Vraiment, tu en as assez? (Il me semble)   5. Tu disais hier que tu voulais une blouse de lin (*linen*). La trouveras-tu ici? (J'espère)   6. Et le nouveau costume tailleur (*suit*) que tu cherches, le trouveras-tu aussi? (Je doute de)   7. Mais il faudra voir; c'est une vente de soldes extraordinaire. Ton tailleur bleu, par exemple—il te va à merveille, bien sûr, mais quel prix! Entre nous, tu ne l'as pas payé trop? (Je ne crois pas)   8. As-tu apporté assez d'argent? (Je ne crois pas)   9. N'importe, je vais toucher (*cash*) ce chèque. As-tu remarqué la caisse (*cashier's desk*) quelque part? (Je suis certaine de)   10. Eh bien, je la trouverai. As-tu jamais vu tant de monde à une vente de soldes? (Il ne me semble pas)

4 *Paul Derval a donné rendez-vous à ma sœur et moi pour une représentation de «Phèdre» à la Comédie-Française. Mais ma sœur étant malade, c'est avec ma cousine que j'attends devant le théâtre. Enfin Paul arrive:*

MODÈLES

A (Moi)	B (Paul)
a. Tu es tellement en retard!	Je regrette d'être tellement en retard.

Tu nous as fait attendre.	**Je suis désolé de vous avoir fait[1] attendre.**
N'importe. Tu n'a pas trouvé de taxi?	**Je suis fâché de ne pas avoir trouvé de taxi.**
b. **Ma sœur est malade.**	**Je regrette qu'elle soit malade.**
Elle n'a pas pu venir.	**Je suis désolé qu'elle n'ait pas pu venir.**

Répondez pour Paul (sauf indication contraire, c'est moi qui parle). Après l'expression verbale donnée entre parenthèses, employez **de** + *l'infinitif ou* **que** + *le subjonctif:*
1. Depuis quelques jours, ma sœur ne se sent pas bien. (Je suis affligé) 2. Merci; ce n'est qu'un rhume, pourtant. (Je suis content) 3. Mais quant à ce soir, elle a dû y renoncer. (Je regrette) 4. Ma cousine américaine est venue à sa place. (Je suis heureux) 5. Tu ne la connais pas? (Je regrette) 6. Permets-moi de te la présenter. Hélène, voici un de mes plus chers amis, Paul Derval. (*Dites à Hélène que vous êtes enchanté de faire sa connaissance.*) 7. Hélène tient à voir une représentation de la Comédie-Française. (Je ne suis pas surpris) 8. *C'est ma cousine qui parle:* J'aime surtout les tragédies de Racine. (*Répondez à la demoiselle:* Je suis très content) 9. D'ailleurs, elle n'a jamais vu jouer de pièce française. (Je m'étonne) 10. *C'est Hélène qui répond:* Mais c'est ma première visite en France, monsieur. (*Répondez à Hélène:* Je suis bien étonné) 11. Elle parle si bien le français, n'est-ce pas? (Je suis enchanté) 12. *C'est Hélène qui ajoute:* D'ailleurs, j'ai lu toutes les tragédies de Racine (Je m'étonne encore) 13. Ayant déjà lu la pièce, aura-t-elle de la difficulté à en suivre la représentation? (Je ne crois pas) 14. Tu as obtenu des places pour trois? (Je me réjouis) 15. Comment, tu t'en réjouis? Des places pour «Phèdre» sont si difficiles à obtenir? (T'étonnes-tu?) 16. Voyons . . . Des fauteuils d'orchestre? Tu as payé cher, mon ami! (Je ne regrette pas) 17. Mais ils sont au dernier rang. (Je suis fâché) 18. Les places au balcon sont toutes prises? (Je regrette) 19. Tu n'as pas pris les billets d'avance? (Je suis désolé) 20. La salle sera bondée? (Je crains) 21. *C'est Hélène qui dit:* Peu nous importe, puisque nous avons

---

[1] Aucun accord du participe **fait** suivi d'un infinitive.

nos places à nous. Quant à moi, «Phèdre» est ma pièce française favorite. (*Répondez-lui:* Je suis bien content)

EXPLICATIONS

1 *Si Clauses* (*si* = *whether*)

After such verbs as

savoir ⎫
dire ⎬ when interrogative or negative
demander
se demander (*to wonder*)

si means *whether*, and permits the full sequence of tenses:

Action simultaneous with main verb:

Savez-vous si elle part maintenant? (*whether she is leaving*)
Saviez-vous si elle partait? (*whether she was leaving*)

Action future in relation to main verb:

Je ne sais pas si elle partira demain. (*whether she will leave*)
Je ne savais pas si elle partirait. (*whether she would leave*)

Action already completed at time of main verb:

Je me demande ⎫
Demandez ⎬ **si elle est déjà partie.** (*whether she has left*)

J'ai demandé ⎫
On ne m'a pas dit ⎬ **si elle était partie.** (*whether she had left*)

2 *Subjunctive in Que Clauses*

Certain verbs, and certain adjectives after **être,** require the subjunctive in a following **que** clause.

Sequence of tenses

Present-day usage limits subjunctive **que** clauses to only two tenses— the *simple* (present subjunctive) and the *compound* (subjunctive of **avoir** or **être** + past participle):

Action simultaneous with main verb or future in relation to main verb:

Je doute ⎫
Je doutais ⎬ **qu'elle *parte*.** (simple subjunctive)

I doubt that she is leaving.
I doubted that she was leaving.
or   *I doubt that she will leave.*
I doubted that she would leave.

Action already completed at time of main verb:

Je doute ⎱
Je doutais ⎰ qu'elle *soit partie.* (compound subjunctive)

I doubt that she has left.
I doubted that she had left.

Use of the Subjunctive

In practice, use of the subjunctive is a mechanical matter of sequence of forms: after a given expression, such as **Je doute que,** the French ear has been trained to expect a verb in the subjunctive. However, some logical meaning can be attached to the use of the subjunctive after expressions ranging from *certainty* (followed by indicative) to *doubt* and *denial* (followed by subjunctive):

Followed by indicative: **savoir que**[1]

Followed by indicative (partial list) when affirmative, but by subjunctive when interrogative or negative:

croire, penser, espérer, trouver, voir, comprendre que;
être certain, sûr, persuadé que;
il est (*it is*) **certain, sûr, clair, évident que;**
il est probable que;
il semble à quelqu'un que.

　　　　Je crois qu'elle partira bientôt.
but   **Croyez-vous qu'elle parte demain?**
　　　　Je ne crois pas qu'elle parte tout de suite.[2]

　　　　Je suis persuadé qu'il a raison.
　　　　I am convinced he is right.
but   **Êtes-vous sûr qu'il ait raison?**

[1] Use a si clause as in Conversation 1 to express doubt after **savoir:**
Je ne sais pas si elle partira demain.

[2] The indicative is used after **Je ne crois pas que** when there is little doubt in the speaker's mind:
Je ne crois pas qu'elle partira (c'est-à-dire, **Je suis persuadé qu'elle ne partira pas**).

Il est clair qu'elle a menti.
It is clear that she lied.

but   **Il n'est pas clair qu'elle ait menti.**

Il me semble qu'elle est très sympathique.

but   **Vous semble-t-il qu'elle soit jolie?**

Je ne trouve pas qu'elle soit laide.
I don't think she is ugly.

Always followed by subjunctive:

il est possible, impossible, peu probable, douteux que;
il se peut que (*it is possible that*);
il semble que (*it seems that*);
douter que;
ne pas dire que; nier que (*deny that*).

Il est probable qu'il pleuvra ce soir.

but   **Il est possible (il se peut) qu'il pleuve ce soir.**

Il est peu probable qu'il pleuve au désert.

Il semble qu'on nous ait menti.

Je ne dis pas (je nie) qu'elle soit vraiment belle.

3   *Infinitive Replacing* **Que** *Clause*

The primary function of a **que** clause, whether indicative or subjunctive, is to introduce a *change of person* (a subject different from that of the main verb):[1]

Je ne crois pas que nous soyons en retard.
J'espère que vous réussirez à l'examen.
Je suis persuadé que cet homme me connaît.

Where there is no change of person, a **que** clause may frequently be replaced by an infinitive:

the *simple* infinitive, expressing a simultaneous or future action:

Je ne crois pas être en retard.
rather than: **Je ne crois pas que je sois en retard.**
I don't think I am late.

[1] Note that English often introduces a change of person, yet avoids a clause, by using the -*ing* form of the verb with a possessive: *I don't understand her having done that.* A **que** clause must be used in French: **Je ne comprends pas qu'elle ait fait cela.**

> J'espère réussir à cet examen.
>
> rather than: J'espère que je réussirai à cet examen.
>
> *I hope I will pass that exam.*

the *compound* infinitive (infinitive of **avoir** or **être** + past participle), expressing an action already completed:

> Je suis persuadé d'avoir vu cet homme auparavant.
>
> rather than: Je suis persuadé que j'ai vu cet homme auparavant.
>
> *I am convinced that I have seen that man before.*

4   *Expressions of Personal Reaction and Verbs of Fearing*

After expressions of personal reaction and verbs of fearing, use:

a. **de** + infinitive, when there is no change of person:

> Je regrette d'être en retard.
>
> *I am sorry to be (that I am) late.*
>
> Je crains de manquer mon train.
>
> *I am afraid of missing (that I'll miss) my train.*

b. a subjunctive **que** clause, to introduce a subject different from that of the main verb:

> Je suis fâché que vous soyez en retard.
>
> *I am annoyed that you are late.*
>
> Je crains que vous ne[1] manquiez votre train.
>
> *I am afraid that you'll miss your train.*

Expressions of personal reaction (partial list):

regretter, s'étonner, se réjouir que;
être content, heureux, enchanté, triste, désolé, affligé, surpris, étonné, fâché que.

Verbs of fearing:

avoir peur, craindre, redouter que.

[1] Ne is used (with no negative force) after verbs of fearing. To negate the **que** clause, use **ne . . . pas:**

> Je crains que vous n'arriviez pas à temps.
>
> *I'm afraid you won't arrive in time.*

After a *negative* verb of fearing, **ne** may be omitted:

> Je ne crains pas que vous manquiez votre train.

FORMES A REPASSER

Comparison of Subjunctive with Present Indicative

A Regular Formation

1. **Nous** and **vous** forms, all verbs. Differ from present indicative only in endings (**-ions, -iez,** rather than **-ons, -ez**):

TYPE I VERB		TYPE II VERBS		
rester	**dormir**	**écrire**	**devoir**	**venir**
nous restions	**dormions**	**écrivions**	**devions**	**venions**
vous restiez	**dormiez**	**écriviez**	**deviez**	**veniez**

2. **Ils** form, all verbs. Identical with the present indicative:

			VOWEL CHANGE	
ils restent	**dorment**	**écrivent**	**doivent**	**viennent**

3. Singular forms.

TYPE I VERBS. Identical with the present indicative.

TYPE II VERBS. Start from the **ils** form, retaining the final consonant sound of the stem, and follow the present-tense pattern of Type I verbs:

je reste	**dorme**	**écrive**	**doive**	**vienne**
tu restes	**dormes**	**écrives**	**doives**	**viennes**
il reste	**dorme**	**écrive**	**doive**	**vienne**

B Special Subjunctive Stem

1. Partial subjunctive stem. Two common verbs have a special subjunctive stem limited to the singular and third person plural: (The **nous** and **vous** forms are regular; that is, they differ from the present indicative only in their endings.)

aller		vouloir	
j'aille	**nous allions**	**je veuille**	**nous voulions**
tu ailles	**vous alliez**	**tu veuilles**	**vous vouliez**
il aille		**il veuille**	
ils aillent		**ils veuillent**	

2. Full subjunctive stem. Three common verbs have a special stem for all persons of the subjunctive:

faire		pouvoir		savoir	
fasse	fassions	puisse	puissions	sache	sachions
fasses	fassiez	puisses	puissiez	saches	sachiez
fasse	fassent	puisse	puissent	sache	sachent

3. Irregular endings for the subjunctive are found only in **avoir** and **être**, which also have a special stem:

	avoir			être	
j'aie		nous ayons	je sois		nous soyons
tu aies		vous ayez	tu sois		vous soyez
il ait		ils aient	il soit		ils soient

4. Learn these two impersonal verbs in the subjunctive:

	falloir	pleuvoir
PRESENT INDICATIVE	il faut	il pleut
SUBJUNCTIVE	il faille	il pleuve

EXERCICES

A   *Prononcez et écrivez le subjonctif (formation régulière) de la personne donnée (par exemple,* **nous restons—nous restions**):
Nous parlons. Vous partez. Vous allez. Nous sortons. Nous servons. Vous songez. Vous mentez. Nous mangeons. Nous lisons. Nous disons. Vous dites.[1] Nous voulons. Nous voyons.

B   *Prononcez et écrivez le subjonctif (formation spéciale) de la personne donnée:*
Nous pouvons. Nous savons. Nous avons. Nous faisons. Vous faites. Vous êtes.
Il peut. Il veut. Il va. Il a. Il fait. Il sait. Il est.

C   *Prononcez la forme* **ils** *du présent de l'indicatif, puis le subjonctif, de la personne donnée (par exemple,* **il dort—ils dorment, il dorme**):
Il sort. Il sert. Il sent. Il vend. Il ment. Il attend. Il prend. Je viens. Je tiens.
Elle dit. Elle écrit. Elle obéit. Elle lit. Elle suit. Elle conduit. Il met. Il connaît. Il paraît.
Je dois. Je bois. Je reçois. Je vois. Je crois.

---

[1] In the subjunctive, the **vous** form of **dire** parallels the **nous** form: **nous disions, vous disiez.**

D *Voici des expressions verbales suivies de l'indicatif. Lisez la phrase, puis substituez l'expression qui se trouve entre paren- thèses, suivie du subjonctif:*
1. Je sais qu'elle chante bien. (Je doute) 2. Je sais qu'elle chan- tera ce soir. (Je doute) 3. Je crois qu'il donne son argent aux pauvres. (Je ne crois pas) 4. Je crois qu'il donnera son argent aux pauvres. (Je ne crois pas) 5. J'ai pensé un moment qu'il parlait de vous (J'ai douté un moment) 6. J'espère qu'à l'ordi- naire vous vous levez de bonne heure. (Je doute) 7. J'espère que vous vous lèverez de bonne heure demain. (Je doute) 8. Il dit que nous parlons comme de vrais Français. (Il ne dit pas) 9. Il est probable que nous parlerons français ce soir. (Il est peu probable) 10. Je suis sûr qu'ils arriveront à l'heure. (Je doute)

E *Faites précéder chacune des phrases suivantes par* **Je regrette que:**
1. Elle est malade. 2. Elle ne viendra pas ce soir. 3. Elle ne peut pas parler français. 4. Elle nous a menti. 5. Elle est déjà partie en vacances. 6. Il ne veut pas nous aider. 7. Il n'ira pas en France cet été. 8. Il n'a pas assez d'argent pour y aller. 9. Il pleut aujourd'hui. 10. Il faudra remettre notre pique-nique.

COMPOSITION

Écrivez en français:
1. I'm sorry I'm late.[1] 2. He's annoyed at my being late. 3. He's afraid we'll miss our train. 4. I'm pleased (**content**) that you passed that exam. 5. I'm amazed that she passed it. 6. I don't understand your having said that. 7. I'm convinced I have read this book before. 8. I'm not sure that you have read it. 9. I won- der whether you have read it. 10. Do you know whether she will come tonight? 11. I don't think she will come. 12. It's unlikely that she will have the time. 13. It's possible that she will leave tomorrow for Paris. 14. I didn't know whether she would still be there. 15. I knew that she was going to leave, but I doubted that she had already left.

[1] Use an infinitive rather than a **que** clause wherever possible in this Composition.

CHAPTER  18

CONVERSATIONS ET PARAPHRASES

1 *D'abord, c'est une paraphrase. Parmi les invités à une soirée que nous donnons, il y a un très bon pianiste:*

MODÈLES

A

Demandez-lui de jouer pour nous.

Ne lui permettez pas de refuser.

Empêchez-le de partir sans jouer.

B

Demandez qu'il joue[1] pour nous.

Ne permettez pas qu'il refuse.[1]

Empêchez qu'il ne parte sans jouer.

1. Demandez-lui de se mettre au piano. 2. Demandez-lui de ne pas se faire prier (*have to be begged*). 3. Il a composé une très belle sonate pour piano. Demandez-lui d'en jouer l'andante. 4. Ne lui permettez pas d'être trop modeste. 5. Voilà Yvonne Duparc. Demandez-lui de chanter pour nous. 6. Faites-lui chanter du Debussy. 7. Allez chercher la bonne. Faites-lui préparer le café maintenant. 8. Mais commandez-lui de le servir après la musique. 9. Je crois que les Lebrun doivent rentrer de bonne heure. Ne leur permettez pas pourtant de s'en aller encore. 10. Empêchez-les de partir avant la musique. 11. Et demandez-leur de prendre du café après. 12. Ils n'ont pas d'auto, vous

[1] subjonctif.

168

savez. Empêchez-les de faire venir un taxi. 13. Pierre, notre chauffeur, est sans doute dans la cuisine. Faites-lui reconduire (*drive home*) les Lebrun. 14. Le petit André aime tant la musique. Permettez-lui de venir écouter sur l'escalier. 15. Mais défendez-lui de paraître dans le salon. 16. Et empêchez-le de faire le moindre bruit.

2   *Maintenant, c'est une conversation. Moi, je vous dis ce que Maurice veut faire; mais vous voulez qu'il fasse tout le contraire (just the opposite):*

MODÈLES

A	B
Il sort ce soir.	**Je ne veux pas qu'il sorte.**
Il ne veut pas faire ses leçons.	**Je veux qu'il les fasse.**

1. Il va au cinéma. 2. Il rejoint ses amis. 3. Il veut se servir de l'auto. 4. Il ne veut pas rester à la maison. 5. Mais quand il reste à la maison, il lit des romans. 6. Il n'étudie pas sa chimie. 7. Et il n'apprend pas ses mathématiques. 8. Il se plaint de tant de travail. 9. Mais il ne veut pas atteindre à votre renommé de (*your fame as a*) scientiste. 10. Il ne veut pas se faire scientiste. 11. Il aimerait mieux être écrivain. 12. Il voudrait même devenir un poète. 13. Somme toute, il ne veut pas suivre vos conseils. 14. Et il faut le dire, il vous craint.

3   *Par contraste, dans cette conversation vous êtes parfaitement d'accord pour que Maurice fasse ce qu'il veut:*

MODÈLES

A	B
Il veut sortir.	**Qu'il sorte donc.**
Il ne veut pas faire ses leçons.	**Qu'il ne les fasse pas donc.**

1. Il ne veut pas travailler ce soir. 2. Il veut aller au cinéma. 3. Il veut rejoindre ses amis. 4. Mais il ne veut pas prendre l'autobus. 5. Il veut se servir de l'auto. 6. Et il ne veut revenir

que passé minuit. 7. Demain matin, il veut dormir tard. 8. Vers midi, il veut conduire une amie à la gare. 9. Puis il veut faire des courses en ville.

4 *C'est encore une conversation:*

MODÈLES

<table>
<tr><td align="center">A</td><td align="center">B</td></tr>
<tr><td>Alors, vous voulez aller au cinéma ce soir?</td><td>Je tiens à aller au cinéma ce soir.</td></tr>
<tr><td>Voulez-vous que je vienne aussi?</td><td>Je tiens à ce que vous veniez aussi.</td></tr>
</table>

Après le verbe donné entre parenthèses, employez à + *l'infinitif ou* à ce que + *le subjonctif:*
1. Vous voulez voir un film français? (Je tiens) 2. Est-ce que Pauline nous rejoint ce soir? (Je m'attends) 3. Vous voulez qu'elle voie ce film? (Je tiens) 4. On dînera ensemble? (Je ne m'oppose pas) 5. Mais vous passez bientôt votre examen d'histoire, n'est-ce pas? (Je me prépare) 6. Est-ce que l'examen sera difficile? (Je me prépare) 7. Je ne vous ai pas vu au Cercle Français hier soir. Vous comptiez y aller, n'est-ce pas? (Oui, je m'attendais) 8. Nous avons entendu un enregistrement superbe de «Phèdre». Vous ne vouliez pas l'entendre? (Si, je tenais beaucoup) 9. Je comprends; c'est qu'il fallait quand même vous préparer à cet examen. A propos du Cercle Français, est-ce que Claude Armance sera notre prochain président? (Moi, je m'oppose) 10. Vous voulez toujours que François soit élu? (Je tiens) 11. C'est entendu donc pour ce soir? Mon petit frère peut-il venir avec nous? (Je consens)

5a *Dans cette paraphrase, il s'agit de deux façons de faire une généralisation en employant des verbes impersonnels:*

MODÈLE

<table>
<tr><td align="center">A</td><td align="center">B</td></tr>
<tr><td>Pour vraiment voir la France, il faut avoir une automobile.</td><td>Il faut qu'on ait une automobile.</td></tr>
</table>

1. Pour vraiment connaître le pays, il faut voir les provinces.
2. Et il ne faut pas suivre seulement les routes principales.   3. Il faut explorer tous les coins perdus (*remote spots*).   4. Il est désirable de choisir son propre itinéraire.   5. Mais il importe d'avoir un guide sûr (*a reliable guidebook*).   6. Par exemple, il est essentiel de connaître toutes les meilleures auberges (*inns*).   7. Mais il est rare de tomber sur une auberge vraiment incommode.   8. Quant à cette automobile, il vaut mieux l'acheter en France.   9. Ayant choisi une voiture française, pourtant, il ne faut pas se plaindre de sa petitesse.   10. Quand même, il convient de ne pas porter trop de bagages.   11. Le voyage fait, il est naturel de vouloir revendre la voiture.   12. Mais il est préférable de faire les arrangements au moment de l'achat (*purchase*).

5b *Dans cette conversation, je me plains de Marie, qui ne veut pas faire ce que je lui ai dit de faire:*

MODÈLE

A	B
Elle ne veut pas faire les courses aujourd'hui.	**Il faut qu'elle fasse les courses.** ou **Il faut qu'elle les fasse.**

Répondez d'après le modèle, en employant le verbe impersonnel donné entre parenthèses:
1. Elle ne veut pas aller en ville. (Il n'est pas nécessaire)   2. Mais elle ne veut pas m'aider à faire le ménage. (Il convient)   3. Elle ne veut pas ranger sa chambre. (Il faut bien)   4. Elle ne veut pas faire son lit, par exemple! (Il est nécessaire)   5. Et elle ne veut pas mettre la table. (Peu importe)   6. Alors, c'est moi qui le ferai! Elle ne veut même pas desservir (*clear the table*). (Il est préférable)   7. Enfin, elle ne veut pas faire la vaisselle ce soir. (Il faut)   8. Elle veut sortir avant qu'on la fasse (*before they're done*). (Il ne faut pas)   9. Mais elle ne veut pas rester à la maison ce soir. (Il vaut mieux)   10. Malgré un examen à venir, elle ne veut pas étudier son français. (Il est important)   11. Elle ne veut pas écrire tous ces exercices. (Il faut bien)   12. Surtout, elle ne veut pas apprendre le subjonctif. (Il est essentiel)

5c *Ici je vous donne des nouvelles du vieux M. Leblanc, auxquelles vous indiquez votre réaction:*

MODÈLE

A	B
Il est très malade.	**C'est dommage qu'il soit malade.**

1. Il est malade depuis si longtemps! (C'est dommage)   2. Et il souffre tant! (C'est pitié)   3. Il va sans doute mourir. (C'est désolant)   4. Depuis des années, il vit dans la solitude. (C'est surprenant)   5. Il a des parents, bien sûr. Mais sa sœur ne peut pas venir auprès de lui (*to be with him*). (C'est dommage)   6. Elle est atteinte de la même maladie. (C'est étrange)   7. Et ses autres parents ne veulent pas venir. (C'est étonnant)   8. Ils ne pensent qu'à l'héritage. (C'est honteux)   9. Personne n'est avec lui maintenant. (C'est triste)   10. Le pauvre homme, il est tout à fait seul. (C'est cruel)

EXPLICATIONS

1   *Verbs of Request, Permission, and Prevention*

With verbs of request, permission, and prevention, there are two ways to introduce a change of person. When followed by an *infinitive*, these verbs can take an object (either direct or indirect, depending upon the particular verb):

> **Je demanderai à partir tôt.**
> *I'll ask to leave early.* (No change of person)
> **Je lui demanderai de partir tôt.**
> *I'll ask him to leave early.* (Change of person)

These verbs may be followed by a *subjunctive* **que** *clause,* with a subject different from that of the main verb:

> **Je demanderai qu'il parte.**
> *I'll ask that he leave.*

A **que** clause is often preferable to an awkward infinitive construction, such as may result when both main verb and infinitive have pronoun objects:

> | | **Je demanderai qu'il lui écrive.** |
> | rather than | **Je lui demanderai de lui écrire.** |
> | | *I'll ask him to write to her.* |

A **que** clause is necessary to introduce subject **on:**

> **Il ne me permet pas de fumer.**
> *He doesn't permit me to smoke.*

but
> **Il ne permet pas qu'on fume en classe.**
> *He doesn't permit smoking in class.*

Verbs of request or command:

Demander, commander, ordonner $\begin{cases} \text{à qqn de faire qqch.} \\ \text{que qqn fasse qqch.} \end{cases}$

> **Il leur a ordonné de se mettre en route.**
> **Il a ordonné qu'ils se mettent[1] en route.**
> *He ordered them to set out.*

Verbs of permission or prohibition

Permettre, défendre $\begin{cases} \text{à qqn de faire qqch.} \\ \text{que qqn fasse qqch.} \end{cases}$

> **Permettez-moi de vous aider,**
> **Permettez que je vous aide.[1]**
> *Permit me to help you.*

> **Je lui ai défendu de sortir,**
> **J'ai défendu qu'elle sorte.**
> *I forbade her to go out.*

Verbs of prevention

Empêcher $\begin{cases} \text{qqn de faire qqch.} \\ \text{que qqn ne fasse qqch.} \end{cases}$
Éviter que qqn ne fasse qqch. (used only with **que** clause)[2]

> **Empêchez-le de lire sa lettre,**
> **Empêchez qu'il ne lise sa lettre.**
> *Keep him from reading (prevent his reading) her letter.*

> **Évitez qu'elle ne vous reconnaisse.**
> *Avoid her recognizing you.*
> **Évitez qu'on ne vous voie.**
> *Avoid being seen.*

[1] subjunctive.
[2] **Éviter,** like **demander,** may be followed by an infinitive, but only when no change of person is involved:

> **J'evite de préparer mon propre dîner.**
> *I avoid getting my own dinner.*

Faire Construction

The verb **faire** takes a *direct* object when followed by an intransitive[1] infinitive, but an *indirect* object when the infinitive has a direct object. Furthermore, a pronoun object of the infinitive stands not with the infinitive, but with **faire**. Any complicated construction of pronoun objects that may result can be avoided by using a subjunctive **que** clause:

INTRANSITIVE INFINITIVE   SUBJUNCTIVE **que** CLAUSE
Faites-le écrire.   **Faites qu'il écrive.**
Have him write.

Faites-le écrire à Marie.   **Faites qu'il écrive à Marie.**
Faites-le-lui écrire.   **Faites qu'il lui écrive.**
Have him write her.

INFINITIVE WITH DIRECT OBJECT
Faites-lui écrire la leçon.   **Faites qu'il écrive la leçon.**
Faites-la-lui écrire.   **Faites qu'il l'écrive.**
Have him write it.

2   *Verbs of Desire and Preference*

Unlike their English equivalents, verbs of desire and preference cannot take an object when followed by an infinitive. For a change of person, a subjunctive **que** clause *must* be used:

> **Je veux partir.**
> *I want to leave.* (No change of person)
> but   **Je veux qu'il parte.**
> *I want him to leave.* (Change of person)

Verbs of desire

Vouloir, désirer.

Verbs of preference

Aimer, aimer mieux, préférer.

> **Je n'aime pas sortir quand il pleut.**
> *I don't like to go out when it's raining.* (No change of person)
> **Je n'aime pas qu'elle sorte dans la pluie.**
> *I don't like her to go out in the rain.* (Change of person)

[1] intransitive = without direct object.

J'aimerais mieux que Paul fasse les courses aujourd'hui.
I'd rather that Paul do the errands today.

3 Subjunctive *Que Clause Used Independently*

A subjunctive **que** clause may be used independently to express desire
or willingness on the speaker's part concerning another person:

Qu'elle vienne tout de suite.
Let her come at once. (It is my desire, my will, that she come im-
  mediately.)
Qu'il parte donc.
Let him leave, then. (It is all the same to me; I am perfectly willing
  that he go.)

An expression such as **Je veux, Je veux bien** (*I am willing*), **C'est mon
désir, ma volonté** (*my will*), may be understood before such clauses.

4 Verbs Requiring à + Infinitive, à ce que + Subjunctive

The verbs listed below (partial list) take:

a. à + infinitive, when there is no change of person;
b. à ce que + subjunctive, for a change of person:

s'attendre

> **Nous nous attendons à faire un pique-nique.**
> *We expect to have a picnic.*
> **Nous ne nous attendons pas à ce qu'il pleuve.**
> *We don't expect it to rain.*

consentir

> **Je consens à le faire.**
> *I consent to do (to doing) it.*
> **Je consens à ce qu'il le fasse.**
> *I consent to his doing it.*

s'opposer

> **Je m'oppose à ce qu'il soit élu.**
> *I am opposed to his being elected.*

se préparer

> **Ils se préparent à faire un voyage.**
> *They are getting ready to take a trip.*

Ils se préparent à ce que le voyage soit long et difficile.
They are preparing for the trip to be long and hard.

tenir

Elle tient à y aller.
She is anxious (eager) to go there.
Elle tient à ce que je vienne aussi.
She is anxious for me to come too.

5 Impersonal Verbs

a. After impersonal verbs, use either an infinitive, or a subjunctive **que** clause with subject **on,** when making a *generalization:*

Il faut travailler ferme ici.
Il faut qu'on travaille ferme ici.
One must work hard here.
Il vaut mieux ne pas sortir le soir.
Il vaut mieux qu'on ne sorte pas le soir.
It's better not to go out evenings.

b. Use a subjunctive **que** clause to introduce a *personal subject:*

Il faut que vous travailliez ferme.
You must work hard.
Il vaut mieux qu'il ne sorte pas le soir.
It's better for him not to go out evenings.

Impersonal verbs (partial list):

Of the following impersonal expressions, **il faut** and **il vaut mieux** take a direct infinitive; the rest require **de** + infinitive.

Il is the customary subject of **être** + adjective followed by **de** + infinitive or a **que** clause.

However, **c'est** is beginning to replace **il est** before a number of adjectives, is now acceptable with adjectives expressing emotion, and is required with nouns. (See Appendix B.)

Expressions of necessity or importance:

il faut, il ne faut pas (*one must not*);
il importe, il importe peu (peu importe, peu m'importe);
il est nécessaire, important, essentiel.

Expressions of desirability:

il est désirable, souhaitable, préférable, bon, juste, naturel;
il vaut mieux;
il convient (*it is fitting, proper, suitable*);
il est permis, défendu.

Other expressions of personal opinion:

il est (c'est) utile, inutile, ridicule, étrange, surprenant, étonnant, rare.

C'est + adjectives expressing emotion: **triste, désolant, honteux, cruel.**

C'est + certain nouns: **dommage, pitié.**

VERBES A REPASSER

Verbs in **-aindre, -eindre, -oindre**:

Craindre is the model for verbs with infinitive in **-aindre, -eindre,** or **-oindre.** All such verbs have consonant sound [ɲ] in the present tense plural (**nous craignons**) and a nasal vowel in the singular (**je crains** [krɛ̃]).

Verbs with infinitive in **-eindre** are spelled throughout with **ei** rather than **ai**, but all forms are pronounced like those of **craindre.** Review, and compare with **craindre:**

plaindre (se plaindre);
peindre, atteindre, éteindre.

See also **rejoindre,** conjugated like **craindre** but with a different vowel sound: **nous rejoignons, je rejoins** [rəʒwaɲõ, rəʒwɛ̃].

EXERCICES ET COMPOSITIONS

A *Dites en français, en employant* (*a*) *l'infinitif, et* (*b*) **que** + *le subjonctif:*

1. Ask her to come tonight. 2. Order him to do it. 3. Let (**permettre**) me help you to (**vous servir**) some coffee. 4. Forbid him to go out. 5. Here is his letter; keep her from reading it. 6. Have her set the table. 7. Make them work hard. 8. Have him follow us (*use* **que** *clause only*).

B   *Dites en français:*
1. I want to take that course.   2. I want her to take that course.
3. He doesn't like to smoke.   4. He doesn't like me to smoke.
5. We want to take the subway.   6. We want him to take the
subway.   7. He wants to join us later.   8. He wants us to join
him later.

C   *Dites en français:*
1. Let her go (**s'en aller**), if she wants to (**le**).   2. Let him write
by hand (**à la main**), if he has no typewriter.   3. Let her wait, if
she wants me to drive her there.   4. Let her call a taxi, then.
5. I'm sorry he has too much work to do, but let him not complain about it.

D   *Dites en français:*
1. I don't expect (**s'attendre**) to have an exam tomorrow.   2. I
don't expect that we'll have an exam.   3. I don't expect him to
give us an exam.   4. I'm opposed to her going out this evening.
5. I'm anxious to meet (**faire la connaissance de**) your friends.
6. I'm anxious for you to meet my friends.   7. I'm not opposed
to his being our next president.   8. I expect him to be elected.
9. Will he consent to be president?   10. He will not consent to
being chosen (*use a* **que** *clause with subject* **on**).

E   *Dites en français:*
1. It matters little that he is rich.   2. It's not necessary to be rich
to (**pour**) be happy.   3. It's a pity he is so sick.   4. It's too bad
she didn't pass her exams.   5. She will have to[1] study more
(**davantage**).   6. One has to work hard to (**pour**) succeed here.
7. I had to leave early.   8. They will have to take a taxi when
they get to the station.   9. They would have to take the bus if
they couldn't find a taxi.

F   *Dites en français:*
1. I'm not afraid of anything (**rien**).   2. Why are you complaining?   3. She pitied me (*imperfect*).   4. We have repainted our
kitchen.   5. It is painted yellow (**en jaune**).   6. Don't put out
the lights.   7. I have already put them out.   8. We will join
you later.

[1] In sentences 5 through 9, use the proper tense of **falloir**.

CHAPTER 19

PARAPHRASES

1 *Dans cette leçon, le professeur prononcera d'abord deux phrases,
par exemple:*

MODÈLE

A   Voilà une belle demoiselle. *Cette demoiselle* me regarde.

*Ensuite, deux étudiants en feront des paraphrases. L'un des deux
se contentera d'employer un pronom dans la deuxième phrase:*

B   Voilà une belle demoiselle. *Elle* me regarde.

*L'autre étudiant fera des deux phrases une, en employant un
pronom relatif:*

C   Voilà une belle demoiselle *qui* me regarde.

1. Voilà une belle demoiselle. Cette demoiselle paraît me connaître.   2. Voilà une demoiselle charmante. Cette demoiselle
danse à ravir mais ne sait pas faire la cuisine.   3. Voilà un garçon
fort impoli. Ce garçon me connaît mais ne m'a pas dit bonjour.
4. Voilà de mauvais étudiants. Ces étudiants se plaignent de trop
de travail.   5. (Au musée d'art) Voilà un tableau immense. Ce
tableau ne me plaît pas du tout.   6. Dans mon appartement il y a
de grandes fenêtres. Ces fenêtres s'ouvrent sur un joli parc.
7. Dans mon quartier il y a une jolie petite fille. Cette petite fille
me sourit très doucement quand je passe.

179

2   MODÈLE

A   Voilà une belle demoiselle. Je connais bien *cette demoiselle*.
B   Voilà une belle demoiselle. Je *la* connais bien.
C   Voilà une belle demoiselle *que* je connais bien.

1. Voilà une demoiselle charmante. J'aimerais inviter cette demoiselle au bal.   2. Voilà Paul Leblanc. Elle préfère Paul Leblanc, malheureusement.   3. Voilà une vieille femme bavarde. Je trouve cette vieille femme très ennuyante.   4. Voilà un vieux monsieur. On trouve très distingué ce vieux monsieur.   5. Voici une jolie cravate. Alice m'a donné cette cravate.   6. Voici un disque très récent. Je n'ai pas même essayé ce disque.   7. Voici mon tourne-disques. Je ne peux pas faire marcher ce tourne-disques.   8. C'est là mon drôle de petit chien. J'ai trouvé ce chien un matin devant ma porte.   9. De mes fenêtres, je vois des arbres. On a planté ces arbres il y a plus de cinquante ans.   10. J'ai une très petite cuisine sombre. Je vais repeindre ma cuisine en jaune.

3   MODÈLE

A   Voilà une pauvre demoiselle. Personne ne parle *à cette demoiselle*.
B   Voilà une pauvre demoiselle. Personne ne *lui* parle.
C   Voilà une pauvre demoiselle *à qui* personne ne parle.

1. Voilà un homme très intéressant. J'aimerais parler à cet homme.   2. Voilà une pauvre vieille dame. Personne n'écrit plus à cette pauvre dame.   3. Voilà un homme bien abusé. Tout le monde ment à cet homme.   4. Voilà un garçon très habile. J'ai vite appris à nager à ce garçon.   5. Voilà un agent de police. Je vais demander ma route à cet agent.   6. Voilà un homme vraiment oublié. Personne ne pense plus à cet homme.   7. Voilà une jeune fille très gentille. Je tiens beaucoup à cette jeune fille.   8. Voilà un homme qui offre toujours son avis. Mais personne ne fait attention à cet homme.

                                         MODÈLE

A   Voici sa lettre. Je n'ai pas encore répondu *à sa lettre*.
B   Voici sa lettre. Je n'*y* ai pas encore répondu.
C   Voici sa lettre, *à laquelle* je n'ai pas encore répondu.

9. Voici un joli petit portrait. Je tiens beaucoup à ce portrait.
10. J'ai un examen demain. Je ne me suis pas encore préparé à
cet examen. 11. Voilà une loi (*a law*) assez stupide. Personne
n'obéit à cette loi. 12. C'est un ordre qu'on n'a jamais révoqué.
Mais personne ne fait attention à cet ordre. 13. C'est une vieille
superstition. On ne croit plus à cette superstition. 14. C'est là
une question importante. Nous n'avons pas encore répondu à
cette question. 15. C'était un concert magnifique. Tout le monde
a assisté à ce concert. 16. Voici venir un orage d'été (*thunder-storm*). Je m'attendais à cet orage.

4 *Nous feuilletons (we're looking through) votre album de photo-graphies:*

MODÈLE

A **Voilà une belle demoiselle. Je me souviens *de cette de-moiselle*.**

B **Voilà une belle demoiselle. Je me souviens *d'elle*.**
Voilà une belle demoiselle *dont* je me souviens.

1. Voilà vos cousines anglaises. Je me souviens si bien de ces
cousines. 2. Encore de vos amis! Je ne me souviens pas de ces
amis. 3. C'était un de ses anciens étudiants. Il ne se souvenait
pas de cet étudiant. 4. C'était un professeur très dur. Tous ses
étudiants se plaignaient de ce professeur. 5. C'était un drôle de
petit garçon. On riait toujours de ce garçon. 6. C'était une très
vieille femme. Les enfants du quartier avaient peur de cette
femme. 7. Ce sont là de pauvres petits enfants. Leur mère ne
s'occupe pas de ces enfants. 8. Voilà enfin la maman. Les enfants
ont tellement besoin de la maman. 9. C'est là leur mère.
Naturellement ils dépendent de leur mère.

MODÈLE

A **Voilà un drôle de cliché (*snapshot*). Je ne me souviens pas
de ce cliché.**

B **Voilà un drôle de cliché. Je ne m'*en* souviens pas.**

C **Voilà un drôle de cliché *dont* je ne me souviens pas.**

10. Regardez-moi (*just look at*) ce cliché! Je porte là un canotier (*straw hat*). Je ne me souviens plus de ce canotier.   11. Voici mon dictionnaire français. Je me sers constamment de mon dictionnaire français.   12. Voici un nouveau stylo. Je ne me suis jamais servi de ce stylo.   13. Voici quelques dollars. Je n'ai pas besoin de ces dollars.   14. Voilà de bien mauvaises cigarettes. Je n'ai pas envie de ces cigarettes.   15. Mon père raconte de si amusantes histoires. On rit toujours de ses histoires.   16. Voici venir les beaux jours du printemps. Je jouis tellement des beaux jours du printemps.   17. Puis viendront les grandes vacances. Je vais profiter des grandes vacances pour faire un long voyage. 18. Un vent froid s'était levé. Nous souffrions beaucoup de (*from*) ce vent froid.   19. Il y avait là un bon feu. Nous nous sommes approchés avec empressement (*eagerly*) de ce feu.

5   MODÈLE

A   Voilà un de mes amis. Le père *de cet ami* est un scientiste célèbre.
B   Voilà un de mes amis. *Son* père est un scientiste célèbre.
C   Voilà un de mes amis *dont* le père est un scientiste célèbre.

1. Voilà un autre de mes amis. Les parents de cet ami sont Français.   2. Voici Pierre Dupont. La sœur de Pierre vient de partir pour la France.   3. Voilà les Lebrun. La maison des Lebrun vient d'être vendue.   4. Voici Mme Armand. Le jardin de Mme Armand est si beau au printemps.   5. Voilà un auteur presque inconnu. Mais le talent de cet auteur est incontestable.

MODÈLE

A   Voici un roman récent. Je ne connais pas l'auteur *de ce roman.*
B   Voici un roman récent. Je n'*en* connais pas l'auteur.
C   Voici un roman récent *dont* je ne connais pas l'auteur.

6. Voici un poème médiéval. On ne sait pas l'auteur de ce poème. 7. C'est là une très belle église. J'ignore l'époque de cette église. 8. Ce n'est qu'une chanson populaire. Personne ne sait l'origine de cette chanson.   9. Voici ma porte. J'ai perdu la clef de ma

porte. 10. Voilà une autre porte. On ne m'a pas donné la clef de cette porte.

6 MODÈLE

A Voilà une belle demoiselle. Je voudrais danser *avec cette demoiselle.*

B Voilà une belle demoiselle. Je voudrais danser *avec elle.*

C Voilà une belle demoiselle *avec qui* je voudrais danser.

1. Voici François Dorval. J'ai voyagé en France avec François l'été passé. 2. Voilà vos amis. Je parlais avec vos amis tout à l'heure. 3. Voici M. Lemailly. Je travaillais pour M. Lemailly jusqu'à récemment. 4. Voici les Aubert. Je demeurais chez les Aubert quand j'étais à Paris. 5. Connaissez-vous Alice Durand? Nous allons chez Alice ce soir. 6. Voilà Étienne. Je suis très fâché contre Étienne. 7. Voilà notre nouveau président. J'ai pourtant voté contre ce nouveau président. 8. Voici Pierre. Moi, j'ai voté pour Pierre. 9. C'est un jeune homme très capable. J'ai confiance en ce jeune homme. 10. D'ailleurs, c'est un vrai ami. Je serais perdu sans cet ami. (employez **lequel** comme pronom relatif)

7 *Ici il n'y a qu'une seule paraphrase à faire. Observez bien les modèles:*

MODÈLES

A Je vous écris *avec un stylo* qui est presque vide.

B Le stylo *avec lequel* je vous écris est presque vide.

A J'habite *au bout d'une rue* qui est très étroite.

B La rue *au bout de laquelle* j'habite est très étroite.

1. Vous écrivez avec un crayon qui est trop dur. 2. Vous travaillez avec des outils (*tools, masc.*) qui sont trop lourds pour vous. 3. Vous luttez avec un problème qui est trop difficile pour vous. 4. Je travaille pour une maison (*firm*) qui est connue partout en France. 5. Vous êtes arrivé après un discours qui était très ennuyant. 6. Vous êtes parti avant un concert qui était

magnifique. 7. Je me suis endormi pendant une scène qui semblait interminable. 8. Nous nous sommes rencontrés devant un bâtiment qui était sans doute la Bibliothèque nationale. 9. J'habite derrière un parc qui est vraiment joli. 10. Ma maison se trouve au bout d'une rue qui est bordée d'arbres. 11. Je demeure à droite d'une maison qui est vraiment pittoresque. 12. Je travaille près d'un restaurant qui n'est pas trop cher. 13. Je travaille en face d'un magasin qui vend un peu de tout. 14. Je passe chaque jour à travers un pont qui est très ancien. 15. Je vis au centre d'une ville qui m'offre tout ce que je pourrais désirer.

8   MODÈLE
A J'habite *dans une chambre* qui est très commode.
B La chambre *où* j'habite est très commode.

1. J'habite dans une pension qui est très agréable. 2. Notre classe se réunit dans une salle qui est plutôt petite. 3. Notre examen aura lieu dans un bâtiment qui se trouve de l'autre côté du *campus*. 4. J'ai mis ma clef dans une poche qui a un trou (*hole*). 5. J'ai mis vos documents dans une boîte qui a disparu. 6. J'ai rencontré Pierre sur un boulevard qui traverse la Seine. 7. Je viens d'une ville qui est située sur un fleuve. 8. Il est entré par une porte qui est maintenant fermée à clef.

EXPLICATIONS

Relative Clauses

In the Paraphrases, you have used two types of pronouns:
co-ordinating pronouns—those we reviewed in Unit 3—which serve to co-ordinate two separate sentences:

Voilà une femme charmante. *Elle* paraît me connaître.

relative pronouns, which serve to subordinate a second statement by including it as a *relative clause*:

Voilà une femme charmante *qui* paraît me connaître.

Relative pronouns are used according to their function *within the relative clause*:

1 *Subject:* **qui**

> C'est un homme très sociable. Il connaît tout le monde.
> C'est un homme qui connaît tout le monde.
> *He's a man who knows everyone.*

2 *Direct Object:* **que** (**qu'**)

Note: In a relative clause introduced by **que**, the order of subject and verb may be reversed.

> C'est un homme célèbre. Tout le monde le connaît.
> C'est un homme que tout le monde connaît.
> or C'est un homme que connaît tout le monde.
> *He's a man whom everyone knows.*

> C'est une statue célèbre. Tout le monde l'a admirée.
> C'est une statute que tout le monde a admirée.[1]
> or C'est une statue qu'a admirée tout le monde.
> *It's a statute that everyone has admired.*

3 *Object of Verb Requiring* **à**

à qui, for persons[2]
auquel, à laquelle, auxquels, auxquelles, for things

> C'est un officier respecté. Tout le monde lui obéit.
> C'est un officier à qui tout le monde obéit.
> *He's an officer whom everyone obeys.*

> C'est une loi respectée. Tout le monde y obéit.
> C'est une loi à laquelle tout le monde obéit.
> *It's a law that everyone obeys.*

> C'est un homme presque inconnu. Personne ne pense à lui.
> C'est un homme à qui personne ne pense.
> *He's a man no one thinks of.*

[1] Agreement of the past participle is required in a relative clause introduced by **que**.

Note also the use of relative **que** as predicate of the verb **être**:

> Le scientiste célèbre qu'était Pasteur.
> *The famous scientist that Pasteur was.*

[2] **Auquel,** etc., may be used for persons after a common noun with the definite article: **l'homme auquel (à qui) j'ai parlé, les femmes auxquelles (à qui) je pense.**

4   *Object of Verb or Verb Phrase Requiring de: dont*[1]

**C'est un homme qu'on ne peut pas oublier. Tout le monde se souvient
de lui.**
C'est un homme dont tout le monde se souvient.
He's a man whom everyone remembers.

C'est une maladie affreuse. Tout le monde en a peur.
C'est une maladie dont tout le monde a peur.
It's a disease everyone is afraid of.

Dont is also used with adjectives requiring **de:**

C'est un travail médiocre. Je n'en suis pas content.
C'est un travail dont je ne suis pas content.
It's a job I'm not content with.

5   *Possessive: dont*

When the noun possessed is *subject* of the relative clause:

Voilà un pauvre homme. Sa femme est très malade.
Voilà un homme dont la femme est très malade.
There's a man whose wife is very ill.

When the noun possessed is *direct object* of the relative clause (note
that the noun object stands in its normal position, after the verb):

Voilà un homme charmant. Mais je déteste sa femme.
Voilà un homme dont je déteste la femme.
There's a man whose wife I heartily dislike.

Voilà un roman français. J'en reconnais l'auteur.
Voilà un roman français dont je reconnais l'auteur.
*There's a French novel whose author (the author of which) I
recognize.*[2]

[1] Note, however, that **de** meaning *from* (indicating direction) is treated like
other prepositions requiring **qui** as object in reference to persons (see 6,
below):

Voici l'étudiant de qui j'ai reçu ce beau livre.
Here's the student from whom I got this beautiful book.

[2] A preposition + the noun possessed *begins* the relative clause and is
followed by **duquel, de laquelle, desquels, desquelles** (or **de qui,** but only
for persons):

la jeune fille avec le frère de laquelle (de qui) je dansais
the girl with whose brother I was dancing
le roman à l'auteur duquel je pense
the novel of whose author I am thinking

6   *Object of Preposition, Referring to Persons*

qui, after most prepositions[1]

lequel, laquelle, lesquels, lesquelles, after **sans, entre, parmi**

Voilà une femme très intéressante. J'aime causer avec elle.
Voilà une femme avec qui j'aime causer.
There's a woman I enjoy chatting with.

Voilà un homme qui m'a beaucoup aidé. Je n'aurais jamais réussi sans lui.
Voilà un homme sans lequel je n'aurais jamais réussi.
There's a man without whom I would never have succeeded.

Il y avait plusieurs groupes de jeunes filles. Celles entre lesquelles il était question de modes (*those among whom the topic was styles*) **étaient toutes de Paris.**

Il étudie surtout les peuples primitifs. Ceux parmi lesquels il vit maintenant (*those among whom he is living now*) **sont de véritables sauvages.**

7   *Object of Preposition, Referring to Things*

lequel, laquelle, lesquels, lesquelles

Le stylo avec lequel j'écris est presque vide.
The pen I am writing with is almost empty.
La voiture devant laquelle il s'est élancé s'est arrêtée à temps.
The car he rushed out in front of stopped in time.

After prepositional phrases with **de,** these relative pronouns combine to form **duquel, de laquelle, desquels, desquelles:**

Le couloir au bout duquel vous trouverez ma porte est à gauche.
The hallway at the end of which you'll find my door is to the left.
L'église près de laquelle j'habite est très ancienne.
The church near which I live is very old.

8   *After Noun Indicating Place*

où *in which, on which, to which*

[1] **Lequel,** etc., may be used after a common noun with the definite article: **la femme avec laquelle (avec qui) je causais, les amis chez lesquels (chez qui) je demeurais.**

d'où *from which*
par où *through which*

>**La ville où je demeure est plutôt vaste.**
>*The city I live in (where I live) is rather huge.*
>**Le musée où nous allons aujourd'hui est très riche.**
>*The museum we're going to today is very rich.*
>**Le pays d'où il revient est très sauvage.**
>*The country he is coming back from is very wild.*
>**La fenêtre par où je regarde s'ouvre sur le parc.**
>*The window I am looking through opens onto the park.*

Note also **où** and **que** as relative pronouns after a noun of time (**quand** is never used in this position):

>**Le jour où il est né, la guerre s'est éclatée.**
>*The day when (on which) he was born, war broke out.*
>**Les jours qu'il fait trop froid, je reste à la maison.**
>*Days when it is too cold, I stay at home.*

VERBES A REPASSER

A   *Rire (sourire)*

In the present tense (**nous rions, je ris**), note that there is no final stem consonant. Observe also imperfect and subjunctive **nous riions, vous riiez.**

B   *Courir, Mourir*

Exceptional for Type II verbs, since the final stem consonant **r** is retained in the singular present-tense forms. **Courir** is without vowel change; the **ou** of **mourir** changes to **eu: nous courons, je cours; nous mourons, je meurs.** Note past participles **couru** (with **avoir**), **mort** (with **être**), and future **je courrai, je mourrai.**

C   *Ouvrir, Couvrir (découvrir), Offrir, Souffrir*

These are mixed verbs. In their present-tense forms, they follow the pattern of Type I verbs:

>**j'ouvre, nous ouvrons**
>**je couvre, nous couvrons**
>**j'offre, nous offrons**
>**je souffre, nous souffrons**

The past participles are irregular: **ouvert, couvert, offert, souffert.**

EXERCICES

A   *Dites en français:*

You're laughing. I laughed at him (**rire de qqn**). I laughed at it (**rire de qqch.**). She was smiling at me (**sourire à qqn**). You were laughing. We were smiling.

Run! Let's not run. I'm running. He's running. She's dying. She died. We ran. We will run. We are running. He will die.

Open the windows. I am opening them. They open (*reflexive*) easily. I'm offering you all my money. They (**on**) offer a bit of everything. He is suffering. He was suffering. We have suffered a lot. We will suffer more. I will open the door. It is not open.

B   *Traduisez en anglais:*

1. Il y là un fleuve que traverse un pont étroit.   2. Ils habitent une maison qu'entoure un joli jardin.   3. Ils ont loué une maison qui entoure un petit jardin.   4. L'homme qui a vu mon oncle est un officier.   5. L'homme qu'a vu mon oncle est un agent.   6. Il y a bien des régions inhabitées dans le vaste pays qu'est la Russie.   7. Je ne m'attendrais pas à une action pareille de la part du bon ami qu'est Paul Dubois.   8. L'auto dont je dispose est une vieille Ford.   9. Où trouver l'argent qui nous manque?   10. Où trouver l'argent dont nous manquons?   11. Voilà un résultat dont nous pouvons être bien contents.   12. Les papiers dont sa table était couverte étaient indéchiffrables.   13. L'homme dont on a descendu les valises est déjà parti.   14. La porte dont je cherche la clef est celle de mon ami.   15. La rue étroite d'où nous sortons est très ancienne.   16. Il pleuvait le jour où elle est partie.   17. Le XVIIIe siècle, c'est le siècle où Voltaire a vécu.   18. Les jours que j'ai congé, je vais en ville.

COMPOSITION

Écrivez en français:

1. In my apartment there are large windows which open onto the park.   2. At the end of that hallway, there is a door that doesn't open any more.   3. The little girl who is smiling so sweetly at us lives in my neighbourhood.   4. The little girl you are smiling at

lives across the street from (**en face de**) me. 5. He tells stories you (**on**) always laugh at. 6. The illness she was suffering from then is the one she died of. 7. Here are some books that have just come out. 8. I prefer the books they offer at a low price (**à bas prix**). 9. The station that we ran to was not the right one. 10. He got off at the first station we stopped at. 11. That's a film I can't forget. 12. That's a film I remember well. 13. The record we were listening to was an excellent recording. 14. They chose a man whose name I have forgotten. 15. He's a man I like to work with. 16. This is the pen I like to write with. 17. The town I live in is very small. 18. The church I live near is very old. 19. The house I live next to is quite picturesque. 20. It was raining the morning I arrived there.

A A-t-on jamais fait un plus beau film?
B C'est le plus beau film qu'on ait jamais fait.

CHAPTER 20

CONVERSATIONS

1a
MODÈLES

A Votre appartement n'est pas commode?
B Non. Je cherche un appartement qui soit commode.

A Votre appartement ne vous convient pas?
B Non. Je cherche un appartement qui me convienne.

En suivant les modèles, spécifiez la qualité de ce que vous cherchez:
1. Votre pension ne vous plaît pas? 2. Votre chambre n'est pas assez grande? 3. Votre pension n'offre pas le confort moderne? 4. Votre chambre n'a pas l'eau courante? 5. Votre maison n'a pas le chauffage central? 6. Votre chambre n'est pas exposée au midi? 7. Le loyer de votre chambre n'est pas assez bas? (*Répondez: Je cherche une chambre . . .*) 8. Votre pension n'est pas située dans un quartier tranquille? 9. La propriétaire de votre chambre n'est pas sympathique? (*Répondez: Je cherche une pension . . .*) 10. Vous ne vous sentez pas chez vous dans cette pension? (*Répondez: Je cherche une pension . . .*)

1b *Voici un bout de conversation au sortir du cinéma:*

MODÈLES

A Avez-vous jamais vu un film plus émouvant?
B C'est le film le plus émouvant que j'aie jamais vu.

191

A   A-t-on jamais fait un plus beau film?
B   C'est le plus beau film qu'on ait jamais fait.

Répondez d'après les modèles:
1. Avez-vous jamais lu un meilleur roman?   2. Avez-vous jamais entendu une histoire plus drôle?   3. Avez-vous jamais vu une plus belle statue?   4. A-t-on jamais écrit un plus beau poème?   5. A-t-on jamais construit un palais plus somptueux?   6. A-t-on jamais construit une cathédrale plus magnifique?   7. Vous aussi, vous aimez donc la Provence. Y a-t-il en France un séjour plus agréable?   8. Connaissez-vous un climat plus doux?   9. Vous connaissez donc mon ami Étienne. Avez-vous jamais fait la connaissance d'un jeune homme plus sympathique?   10. Peut-on trouver un ami plus sûr?

2a   Nous sommes en Bretagne, dans un petit port de pêche, quand je vous fais remarquer un groupe de vieux matelots assis sur un banc:

MODÈLES

A   Voyez ces vieillards; quelque chose les fait rire. C'est vraiment amusant?
B   Ce qui les fait rire est vraiment amusant.

A   L'homme à (*with*) la pipe raconte quelque chose en breton.[1] Est-ce bien intéressant?
B   Ce qu'il raconte est bien intéressant.

A   Il parle de quelque chose. Est-ce d'un voyage qu'il a fait?[2]
B   Ce dont il parle, c'est un voyage qu'il a fait.

A   Maintenant ils s'intéressent à quelque chose dans le port. Est-ce à quelque bateau qui revient?
B   Ce à quoi ils s'intéressent, c'est un bateau qui revient.

Suivez le modèle qu'il faut, selon la construction grammaticale de **quelque chose** *dans la question:*
1. Vous regardez quelque chose dans le port. Est-ce intéressant?

[1] le dialecte de la Bretagne.
[2] Dans la réponse, omettez la préposition soulignée.

2. Quelque chose vous intéresse là. Est-ce la façon dont ce bateau est appareillé (*fitted out*)? 3. On fait quelque chose sur le quai. Est-ce que ça vous intéresse? 4. Nous entendons quelque chose. C'est le cri des goélands ([gwɛlɑ̃] *sea gulls*), n'est-ce pas? 5. Regardez le bateau qui vient d'arriver; il est chargé de (*loaded with*) quelque chose. C'est des poissons, je suppose? 6. Ce matelot-là porte quelque chose au dos. Est-ce une morue (*codfish*), par hasard? 7. Vous riez de quelque chose. Est-ce amusant? 8. Vous riez de quelque chose. Est-ce de mon ignorance? 9. Vous vous souvenez de quelque chose. Est-ce de votre enfance dans la Nouvelle-Angleterre? 10. Maintenant vous voyez quelque chose. C'est inquiétant? 11. Quelque chose vous trouble. Est-ce les grands nuages qui s'entassent (*are piling up*) à l'horizon? 12. Vous vous attendez à quelque chose, me semble-t-il. Est-ce à un orage d'été? 13. Et je le vois bien, vous tenez à quelque chose. Est-ce à un bon dîner dans ce petit restaurant-là?

2b *Je viens d'arriver à l'université, et je vous demande des conseils:*

MODÈLES

A   Que dois-je étudier? **Bien des choses m'intéressent.**

B   **Étudiez ce qui vous intéresse le plus.**

A   Entre tout ce qu'on offre ici, que dois-je choisir? **J'aime bien des choses.**

B   **Choisissez ce que vous aimez le plus.**

Mettez chaque réponse à l'impératif, en suivant les modèles:
1. Que dois-je étudier? Je veux apprendre bien des choses. 2. Et que dois-je éviter? Bien des choses m'ennuient. 3. (Je cherche un cadeau pour le petit Henri) Que dois-je lui donner? Il désire bien des choses. 4. Que dois-je lui acheter? Bien des choses lui plairaient. 5. (Vous m'avez donné de l'argent à dépenser) Que dois-je acheter? Je tiens à bien des choses. 6. (Nous nous préparons à un long voyage) Que dois-je apporter? J'aurai besoin de bien des choses. 7. Que dois-je mettre dans cette valise? Je me servirai de toutes ces choses. 8. (On m'a invité à faire un discours) De quoi dois-je parler? Bien des choses m'intéressent.

2c *Nous parlons d'un de nos amis:*

MODÈLES

A	B
Cela l'intéresse vraiment?	C'est \} Voilà \} ce qui l'intéresse.
Il a dit cela?	C'est \} Voilà \} ce qu'il a dit.
Il a parlé de cela?	C'est \} Voilà \} ce dont il a parlé.
Il pense à cela?	C'est \} Voilà \} ce à quoi il pense.

Répondez d'après le modèle qu'il faut, selon la construction grammaticale de cela *dans la question. Employez* c'est *ou* voilà:
1. Cela lui plaît? 2. Cela lui semble bon? 3. Il veut cela? 4. Il va faire cela? 5. Il a fait cela? 6. Il vous a écrit cela? 7. Il vous a demandé cela? 8. Vous avez répondu à cela? 9. Vous voulez faire cela? 10. Cela vous intéresse? 11. Cela prend du temps, bien sûr? 12. Vous pensez à cela? 13. On fera cela? 14. Cela reste à voir (*remains to be seen*), n'est-ce pas? 15. On vous a dit cela? 16. Vous vous souvenez de cela? 17. Vous vous servez de cela? 18. Vous travaillez avec cela?

3a *Intéressés par ce que dit le professeur, deux étudiants lui pose la même question, de deux façons différentes:*

MODÈLES

A		B	C
A	J'ai vu quelqu'un.	B Qui avez-vous vu?	
		C Qui est-ce que vous avez vu?	
A	J'ai vu quelque chose.	B Qu'avez-vous vu?	
		C Qu'est-ce que vous avez vu?	
A	Je pense à quelqu'un.	B A qui pensez-vous?	
		C A qui est-ce que vous pensez?	
A	Je me souviens de quelque chose.	B De quoi vous souvenez-vous?	
		C De quoi est-ce que vous vous souvenez?	

1. J'ai rencontré quelqu'un au coin de la rue. 2. J'ai invité quelqu'un à notre soirée. 3. J'ai trouvé quelqu'un dans votre chambre. 4. J'ai oublié quelque chose. 5. J'ai trouvé quelque chose sur le trottoir. 6. J'ai mis quelque chose sur votre bureau. 7. J'attends quelqu'un. 8. J'attends quelque chose. 9. J'ai téléphoné à quelqu'un. 10. Je m'attends à quelque chose. 11. Je doute de quelqu'un. 12. Je me doute de quelque chose. 13. Je me plains de quelque chose. 14. Nous sommes d'accord sur quelque chose. 15. Je vais faire visite à quelqu'un. 16. Nous allons voir quelque chose d'intéressant.[1] 17. Vous allez voir quelqu'un. 18. Vous ressemblez à quelqu'un.

3b *Même situation, mais notez bien que cette fois, quand il s'agit d'une chose, il n'y a qu'une seule façon de faire la question:*

MODÈLES

A **Quelqu'un me dérange.**   B **Qui vous dérange?**
C **Qui est-ce qui vous dérange?**

A **Quelque chose me dé-**   B **Qu'est-ce qui vous dérange?**
range.

1. Quelqu'un fait du tapage dans le couloir. 2. Quelqu'un m'empêche d'étudier. 3. Quelqu'un est entré par la porte. 4. Quelqu'un m'a dit cela. 5. Quelqu'un m'a volé mon argent. 6. Quelque chose me fait peur. 7. Quelque chose a fait du bruit. 8. Quelque chose a remué (*moved*) derrière ces arbres. 9. Quelqu'un nous a vus. 10. Quelqu'un s'approche de nous.

4

MODÈLES

A	B
Regardez Henri.	
Qui le dérange?	**Je ne sais pas qui le dérange.**
Qu'est-ce qui le dérange?	**Je ne sais pas ce qui le dérange.**
Qui cherche-t-il?	**Dites-moi qui il cherche.**
Que cherche-t-il?	**Dites-moi ce qu'il cherche.**

[1] Mettez l'expression d'intéressant à la fin de la question.

A qui parle-t-il?

De quoi parle-t-il?

Qu'est-ce qu'il étudie?

Il dit qu'il étudie l'entomologie.

Qu'est-ce que c'est que
l'entomologie?

Ne savez-vous pas à qui il parle?

Ne savez-vous pas de quoi il
parle?

Demandez-lui ce qu'il étudie.

Demandez-lui ce que c'est que
l'entomologie.

*Répondez d'après les modèles, en employant l'expression verbale
donnée entre parenthèses:*

1. Qu'est-ce qu'il a dit? (Je ne comprends pas) 2. Que veut dire
ce mot? (Je ne sais pas) 3. Qui lui a enseigné cette science?
(Je ne sais pas) 4. Qu'est-ce qui l'intéresse dans cette science?
(Demandez-lui) 5. Que fait un entomologiste? (Je vous ex-
pliquerai) 6. Qui vous a dit cela? (Je ne me rappelle plus)
7. Qu'est-ce qui vous fait rire? (Je ne vous dirai pas) 8. Qu'est-ce
qu'il va faire en sortant de l'université? (Qui sait) 9. Que
pensez-vous d'une carrière dans les sciences? (Ne savez-vous
pas) 10. Qu'est-ce que c'est que la méthode scientifique? (Tout
le monde sait) 11. Qu'allez-vous faire quand vous sortirez de
l'université? (Je ne sais pas encore) 12. Qu'est-ce qui vous
fait hésiter? (Je vous dirai) 13. A quoi vous intéressez-vous
le plus? (Il serait difficile de dire) 14. Vous n'avez donc
que l'embarras du choix! De quoi vous plaignez-vous? (Je ne
sais pas) 15. Quand plus tard vous penserez à cette université,
de quoi vous souviendrez-vous le mieux? (Je me demande)
16. Alors, qu'est-ce qui vous a le plus impressioné(e)? (Je sais)
17. Et de qui vous souviendrez-vous le mieux? (Je me demande
encore) 18. Qui admirez-vous le plus, parmi vos camarades?
(Faut-il dire) 19. Entre tous vos professeurs, qui avez-vous le
plus estimé? (Vous savez bien) 20. Le vieux professeur Dupré?
Il y a un an qu'il (*it's been a year since he*) est parti d'ici.
Qu'est-il devenu (*what has become of him*)? (Je ne sais pas)
21. Souhaitons-lui des années pleines de bonheur. Mais enfin,
qu'est-ce que c'est que le vrai bonheur? (Qui sait)

EXPLICATIONS

1 Subjunctive in Relative Clauses

Two types of relative clause require the subjunctive:

a. Those specifying the requirements for something sought but not yet found:

> **Il cherche une femme qui sache faire la cuisine.**
> *He is looking for a wife who can cook.*
> **Connaissez-vous quelqu'un qui puisse m'aider?**
> *Do you know of anyone who could help me?*

Similarly, when implying that such a person or thing does not exist:

Il n'y a personne qui puisse vous aider.
Il n'y a pas de problème politique qui soit vraiment facile à résoudre (*resolve*).
Y a-t-il rien qui lui fasse plaisir?
Is there anything that would please her? (implying that there is not).

b. Those which follow a superlative, or **le premier, le dernier, le seul:**

> **C'est la plus belle cathédrale qu'on ait jamais construite.**
> *It's the most beautiful cathedral that was ever built.*
> **C'est la première personne qui ne m'ait pas menti sur son compte.**
> *That's the first person who hasn't lied to me about him.*
> **Vous êtes le seul qui puissiez le faire.**
> *You are the only one who can do it.*

In a statement of fact about which there can be no disagreement, the indicative is customary:

> **C'était la plus grande cathédrale qu'on avait construite jusque-là.**
> **C'est la dernière fois que je l'ai vu.**
> **C'est le seul homme qui est venu hier soir.**

2 Ce + Relative Clause

After neuter **ce**, relative pronouns are **qui, que, dont,** and **quoi,** chosen according to their function within the relative clause:

> **Ce qui vous fait rire ne m'amuse pas.**
> *What makes you laugh doesn't amuse me.*
> **Ce que vous faites ne me plaît pas du tout.**
> *What you do doesn't please me at all.*

Ce dont vous riez n'est pas drôle.
What you are laughing at is not funny.
Ce à quoi vous vous intéressez ne fait que m'ennuyer.[1]
What you are interested in only bores me.

Uses of *Ce* + *Relative Clause*

a. To open a sentence

In this position, ce + relative clause may be the subject of a verb
(the verb follows directly):

[Ce qui m'amuse] est un secret.
What amuses me is a secret (that is, I cannot tell you).
[Ce qu'il a dit] est assez ennuyant.
What he said is rather annoying.
[Ce à quoi je pense] ne vous regarde pas.
What I am thinking about doesn't concern you.

Or the construction ce + relative clause may be *explained* by what
follows, in which case it is customary to begin the second part of the
sentence with c'est:

Ce qui m'amuse, c'est un secret qu'elle m'a dit.
What amuses me is a secret she told me (that is, her secret is what
amuses me).
Ce qu'il a dit, c'est qu'on a perdu nos valises.
Ce à quoi je pense, c'est les papiers importants que j'avais mis dans
ma valise.

b. As object of a verb

Direct object:

Ils lisent [ce qui les intéresse le plus].
They read what most interests them.
Faites [ce que vous voudrez].
Do what you want.
Apportez [ce dont vous aurez le plus besoin].
Bring what you will most need.
Je nie [ce à quoi vous croyez].
I deny what you believe in.

---

[1] Quoi replaces lequel; compare:

Les livres auxquels vous vous intéressez ne font que m'ennuyer.

Object of a verb requiring à or **de,** or object of a preposition:

> **Je ne m'intéresse pas à [ce qui vous intéresse].**
> *I am not interested in what interests you.*
> **Je ne me souviens pas de [ce qu'elle a dit].**
> *I don't remember what she said.*
> **Je travaille avec [ce qu'on m'a donné].**
> *I am working with what they gave me.*

c. After c'est, voilà, voici
C'est and **voilà** (interchangeable in meaning) point back to what has already been said:

> **C'est ⎱ ce qu'elle croit.**
> **Voilà ⎰**
> *That's what she thinks.*

Voici points forward:

> **Voici ce qu'elle a dit: ...**
> *Here's what she said: ...*

3 Interrogative Pronouns

Interrogative pronouns are as follows:

a. object forms
Expecting a person as the answer:
qui

Expecting a thing as the answer:
que (qu'), as direct object
quoi, after à, **de,** or other prepositions

In conversation, **est-ce que** is frequently inserted after an interrogative *object* pronoun:

> **Qui   avez-vous vu?**
> or   **Qui est-ce que vous avez vu?**
> *Whom did you see?*

> **Que   Jean a-t-il fait?**
> or   **Qu' est-ce que Jean a fait?**
> *What did John do?*

> **A qui   avez-vous écrit?**
> or   **A qui est-ce que vous avez écrit?**
> *Whom did you write to?*

> **Avec quoi**   **écrivent-ils?**
> or   **Avec quoi est-ce qu' ils écrivent?**
> *What are they writing with?*
>
> **De quoi**   **le professeur parle-t-il?**
> **De quoi est-ce que le professeur parle?**
> *What is the professor talking about?*

b. subject forms

Expecting a person as the answer:
qui
qui est-ce qui (used primarily for emphasis)

Expecting a thing as the answer:
qu'est-ce qui

> **Qui vous dérange?**
> *Who is bothering you?*
> or   **Qui est-ce qui vous dérange?**
> literally, *Who is it who is bothering you?*
>
> **Qu'est-ce qui vous dérange?**
> *What is bothering you?*

4   *Indirect Questions*

An indirect question opens with such expressions as:

> **Dites-moi** *Tell me*
> **Demandez-leur** *Ask them*
> **Savez-vous** *Do you know*
> **Je ne sais pas** *I don't know*

The subordinate clause which follows is introduced by these pronoun forms:

Referring to a person:
qui

Referring to a thing:
ce qui, as subject of the subordinate clause
ce que (ce qu'), as direct object
quoi, after **à, de,** or other prepositions

Dites-moi qui fait tout ce tapage.
Tell me who is making all that commotion.
(An indirect way of asking: **Qui fait tout ce tapage?**)

Dites-moi qui vous voyez dans le couloir.
Tell me whom you see in the hall.
(Rather than asking you directly: **Qui voyez-vous dans le couloir?**)
Demandez-leur ce qui se passe.
Ask them what is going on.
(Assuming that you cannot yet answer the direct question: **Qu'est-ce qui se passe?**)
Demandez-leur ce qu'ils font là.
Ask them what they are doing there.
(Instead of the direct question: **Que font-ils là?**)
Savez-vous de qui ils parlent?
Do you know whom they are talking about?
(Asking you whether you can answer the direct question: **De qui parlent-ils?**)
Je ne sais pas de quoi il s'agit.[1]
I don't know what the argument is about.
(A reply to the direct question: **De quoi s'agit-il?**)

FORMES A REPASSER

Review the table of relative and interrogative pronouns, Appendix A, Section 5.

---

[1] Compare these indirect-question sentences with sentences employing **ce** + relative clause as object of a verb (Explication 2b). **Ce qui** and **ce que** are used in both cases:

    Dites-moi ce qui vous intéresse le plus. (indirect question)
    Étudiez ce qui vous intéresse le plus. (object of verb)
    Savez-vous ce qu'il a fait? (indirect question)
    Je n'aime pas ce qu'il a fait. (object of verb)

But a distinction must be made between **de quoi** and **ce dont**:

    Je ne sais pas encore de quoi nous aurons besoin.
    I don't yet know what we will need. (indirect question)
    Nous achèterons ce dont nous aurons besoin.
    We will buy what we need. (object of verb)

and similarly, between **à quoi** and **ce à quoi**:

    Dites-moi à quoi vous songez.
    Tell me what you have in mind. (indirect question)
    J'ai déjà fait ce à quoi vous songez.
    I have already done what you have in mind. (object of verb)

EXERCICES ET COMPOSITIONS

A   *Dites en français:*

1. I'm looking for an apartment that will please (**plaire à qqn**) my wife.   2. She prefers a house that has central heating.   3. I'm looking for a *pension* in which I'll really feel at home.   4. Is there no one who can help me?   5. There is no one who knows how to answer that question.   6. That is the finest novel I have ever read. 7. She is the ugliest woman I have ever seen.   8. She is the last person I would want to invite.

B   *Dites en français:*

1. What you have just said surprises me.   2. What intrigues me most is the stories they tell.   3. What he is carrying on his back must be very heavy.   4. What I am laughing at is his funny sort of hat.   5. What I remember best is the man with the pipe, the one who spoke only Breton.   6. Here's what I bought for us; take what you will need.

C   *Dites en français:*

1. Whom did you meet on the corner?   2. What have you forgotten?   3. What are you waiting for?   4. What were you expecting?   5. What are you complaining about?   6. What did you see that was (**de**) interesting?   7. Whom do you think that I look like?   8. Who did that?   9. What frightened you?   10. What did you use?

D   *Dites en français:*

1. Ask him what he has read in French.   2. Tell me what that word means.   3. Ask them what is going on.   4. I wonder what would please her.   5. Don't tell me whom you have invited. 6. Don't you know whom I am thinking of?   7. Do you know what that object is?   8. I don't know what that is.   9. I don't know what you were talking about.   10. That's what I was talking about.   11. I wonder what you are interested in.   12. Choose what you are most interested in, and avoid what bores you.

SUPPLEMENT A

Emphatic Sentences

Preliminary Remarks

In English, we can emphasize any sentence element simply by stressing it:

> Your cousin is *young.*
> I *like* that picture.
> *Paul* did that.
> I'm leaving *tomorrow.*
> Paris is a *beautiful city.*

In French, rising pitch rather than increased stress is the usual means of emphasis. But rising pitch occurs only *within* a sentence,[1] at the end of a breath-group (often indicated by a comma), or at least at a grammatical division. A French sentence must therefore be rearranged so that the element to be emphasized stands at a point of normally rising pitch; for example:

before a comma:

> **Elle est jeune, votre cousine.**
> **Je l'aime, ce tableau.**

before a relative or **que** clause:

> **C'est Paul qui a fait cela.**
> **C'est demain que je pars.**

before explanatory **que:**

> **C'est une belle ville que Paris.**

[1] A declarative sentence ends with falling pitch.

203

Compare the corresponding simple sentences, with their fixed, non-emphatic intonation:

Votre cousine est jeune.
J'aime ce tableau.
Paul a fait cela.
Je pars demain.
Paris est une belle ville.

1   *To Emphasize the Subject*

Use **c'est** to present an emphasized subject. Complete the sentence with a **qui** clause:

C'est ma mère qui fait la cuisine.
My mother does the cooking.
(literally, It's my mother who does the cooking.)

C'est moi qui fais la vaisselle.
I'm the one who does the dishes.

Dites en français: 1. My *sister* does the housework.   2. My *father* does the driving.   3. My *uncle* is the one who travels.   4. My *aunt* planted this garden.   5. *Paul* invited us.   6. *You* are the one who is wrong.   7. *I* did it.   8. *We* are the ones who wrote that letter.

2   *To Emphasize an Object*

Use **c'est** to present an emphasized object. Complete the sentence with a **que** clause:

C'est moi qu'elle a invitée.
I'm the one she invited.
She invited me.
C'est à moi qu'elle pense.
She is thinking of me.
C'est de Pierre que je me souviens le mieux.
Pierre is the one I remember best.

Dites en français: 1. They (**on**) invited your *sister*.   2. *He's* the one I like best.   3. He knows *me* best.   4. I'm looking for your *friend*.   5. Were you looking for *me?*   6. *She's* the one I saw.   7. I was waiting for *you*.   8. His *brother* is the one I didn't recognize.   9. I wrote

to *Paul.* 10. I'm thinking of *you.* 11. *He's* the one I remember.
12. I'm complaining about *you.*

3 *To Emphasize an Adverb or Prepositional Phrase*

Use **c'est** to present an emphasized adverb or prepositional phrase.
Complete the sentence with a **que** clause:

> **C'est hier que je l'ai vu.**
> *I saw him yesterday.*
> **Ce n'est qu'hier que je l'ai vu.**
> *I saw him only yesterday.*
> **C'est par cette porte-là qu'il est entré.**
> *He went in by that door.*

Dites en français: 1. She is arriving *tomorrow.* 2. He's leaving
Thursday. 3. She does the errands on *Saturdays.*[1] 4. I found it out
only *today.* (Use the **passé composé** of savoir.) 5. He phoned me at
four o'clock. 6. They invited us for *this* evening. 7. One learns best
in *class.* 8. She lives on *that* street.

4 *To Emphasize a Verb*

Use a pronoun subject or object, then explain the pronoun after the
verb. In this way the verb to be emphasized will stand before a
comma:

> noun subject:
> **Elle m'intéresse, cette histoire.**
> *That story interests me.*
>
> neuter subject:
> **Ça m'intéresse, ce qu'il a dit.**
> *What he said interests me.*
>
> object:
> **Je l'aime bien, ce chapeau-là.**
> *I rather like that hat.*

[1] Use **le** before days of the week when expressing a regular occurrence:

> **J'y vais le dimanche.**
> *I go there on Sundays.*
> but **J'y vais dimanche.**
> *I'm going there Sunday.*

J'en ai ri, de cette histoire.
I really <u>*laughed*</u> *at that story.*

Dites en français: 1. That picture *pleases* me. 2. That news *shocks* me. 3. What you are saying *shocks* me. 4. What he is doing there *intrigues* me. 5. I rather *like* those gloves. 6. I *love* (**adorer**) that dress. 7. I *want* that dress. 8. I *have* some money. 9. I'm *using* my dictionary. 10. I don't *remember* his address.

5 To Emphasize a Predicate Adjective

Use a pronoun subject of **être** + adjective, and then state the subject. In this way, the adjective to be emphasized will stand before a comma:

noun subject:
Elle est drôle, cette histoire.
That story is <u>*funny*</u>.

neuter subject:
C'est drôle, ce qu'il a dit.
What he said is <u>*funny*</u>.

Dites en français: 1. Your sister is *pretty*. 2. Your house is *big*. 3. Your glass is *empty*. 4. That cathedral is *immense*. 5. Those buildings are *high*. 6. What you said is *ridiculous*. 7. What you did is *wonderful*. 8. What you want is *impossible*.

6 To Emphasize a Predicate Noun

Use **c'est** + a noun, then state the subject after an explanatory **que**. In this way, the noun to be emphasized will stand before explanatory **que**:

C'est une vraie surprise que votre visite.
Your visit is <u>*a real surprise*</u>.

Dites en français: 1. Your sister is a *beautiful girl*. 2. My trip to France is a *long story*. 3. Paris is a *wonderful city*. 4. That little poem is a *masterpiece* (**un chef-d'œuvre**). 5. Belgium (**la Belgique**) is a *very small country*. 6. The Rhine (**le Rhin**) is a *long river*. 7. Yours is a *big house*. 8. That one is a *fine novel*.

7   *To Emphasize a* **Que** *Clause*

An emphasized **que** clause stands first in the sentence, and must be in the subjunctive:

> nonemphatic sentences:
> **Je sais qu'elle veut partir.**
> **Je doute qu'elle soit déjà partie.**
> **Il est probable qu'elle partira demain.**

> emphatic sentences:
> **Qu'elle veuille partir, je le sais bien.**
> **Qu'elle soit déjà partie, je le doute fort.**
> **Qu'elle parte demain, c'est très probable.**

Rearrange the following sentences, placing the **que** *clause first for emphasis:* 1. Je sais bien que vous êtes fatigué. 2. Je crois bien qu'il a fait cela. 3. J'espère bien que vous savez la leçon. 4. Tout le monde sait que la terre est ronde. 5. Tout le monde croit qu'on ira un jour à la lune. 6. Personne ne croit que la lune soit habitée. 7. Il est certain qu'elle est inhabitée. 8. Il est maintenant clair que vous comprenez cette leçon. 9. Il est très possible qu'elle soit trop facile pour vous.

Final Note

As an alternative to rising pitch for emphasis, which requires rearrangement of the sentence, French speakers sometimes use what is called **l'accent d'insistence.**

This form of emphasis must be used sparingly by foreigners, as the rules governing it are fairly complex. In brief, it consists in heightening the pitch and lengthening the duration of a syllable or short word normally not stressed at all.

Listen to your instructor as he reads the following sentences, first as simple statements, then with **l'accent d'insistence** as indicated by italics:

Quelle semaine *a*bominable! Voilà *cinq* jours qu'on ne voit *que d*(e) la pluie. C'est *dé*goûtant.
Et *ce* qu'il pleut maintenant! (*How it's raining now!*)
Regardez. Encore de la pluie! C'est *in*croyable.
Voilà un coup de tonnerre *é*pouvantable.
Voilà un coup de tonnerre *é*pouvantable.

SUPPLEMENT B

Adverbial Clauses

1 Most conjunctions which introduce an adverbial clause in French consist of a preposition **+ que**. The following examples show:

a. preposition **+** noun;
b. preposition **+ que** clause (that is, the corresponding *conjunction*):

conjunctions taking indicative

a. **Pendant l'Occupation,**
b. **Pendant que la France était occupée,**
    nous demeurions en Normandie, ma femme et moi.

a. **Lors de l'invasion des Alliés,**
b. **Lorsque les Alliés ont envahi la Normandie,**
    nous sommes allés à Tours.

a. **Après le départ des Allemands,**
b. **Après que les Allemands étaient partis,**
    nous sommes retournés à Paris.

a. **Depuis la Libération,**
b. **Depuis que la France a été libérée,**
    nous habitons à Paris.

conjunctions requiring subjunctive

    Nous avons quitté Paris
a. **avant l'arrivée des Allemands.**
b. **avant que les Allemands y soient arrivés.**

208

A ce moment-là, ma femme était gravement malade. Nous avons
dû quitter Paris
a. malgré sa maladie.
b. malgré qu'elle soit malade.

Nous sommes restés à la campagne
a. jusqu'à (en attendant) la fin de la guerre.
b. jusqu'à ce que (en attendant que) la guerre soit finie.

Dites en français: 1. During the summer, I live at the seashore (**au
bord de la mer**). 2. While you are doing the dishes, I'll read the
evening paper. 3. At the time of the Liberation, we were in Tours.
4. We had already left Paris when the Germans got there. 5. I met
him right (**tout de suite**) after his arrival in France. 6. I arrived at
her house right after she had left. 7. I have written her three times
since her departure. 8. I have not heard from her (**recevoir de ses
nouvelles**) since she left. 9. We have been speaking only French
since the beginning of the semester. 10. We will have another (**encore
un**) exam before the semester is over. 11. I wanted to see her before
she left. 12. She had to go in spite of her mother's being sick. 13. We
will finish our work in spite of her not being here. 14. They have to
go out even though (**malgré que**) it is raining. 15. I will stay here
until his arrival. 16. I will stay here until he comes.

2   An infinitive may frequently replace a **que** clause when there is
no change of person. The following examples show:

a. preposition + infinitive, used when there is no change of person;
b. preposition + **que** clause (that is, the corresponding *conjunction*),
used to introduce a subject different from that of the main verb:

après + *compound* infinitive
après que + indicative

a. **Les étudiants sont partis après avoir fini l'examen.**
   The students left after they finished the exam.
b. **Le professeur est parti après qu'ils ont fini l'examen.**
   The professor left after they finished the exam.

avant de + infinitive (simple or compound)
avant que + subjunctive

a. **Ils veulent partir** $\begin{cases} \textbf{avant de finir.} \\ \textbf{avant d'avoir fini.} \end{cases}$
   They want to leave before they finish (before they have finished).

b. Il veut partir $\begin{cases} \text{avant qu'ils (ne) finissent.}^1 \\ \text{avant qu'ils (n') aient fini.} \end{cases}$

He wants to leave before they finish (before they have finished).

pour (afin de) + infinitive
pour que (afin que) + subjunctive

a. **Il est parti pour (afin de) ne pas nous voir.**
He left so as not to see us.
b. **Il est parti pour que (afin que) nous ne le voyions pas.**
He left so that we would not see him.

de peur de (de crainte de) + infinitive
de peur que (de crainte que) . . . **ne** + subjunctive

a. **Il est parti de peur de (de crainte de) nous rencontrer.**
He left for fear of meeting us.
b. **Il est parti de peur que (de crainte que) nous ne le voyions.**
He left for fear we would see him.

à moins de + infinitive
à moins que . . . **ne** + subjunctive

a. **Nous n'y allons pas à moins d'avoir des courses à faire.**
We don't go there unless we have errands to do.
b. **Nous n'y allons pas à moins que ma femme n'ait des courses à faire.**
We don't go there unless my wife has errands to do.

sans + infinitive
sans que + subjunctive

a. **Ne partez pas sans me le dire.**
Don't leave without telling me.
b. **Ne partez pas sans que je vous le dise.**
Don't leave without my telling you to.

Dites en français: 1. After finishing my dinner, I go to the library.
2. After going to bed last night, and before going to sleep, I read a
detective story.   3. Let's go (**s'en aller**) before it rains.   4. Come back

---

[1] **ne** is optional after **avant que.** When the main verb is negative, **que**
replaces **avant que,** and **ne** is required:

> **Je ne partirai pas que vous n'ayez fini votre examen.**
> *I won't leave before (until) you have finished your exam.*

Compare the meaning of **que** + subjunctive after the verb **attendre:**

> **J'attendrai que vous ayez fini.**
> *I'll wait until you have finished.*

before it gets dark.   5. I took a taxi so as not to be late.   6. I'll send this letter by airmail (**par avion**) so that she will get it in time.   7. I ran to the station for fear of missing my train.   8. Lest (**de peur que**) you miss your train, I'll drive you to the station.   9. We'll take a long walk tomorrow unless it is too cold.   10. Unless she is sick, she will certainly come.   11. Unless he has lost our address, he will be here by (**avant**) six o'clock.   12. They left without making any noise. 13. They left without my hearing them.

3   The following conjunctions also require the subjunctive:

> **quoique (bien que)** *although*
> **pourvu que** *provided that*
> **à supposer (en supposant) que** *supposing that*
> **pour peu que** *if only*
> **non (non pas) que** *not that*

Dites en français: 1. Although he is very rich, I don't care to (**avoir envie de**) make his acquaintance.   2. Although it is very hot today, we will have to (use **falloir**) go to town.   3. Provided that she is home, we will see her tonight.   4. Supposing that she has already left, what will we do?   5. If only you'll study tonight, you'll be able to (use **savoir**) answer all the questions.   6. If you'll just take the trouble (**se donner la peine**), you can (future of **pouvoir**) learn these verbs. 7. Not that you are lazy (**paresseux**), of course.

Present Participle

To form the present participle, add **-ant** to the plural stem of the present tense (drop the ending **-ons** from the **nous** form). Irregular participles are **étant (être), ayant (avoir), sachant (savoir)**.

Pronounce the present participle of the following verbs:
Parler, donner, manger,[1] nager,[1] commencer,[1] aller.
Sortir, finir, lire, dire, écrire.
Descendre, prendre, connaître, craindre, faire.
Vouloir, devoir, savoir, boire, croire.

The *compound* participle is formed with **ayant** or **étant** $+$ a past participle; it expresses an action already completed:

> **ayant fait mes valises**
> *having packed my suitcases*

[1] How must these participles be spelled, in order to preserve the soft sound of the **g** and **c**?

étant descendu
having gone downstairs
m'étant regardé dans la glace
having looked at myself in the mirror

Present Participle Used Adverbially

1 Opening a sentence, the present participle often explains *why,* and is thus equivalent to a *causal* clause:

Ayant faim,
Puisque j'avais faim,
} j'ai cherché un restaurant.[1]

A compound participle may be used in the same way:

Ayant déjà remarqué plusieurs bons restaurants,
Puisque j'avais déjà remarqué plu-sieurs bons restaurants,
} je n'avais qu'à faire mon choix.

Ne l'ayant pas commandé,
Comme je ne l'avais pas commandé,
} j'ai refusé le vin qu'on m'a apporté.

Replace the following causal clauses with a present participle or a compound participle: 1. Puisque j'avais froid, j'ai fermé les fenêtres. 2. Comme je craignais d'être en retard, je me suis un peu dépêché. 3. Comme j'étais pressé, je ne m'y suis pas arrêté. 4. Puisque j'avais déjà mangé, je n'avais pas faim. 5. Comme je l'avais déjà lu, je n'ai pas acheté ce roman-là. 6. Comme je ne les avais jamais vus, je ne les reconnaissais pas. 7. Puisque je ne les connaissais pas, je ne leur ai pas parlé.

2 Preceded by **en** or **tout en,** the present participle may be equivalent to a *temporal* clause expressing simultaneous action:

J'ai rencontré Alice { en sortant du magasin.
{ comme je sortais du magasin.

---

[1] In this position, the participle may have a noun or (stressed) pronoun subject different from that of the main verb:

Ma femme étant malade,
Puisque ma femme était malade,
} je suis resté à la maison.

Lui étant parti en vacances,
Comme il était parti en vacances,
} j'ai fini le travail à moi seul (*all by myself*).

> **Tout en écoutant le concert,** }
> **Pendant que j'écoutais le concert,** } **j'ai fait mes leçons.**[1]

Replace the following temporal clauses with **en** *or* **tout en** + *the present participle:* 1. Comme je traversais la rue, j'ai manqué d'être (*I was nearly*) écrasé par un camion. 2. Comme je montais l'escalier, j'ai heurté un homme qui descendait en courant. 3. Vous pourrez écouter la radio pendant que vous faites la vaisselle. 4. Pendant que vous lisez ce poème, faites attention au style du poète. 5. Pendant que vous parcourez le Midi, ne manquez pas de (*don't fail to*) voir le pont d'Avignon.

A compound participle, used without **en** or **tout en,** may be equivalent to a temporal clause expressing action already completed:

> **Ayant fini mon dîner,** }
> **Quand j'avais fini mon dîner,** } **je suis sorti du restaurant.**
> **Après avoir fini mon dîner,** }

Replace the following temporal clauses with a compound participle: 1. Quand j'ai fait mes leçons, je sors d'habitude pour prendre quelque chose. 2. Le matin, après avoir pris une douche (*shower*) froide, j'ose enfin me regarder dans la glace. 3. Quand je me suis rasé, je m'habille aussi vite que possible. 4. Quand j'étais sorti dans la rue, j'ai cherché un taxi. 5. Après avoir vendu leur maison, il sont partis de la ville.

3 **Tout en** + the present participle is occasionally equivalent to a *concessive* clause:

> **Tout en étant riche,** }
> **Bien qu'il soit riche,** } **il n'est pas content.**

4 **En** + the present participle may also explain *how* something is done. (**Tout en** is not used in this sense.)

> **En me dépêchant un peu, je suis arrivé à l'heure.**
> *By hurrying a little, I arrived on time.*
> **Ce n'est qu'en lisant qu'on apprend à lire.**
> *It's only by reading that one learns to read.*

[1] For a subject different from that of the main verb, a clause is required:
> **Pendant que vous écoutiez le concert, j'ai fait mes leçons.**

Translate, using en + *the present participle:*   1. By taking the subway, you will get there more quickly.   2. If you hurry a bit, you will arrive on time.   3. In reading this novel, you will increase (**augmenter**) your vocabulary.   4. I learn the news by listening to the radio.   5. He succeeded only by working hard.

Present Participle Modifying a Noun

Many common adjectives are in reality present participles (**intéressant, charmant, amusant**). Any present participle may function as an adjective, agreeing with its noun:

> **une découverte surprenante**
> *a surprising discovery*
> **une soirée dansante**
> *a dancing party*
> **des films parlants**
> *"talkies,"* (as opposed to silent films)

In a participial *phrase,* the present participle is invariable. A participial phrase may modify either the subject or the object of a sentence, although a relative clause is more common when modifying an object:

Une vieille femme portant un gros paquet est montée dans le train.
An old woman carrying a large package got onto the train.
J'ai vu un vieux monsieur très distingué se promenant dans le parc.[1]
I saw a very distinguished old gentleman walking in the park.
Je les ai trouvés qui jouaient (jouant) dans la rue.
I found them playing in the street.
La voilà qui entre dans cette boutique.
There she is entering that store.

A sentence opening with a descriptive participial phrase is common in literary narration:

Ouvrant ses grands yeux bleus, la jeune fille m'a regardé avec étonnement.

[1] Compare the same participle used adverbially:

J'ai vu un vieux monsieur très distingué *en me promenant* dans le parc.
I saw a very distinguished old gentleman while I was walking in the park.

APPENDIXES

APPENDIX A: TABLES OF FORMS

1 Determiners

	MASCULINE SINGULAR	FEMININE SINGULAR	PLURAL
Specifying			
Demonstrative	ce (cet)[1]	cette	ces
Possessive			
of je	mon	ma (mon)	mes
of tu	ton	ta (ton)	tes
of il or elle	son	sa (son)	ses
of nous	notre	notre	nos
of vous	votre	votre	vos
of ils or elles	leur	leur	leurs
Definite article	le (l')	la (l')	les
Nonspecifying			
For nouns which have a plural	un	une	des, de[2]
For nouns which have no plural	du (de l')	de la (de l')	——
Generic	le (l')	la (l')	les

[1] Forms in parentheses are used before a vowel or mute **h**.
[2] De replaces des before an adjective.

217

2   *Pronouns Replacing an Object Noun-Group*

The following pronouns are included in the verb-group:

Replacing a direct object noun-group:

with specifying determiner	**le, la, les**
with nonspecifying determiner	**en**
with generic determiner	**le, la, les**

Replacing à + *object noun-group*   persons: **lui, leur**[1]
                                             things: **y**

Replacing de + *object noun-group*   things: **en**[2]

3   *Order of Object Pronouns in the Verb-Group*

Before the verb:

me								
te		**le**		**lui**				
nous	precede	**la**	precede		precede	**y**	precedes	**en**
vous		**les**		**leur**				
se								

After the verb (in affirmative imperative):

		moi[3]				
le		**toi**[3]				
la	precede	**nous**	precede	**y**	precedes	**en**
les		**vous**				
		lui				
		leur				

4   *Stressed Pronoun Forms*

The following pronoun forms stand apart from the verb-group:

	SINGULAR	PLURAL
first person	**moi**	**nous**
second person	**toi** (familiar)	**vous**
	vous (polite)	

[1] Retain à and use a stressed pronoun form for persons after the verbs listed in Chapter 12, Explication 5c.
[2] For persons, retain **de** and use a stressed pronoun form.
[3] Replaced by **m'** and **t'** before **y** or **en**:

> **Donnez-m'en.** *Give me some.*
> **Va-t'en.** *Go away* (to a person addressed by **tu**).
> **Accompagnez-m'y.** *Go there with me.*

third person
   masculine   **lui**   **eux**
   feminine   **elle**   **elles**
   indefinite (relating to **on**)   **soi**

5 *Relative and Interrogative Pronouns*

SUBJECT	DIRECT OBJECT	OBJECT OF VERB REQUIRING:		OBJECT OF PREPOSITION, SUCH AS **avec**
		de	**à**	

a. Introducing a relative clause:

| **qui** | **que** | **dont** | persons:
à qui
things:
auquel
à laquelle
auxquels
auxquelles | persons:
avec qui
things:
avec lequel
avec laquelle
avec lesquels
avec lesquelles |

b. Introducing a relative clause after neuter **ce:**

| **ce qui** | **ce que** | **ce dont** | **ce à quoi** | **ce avec quoi** |

c. Introducing the subordinate clause of an indirect question:

persons:

| **qui** | **qui** | **de qui** | **à qui** | **avec qui** |

things:

| **ce qui** | **ce que** | **de quoi** | **à quoi** | **avec quoi** |

d. Opening a direct question:

persons:

| **qui** | **qui** | **de qui** | **à qui** | **avec qui** |

things:

| **qu'est-ce qui** | **que** | **de quoi** | **à quoi** | **avec quoi** |

6 *Possessive Pronouns*

le mien	la mienne	les miens	les miennes	*mine*
le tien	la tienne	les tiens	les tiennes	*yours*
le sien	la sienne	les siens	les siennes	*his* or *hers*
le nôtre	la nôtre	les nôtres	les nôtres	*ours*
le vôtre	la vôtre	les vôtres	les vôtres	*yours*
le leur	la leur	les leurs	les leurs	*theirs*

APPENDIX B: THIRD-PERSON SUBJECT PRONOUNS

1 *Gender Forms* (*used to replace a* noun)

il, elle, ils, elles

> Que pensez-vous de mon chapeau?
> —Il est très chic, il vous va à merveille.
> Aimez-vous les jardins au printemps?
> —Oui, ils sont si beaux.
> Elles m'ennuient, mes deux vieilles tantes.

Observe, however, this emphatic form of generalization current in present-day speech:

> C'est beau, les jardins au printemps.
> Ça m'ennuie, les vieilles filles (*old maids*).

There is a growing tendency in spoken French to use **ce** and **ça** for *things,* even when referring to a specific item:

> C'est chic, ce chapeau-là.
> Ça vous plaît, le concert?

2 *Neuter Forms* (*used to replace an element other than a noun— an infinitive, a clause, a whole statement*)

a. **Ce,** as subject of **être** + adjective:

> Pouvez-vous m'accompagner? —C'est impossible.
> C'est amusant, ce qu'il a dit.
> Comme le monde est petit! —C'est vrai.

220

Use neuter **il** when the adjective is followed by **de** $+$ infinitive or by a **que** clause:

> **Il sera impossible de faire cela.**
> **Il est vrai que le monde est petit.**

Ce is frequently heard, however, in both these constructions:

> **C'est impossible de tout savoir.**
> **C'était clair qu'elle avait oublié notre rendez-vous.**

Ce may be considered careless usage before such adjectives, but it is now accepted before an adjective expressing emotional reaction:

> **C'est triste de perdre un ami.**
> **C'est étonnant que vous n'ayez jamais été en France.**
> **Ce serait amusant de faire un pique-nique demain.**

b. **Ce,** as subject of **être** $+$ noun:

> **C'est mon père. Ce doit être Marie. Ce sont vos parents.**
> **C'est une honneur. C'est la guerre.**
> **Est-ce mardi? C'est le matin. C'était le printemps.**

Neuter **il** is still used in expressions of time (although **ce** is frequently heard):

> **Quelle heure est-il? Il est (c'est) trois heures.**
> **Il est midi. Il est minuit.**

and in such set phrases as:

> **il est temps de** *it is time to*
> **il est question de** *it is a question of*

C'est $+$ a *modified* noun requires **que de**[1] before an infinitive:

> **C'est un vrai plaisir que de vous voir.**
> but **C'est plaisir de vous revoir.**
> **C'est dommage de partir si tôt.**

c. **Ce,** as subject of **être** $+$ a pronoun or adverb:

> **Ce n'est pas moi. Ce pourrait être lui. Ce sont eux.**
> **C'est celui-là. C'est le mien.**
> **C'est trop. Ce n'était pas assez. Ce sera demain.**

---

[1] This is *explanatory* **que. De** normally follows **que** before an infinitive, for example in a comparison:

> **J'aimerais mieux sortir dans la pluie que de rester ici.**
> *I'd rather go out in the rain than stay here.*

d. Ça, as subject of verbs other than **être:**

> **Vous m'y accompagnerez? —Ça se peut.**
> **Ça m'amuse, ce qu'il a dit.**
> **Elle restera ici? Ça vaut mieux, je crois.**
> **Je le ferai bien, mais ça prendra du temps.**

Ça also when the verb is followed by **de** + infinitive or by a **que** clause:

> **Ça m'intrigue de voir un artiste au travail.**
> **Ça m'ennuie qu'elle parle toujours de ses chapeaux.**

Use neuter **il** with the commonest impersonal verbs when followed by **de** + infinitive or by a **que** clause; for example:

> **Il vaudrait mieux qu'elle reste à la maison.**
> **Il se peut qu'il neige bientôt.**
> **Il me semble qu'il fait encore plus froid.**
> **Il ne convient pas de s'habiller comme cela.**
> **Il importe de tout lire avant de signer.**

Use neuter **il** with verbs that are *only* impersonal, such as **il faut** or **il s'agit de,** and in all expressions of the weather:

> **Il fait mauvais. Il fait du vent. Il se fait nuit.**
> **Il gèle. Il a cessé de pleuvoir. Il va commencer à neiger.**

e. Neuter **il,** when the logical subject is placed after the verb:

Il me faut un peu d'argent.
I need a little money. (The only construction possible with **falloir** in this sense)
Il ne me reste que quelques francs.
I have only a few francs left.
Il reste en Bretagne pas mal de vieillards qui parlent breton.
There remain in Brittany quite a few old people who speak Breton.
Il se trouve là de grands bâtiments mystérieux.
Il est entré dans la salle à ce moment une vieille dame qui ressemblait étrangement à ma tante Léonie. (The logical subject is placed after the verb in order to keep for the last the point of greatest interest)

APPENDIX C: VERB TABLES

See **finir** for verbs in -**ir** not listed separately.
See **vendre** for verbs in -**dre** not listed separately.

Full endings for the future tense are:

je	-ai		nous	-ons
tu	-as		vous	-ez
il	-a		ils	-ont

Full endings for the imperfect and conditional are:

je	-ais		nous	-ions
tu	-ais		vous	-iez
il	-ait		ils	-aient

Infinitives, past participles, stems, and irregular forms appear in bold type.

acquérir

Pres. j'**acquiers**, tu acquiers, il acquiert, ils acquièrent,
nous **acquér**ons, vous acquérez
Subj. j'**acquièr**e, nous **acquér**ions
Fut. j'**acquerr**ai   *Condit.* j'**acquerr**ais

aller   **all-**

Fut.   *Pres.*   je **vais**   nous allons
j'**ir**ai   tu **vas**[1]   vous allez
Condit.   il **va**
j'**ir**ais   ils **vont**

[1] Familiar imperative: **va**, except when followed by **y: Vas-y** *Go there.*

aill-

	Subj.	j'aille	nous allions
Passé comp.		tu ailles	vous alliez
je suis **allé**		il aille	
Passé simp.		ils aillent	
il alla			*Imperf.* j'allais
ils allèrent[1]			*Pres. part.* allant

s'en aller, *like* aller
Pres.   je m'en vais, tu t'en vas, il s'en va,
          nous nous en allons, vous vous en allez, ils s'en vont
Passé comp.   je m'en suis allé

s'apercevoir, *like* recevoir
Pres.   je m'aperçois, tu t'aperçois, il s'aperçoit, ils s'aperçoivent,
          nous nous apercevons, vous vous apercevez
Passé comp.   je me suis aperçu

s'asseoir   assie-   assey-
Fut.	*Pres.*	je m'assieds	nous nous asseyons
je m'**assiérai**[2]		tu t'assieds	vous vous asseyez
Condit.		il s'assied	ils s'asseyent
je m'assiérais		**assey-**	
assis	*Subj.*	je m'asseye	nous nous asseyions
Passé comp.		tu t'asseyes	vous vous asseyiez
je me suis assis		il s'asseye	ils s'asseyent
Passé simp.			
il s'assit			*Imperf.* je m'asseyais
ils s'assirent			*Pres. part.* (s')asseyant

atteindre, *like* craindre
Pres.   j'att**ein**s, tu atteins, il atteint, nous att**eign**ons, vous atteignez,
          ils atteignent
Passé comp.   j'ai att**eint**

avoir   av-
Fut.	*Pres.*	j'**ai**	nous avons
j'**aur**ai		tu **as**	vous avez
Condit.		il **a**	
j'aurais		ils **ont**	*Imperf.* j'avais

[1] Regular passé simple for **-er** (Type I) verbs.
[2] Alternatively, **je m'asseoirai** or **je m'assoirai**.

eu	**ai-**	**ay-**
Passé comp.	*Subj.* j'aie	nous ayons
j'ai eu	tu aies	vous ayez
Passé simp.	il **ait**	
il eut	ils aient	
ils eurent		

Imperative **aie** (familiar)   **ayons**

                                                 ayez

                       Pres. part.   **ayant**

battre, *like* vendre, *but with* **t** *in present tense and stem*
Pres.   je **bats,** tu **bats,** il **bat,**
          nous **battons,** vous **battez,** ils **battent**
Passé comp.   j'ai **battu**

boire	**boi-**	**buv-**
Fut.	*Pres.* je bois	nous buvons
je boirai	tu bois	vous buvez
Condit.	il boit	
je boirais	**boiv-**	
bu	ils boivent	
Passé comp.		
j'ai bu	*Subj.* je boive	nous buvions
Passé simp.	tu boives	vous buviez
il but	il boive	
ils burent	ils boivent	

                       Imperf.   je buvais
                       Pres. part.   buvant

conduire	**-dui-**	**-duis-**
Fut.	*Pres.* je conduis	nous conduisons
je conduirai	tu conduis	vous conduisez
Condit.	il conduit	ils conduisent
je conduirais	**-duis-**	
conduit	*Subj.* je conduise	nous conduisions
Passé comp.	tu conduises	vous conduisiez
j'ai conduit	il conduise	ils conduisent
Passé simp.		
il conduisit	*Imperf.* je conduisais	
ils conduisirent	*Pres. part.* conduisant	

connaître   **-nai-**   **-naiss-**

Fut.	*Pres.* je connais	nous connaissons
je connaîtrai	tu connais	vous connaissez
Condit.	il connaît	ils connaissent
je connaîtrais	**-naiss-**	
connu	*Subj.* je connaisse	nous connaissions
Passé comp.	tu connaisses	vous connaissiez
j'ai connu	il connaisse	ils connaissent
Passé simp.		
il connut	*Imperf.*	je connaissais
ils connurent	*Pres. part.*	connaissant

construire, *like* **conduire**
Pres.   je construis, tu construis, il construit,
          nous construisons, vous construisez, ils construisent
Passé comp.   j'ai construit

coudre   **cou-**   **cous-**

Fut.	*Pres.* je couds	nous cousons
je coudrai	tu couds	vous cousez
Condit.	il coud	ils cousent
je coudrais	**cous-**	
cousu	*Subj.* je couse	nous cousions
Passé comp.	tu couses	vous cousiez
j'ai cousu	il couse	ils cousent
Passé simp.		
il cousit	*Imperf.*	je cousais
ils cousirent	*Pres. part.*	cousant

courir   **cour-**   **cour-**

Fut.	*Pres.* je cours	nous courons
je courrai	tu cours	vous courez
Condit.	il court	ils courent
je courrais		
couru	*Subj.* je coure	nous courions
Passé comp.	tu coures	vous couriez
j'ai couru	il coure	ils courent
Passé simp.		
il courut	*Imperf.*	je courais
ils coururent	*Pres. part.*	courant

couvrir, *like* ouvrir
Pres.   je couvre, tu couvres, il couvre,
          nous couvrons, vous couvrez, ils couvrent
Passé comp.   j'ai couvert

craindre	**crain-** [krɛ̃ *nasal*]		**craign-**
Fut.	*Pres.*	je crains	nous craignons
je craindrai		tu crains	vous craignez
Condit.		il craint	ils craignent
je craindrais	**craign-**		
craint	*Subj.*	je craigne	nous craignions
Passé comp.		tu craignes	vous craigniez
j'ai craint		il craigne	ils craignent
Passé simp.			
il craignit		*Imperf.*	je craignais
ils craignirent		*Pres. part.*	craignant

croire	**croi-**		**croy-**
Fut.	*Pres.*	je crois	nous croyons
je croirai		tu crois	vous croyez
Condit.		il croit	
je croirais		ils croient	
cru	*Subj.*	je croie	nous croyions
Passé comp.		tu croies	vous croyiez
j'ai cru		il croie	
Passé simp.		ils croient	
il crut		*Imperf.*	je croyais
ils crurent		*Pres. part.*	croyant

cuire, *like* conduire

Pres.   je **cuis,** tu **cuis,** il **cuit,**
          nous **cuisons,** vous cuisez, ils cuisent
Passé comp.   j'ai **cuit**

devoir	**doi-**		**dev-**
Fut.	*Pres.*	je dois	nous devons
je **devr**ai		tu dois	vous devez
Condit.		il doit	
je devrais	**doiv-**		
		ils doivent	

dû	*Subj.*	je doive	nous devions
Passé comp.		tu doives	vous deviez
j'ai dû		il doive	
Passé simp.		ils doivent	
il dut		*Imperf.*	je devais
ils durent		*Pres. part.*	devant

dire		**di-**	**dis-**
Fut.	*Pres.*	je dis	nous disons
je dirai		tu dis	vous **dites**
Condit.		il dit	ils disent
je dirais		**dis-**	
dit	*Subj.*	je dise	nous disions
Passé comp.		tu dises	vous disiez
j'ai dit		il dise	ils disent
Passé simp.			
il dit		*Imperf.*	je disais
ils dirent		*Pres. part.*	disant

dormir, *like* partir
Pres.   je **dors,** tu **dors,** il **dort,**
        nous **dorm**ons, vous dormez, ils dorment
Passé comp.   j'ai **dormi**

écrire		**écri-**	**écriv-**
Fut.	*Pres.*	j'écris	nous écrivons
j'écrirai		tu écris	vous écrivez
Condit.		il écrit	ils écrivent
j'écrirais		**écriv-**	
écrit	*Subj.*	j'écrive	nous écrivions
Passé comp.		tu écrives	vous écriviez
j'ai écrit		il écrive	ils écrivent
Passé simp.			
il écrivit		*Imperf.*	j'écrivais
ils écrivirent		*Pres. part.*	écrivant

envoyer
Fut.   j'**enverr**ai   *Condit.* j'enverrais
Otherwise a regular **-er** (Type I) verb

éteindre, *like* **craindre**
Pres. j'eteins, tu éteins, il éteint,
nous **éteignons,** vous éteignez, ils éteignent
Passé comp. j'ai **éteint**

être

Fut.	*Pres.*	je **suis**	nous **sommes**
je **ser**ai		tu **es**	vous **êtes**
Condit.		il **est**	ils **sont**
je **ser**ais		**ét-**	
	Imperf.	j'**étais**	
été	*Pres. part.*	**étant**	
Passé comp.		**soi-**	**soy-**
j'ai **été**	*Subj.*	je **sois**	nous **soyons**
Passé simp.		tu **sois**	vous **soyez**
il **fut**		il **soit**	
ils **furent**		ils **soient**	

Imperative **sois** (*familiar*)	**soyons**
	soyez

faire   **fai-**   **fais-** [fəz]

Fut.	*Pres.*	je **fais**	nous **faisons**
je **fer**ai		tu **fais**	vous **faites**
Condit.		il **fait**	ils **font**
je **fer**ais			
fait		*Imperf.*	je **faisais**
Passé comp.		*Pres. part.*	**faisant**
j'ai **fait**		**fass-**	
Passé simp.	*Subj.*	je **fasse**	nous **fassions**
il **fit**		tu **fasses**	vous **fassiez**
ils **firent**		il **fasse**	ils **fassent**

falloir (*impersonal*)   **fallu**

Fut.	*Pres.*	il **faut**	*Passé comp.*	il a **fallu**
il **faudr**a	*Imperf.*	il **fallait**	*Passé simp.*	il **fallut**
Condit.	*Subj.*	il **faille**		
il **faudr**ait				

finir   **-i-**   **-iss-**

Fut.	*Pres.*	je finis	nous finissons
je finirai		tu finis	vous finissez
Condit.		il finit	ils finissent
je finirais		**-iss-**	
fini	*Subj.*	je finisse	nous finissions
Passé comp.		tu finisses	vous finissiez
j'ai fini		il finisse	ils finissent
Passé simp.			
il finit		*Imperf.*	je finissais
ils finirent		*Pres. part.*	finissant

s'inscrire, *like* écrire
Pres.   je m'**inscris,** tu t'**inscris,** il s'**inscrit,**
         nous nous **inscrivons,** vous vous inscrivez, ils s'**inscrivent**
Passé comp.   je me suis **inscrit**

lire   **li-**   **lis-**

Fut.	*Pres.*	je lis	nous lisons
je lirai		tu lis	vous lisez
Condit.		il lit	ils lisent
je lirais		**lis-**	
lu	*Subj.*	je lise	nous lisions
Passé comp.		tu lises	vous lisiez
j'ai lu		il lise	ils lisent
Passé simp.			
il lut		*Imperf.*	je lisais
ils lurent		*Pres. part.*	lisant

mentir, *like* partir
Pres.   je **mens,** tu mens, il ment,
         nous **men**tons, vous mentez, ils mentent
Passé comp.   j'ai **menti**

mettre   **me-**   **mett-**

Fut.	*Pres.*	je mets	nous mettons
je mettrai		tu mets	vous mettez
Condit.		il met	ils mettent
je mettrais			

mis		**mett-**	
Passé comp.	*Subj.*	je mette	nous mettions
j'ai mis		tu mettes	vous mettiez
Passé simp.		il mette	ils mettent
il mit			
ils mirent		*Imperf.*	je mettais
		Pres. part.	mettant

mordre, *like* vendre
Pres. je **mord**s, tu mords, il mord,
  nous **mord**ons, vous mordez, ils mordent
Passé comp. j'ai **mordu**

mourir		**meur-**		**mour-**
Fut.	*Pres.*	je meurs		nous mourons
je **mourr**ai		tu meurs		vous mourez
Condit.		il meurt		
je **mourr**ais		ils meurent		
mort				
Passé comp.	*Subj.*	je meure		nous mourions
je suis mort		tu meures		vous mouriez
Passé simp.		il meure		
il mourut		ils meurent		
ils moururent			*Imperf.*	je mourais
			Pres. part.	mourant

naître		**nai-**		**naiss-**
Fut.	*Pres.*	je nais		nous naissons
je **naîtr**ai		tu nais		vous naissez
Condit.		il naît		ils naissent
je **naîtr**ais		**naiss-**		
né	*Subj.*	je naisse		nous naissions
Passé comp.		tu naisses		vous naissiez
je suis né		il naisse		ils naissent
Passé simp.				
il **naquit**			*Imperf.*	je naissais
ils naquirent			*Pres. part.*	naissant

offrir, *like* ouvrir
Pres. j'**offre**, tu offres, il offre,
  nous **offr**ons, vous offrez, ils offrent
Passé comp. j'ai **offert**

ouvrir		**ouvr-**		**ouvr-**
Fut.	*Pres.*	j'**ouvre**		nous ouvrons
j'ouvrirai		tu ouvres		vous ouvrez
Condit.		il ouvre		ils ouvrent
j'ouvrirais				
ouvert	*Subj.*	j'ouvre		nous ouvrions
Passé comp.		tu ouvres		vous ouvriez
j'ai ouvert		il ouvre		ils ouvrent
Passé simp.				
il ouvrit			*Imperf.*	j'ouvrais
ils ouvrirent			*Pres. part.*	ouvrant

paraître, *like* connaître
Pres.   je **parais,** tu parais, il paraît,
nous **paraissons,** vous paraissez, ils paraissent
Passé comp.   j'ai **paru**

parcourir, *see* courir

partir		**par-**		**part-**
Fut.	*Pres.*	je **pars**		nous partons
je partirai		tu pars		vous partez
Condit.		il part		ils partent
je partirais				**part-**
parti	*Subj.*	je parte		nous partions
Passé comp.		tu partes		vous partiez
je suis parti		il parte		ils partent
Passé simp.				
il partit			*Imperf.*	je partais
ils partirent			*Pres. part.*	partant

parvenir, *see* venir

peindre, *like* craindre
Pres.   je **peins,** tu peins, il peint,
nous **peign**ons, vous peignez, ils peignent
Passé comp.   j'ai **peint**

perdre, *like* vendre
Pres.   je **perd**s, tu perds, il perd,
nous **perd**ons, vous perdez, ils perdent
Passé comp.   j'ai **perdu**

permettre, *see* mettre

plaindre, *like* craindre
Pres.   je **plains,** tu plains, il plaint,
            nous **plaign**ons, vous plaignez, ils plaignent
Passé comp.   j'ai **plaint**

plaire	**plai-**		**plais-**
Fut.	*Pres.*	je plais	nous plaisons
je plairai		tu plais	vous plaisez
Condit.		il plaît[1]	ils plaisent
je plairais		**plais-**	
plu	*Subj.*	je plaise	nous plaisions
Passé comp.		tu plaises	vous plaisiez
j'ai plu		il plaise	ils plaisent
Passé simp.			
il plut		*Imperf.*	je plaisais
ils plurent		*Pres. part.*	plaisant

pleuvoir (*impersonal*)   **plu**

Fut.	*Pres.*	il pleut	*Passé comp.*	il a plu
il **pleuvra**	*Imperf.*	il pleuvait	*Passé simp.*	il plut
Condit.	*Subj.*	il pleuve		
il pleuvrait	*Pres. part.*	pleuvant		

pouvoir	**peu-**		**pouv-**
Fut.	*Pres.*	je peux[2]	nous pouvons
je **pourr**ai		tu peux	vous pouvez
Condit.		il peut	
je pourrais		**peuv-**	
pu		ils peuvent	
Passé comp.			*Imperf.*	je pouvais
j'ai pu			*Pres. part.*	pouvant
Passé simp.		**puiss-**	
il put	*Subj.*	je puisse	nous puissions
ils purent		tu puisses	vous puissiez
		il puisse	ils puissent

[1] Note circumflex accent.   [2] Interrogative: **puis-je?**

prendre   **pren-** [prɑ̃ *nasal*]   **pren-** [prən]
Fut.   *Pres.*   je prends   nous prenons
je prendrai   tu prends   vous prenez
Condit.   il prend
je prendrais   **prenn-** [prɛn]
     pris   ils prennent
Passé comp.
j'ai pris   *Subj.*   je prenne   nous prenions
Passé simp.   tu prennes   vous preniez
  il prit   il prenne
  ils prirent   ils prennent

                                             Imperf.   je prenais
                                             Pres. part.   prenant

recevoir   **reçoi-**   **recev-**
Fut.   *Pres.*   je reçois   nous recevons
je recevrai   tu reçois   vous recevez
Condit.   il reçoit
je recevrais   **reçoiv-**
     reçu   ils reçoivent
Passé comp.
j'ai reçu   *Subj.*   je reçoive   nous recevions
Passé simp.   tu reçoives   vous receviez
  il reçut   il reçoive
  ils reçurent   ils reçoivent

                                             Imperf.   je recevais
                                             Pres. part.   recevant

rejoindre, *like* craindre
Pres.   **je rejoin**s, tu rejoins, il rejoint,
          nous **rejoign**ons, vous rejoignez, ils rejoignent
Passé comp.   j'ai re**joint**

(se) repentir, *like* sentir

répondre, *like* vendre
Pres.   je **répond**s, tu réponds, il répond,
          nous **répond**ons, vous répondez, ils répondent
Passé comp.   j'ai **répondu**

rire		**ri-**		**ri-**
Fut.	*Pres.*	je ris		nous rions
je rirai		tu ris		vous riez
Condit.		il rit		ils rient
je rirais	*Subj.*	je rie		nous riions
ri		tu ries		vous riiez
Passé comp.		il rie		ils rient
j'ai ri				
Passé simp.			*Imperf.*	je riais
il rit			*Pres. part.*	riant
ils rirent				

rompre, *like* vendre, *but with* **p** *in present tense and stem*
Pres.   je **rom**ps, tu rom**p**s, il rom**p**t,
         nous rom**p**ons, vous rom**p**ez, ils rom**p**ent
Passé comp.   j'ai **rompu**

satisfaire, *see* **faire**

savoir		**sai-**		**sav-**
Fut.	*Pres.*	je sais		nous savons
je **saurai**		tu sais		vous savez
Condit.		il sait		ils savent
je **saurais**			*Imperf.*	je savais
su		**sach-**		
Passé comp.	*Sup.*	je sache		nous sachions
j'ai **su**		tu saches		vous sachiez
Passé simp.		il sache		ils sachent
il sut	*Imperative*	**sache**		sachons
ils surent				sachez
		Pres. part.		sachant

sentir, *like* **partir**
Pres.   je **sen**s, tu sens, il sent,
         nous **sen**tons, vous sentez, ils sentent
Passé comp.   j'ai **senti**

servir, *like* **partir**
Pres.   je **ser**s, tu sers, il sert,
         nous **ser**vons, vous servez, ils servent
Passé comp.   j'ai **servi**

sortir, *like* partir
Pres.   je **sors**, tu sors, il sort,
       nous **sort**ons, vous sortez, ils sortent
Passé comp.   je suis **sorti**

souffrir, *like* ouvrir
Pres.   je **souffre**, tu souffres, il souffre,
       nous souffrons, vous souffrez, ils souffrent
Passé comp.   j'ai **souffert**

se souvenir, *like* venir
Pres.   je me sou**viens**, tu te souviens, il se souvient, ils se sou**vienn**ent,
       nous nous souvenons, vous vous souvenez
Passé comp.   je me suis sou**venu**

suivre		**sui-**		**suiv-**
Fut.	*Pres.*	je suis		nous suivons
je suivrai		tu suis		vous suivez
Condit.		il suit		ils suivent
je suivrais		**suiv-**		
suivi	*Subj.*	je suive		nous suivions
Passé comp.		tu suives		vous suiviez
j'ai suivi		il suive		ils suivent
Passé simp.				
il suivit			*Imperf.*	je suivais
ils suivirent			*Pres. part.*	suivant

se taire, *like* plaire, *but no circumflex accent*
Pres.   je me **tais**, tu te tais, il se tait,
       nous nous **tais**ons, vous vous taisez, ils se taisent
Passé comp.   je me suis **tu**

tenir, *like* venir
Pres.   je **tiens**, tu tiens, il tient, ils **tienn**ent,
       nous **ten**ons, vous tenez
Passé comp.   j'ai **tenu**

traduire, *like* conduire
Pres.   je tra**duis**, tu traduis, il traduit,
       nous tra**duis**ons, vous traduisez, ils traduisent
Passé comp.   j'ai tra**duit**

valoir	**vau-**	**val-**
Fut.	*Pres.* je vaux	nous valons
je **vaudr**ai	tu vaux	vous valez
Condit.	il vaut	ils valent
je **vaudr**ais	**vaill-**	
valu	*Subj.* je vaille	nous valions
Passé comp.	tu vailles	vous valiez
j'ai valu	il vaille	
Passé simp.	ils vaillent	
il valut		*Imperf.* je valais
ils valurent		*Pres. part.* valant

vendre	**ven-** [vã *nasal*]	**vend-**
Fut.	*Pres.* je vends	nous vendons
je **vendr**ai	tu vends	vous vendez
Condit.	il vend	ils vendent
je **vendr**ais	**vend-**	
vendu	*Subj.* je vende	nous vendions
Passé comp.	tu vendes	vous vendiez
j'ai vendu	il vende	ils vendent
Passé simp.		
il vendit		*Imperf.* je vendais
ils vendirent		*Pres. part.* vendant

venir	**vien-** [vjɛ̃ *nasal*]	**ven-** [vən]
Fut.	*Pres.* je viens	nous venons
je **viendr**ai	tu viens	vous venez
Condit.	il vient	
je **viendr**ais	**vienn-**	
venu	ils viennent	
Passé comp.		
je suis venu		
Passé simp.	*Subj.* je vienne	nous venions
il **vint**	tu viennes	vous veniez
ils vinrent	il vienne	
	ils viennent	
		Imperf. je venais
		Pres. part. venant

vivre   **vi-**   **viv-**
Fut.   *Pres.* je vis   nous vivons
je vivrai   tu vis   vous vivez
Condit.   il vit   ils vivent
je vivrais   **viv-**
  vécu   *Subj.* je vive   nous vivions
Passé comp.   tu vives   vous viviez
j'ai vécu   il vive   ils vivent
Passé simp.
  il vécut   *Imperf.*   je vivais
ils vécurent   *Pres. part.*   vivant

voir[1]   **voi-**   **voy-**
Fut.   *Pres.* je vois   nous voyons
je **ver**rai   tu vois   vous voyez
Condit.   il voit
je **ver**rais   ils voient
  vu   *Subj.* je voie   nous voyions
Passé comp.   tu voies   vous voyiez
j'ai vu   il voie
Passé simp.   ils voient
  il **vit**   *Imperf.*   je voyais
ils **vir**ent   *Pres. part.*   voyant

vouloir   **veu-**   **voul-**
Fut.   *Pres.* je veux   nous voulons
je **voud**rai   tu veux   vous voulez
Condit.   il veut
je **voud**rais   **veul-**
  voulu   ils veulent
Passé comp.   **veuill-**
j'ai voulu   *Subj.* je veuille   nous voulions
Passé simp.   tu veuilles   vous vouliez
  il voulut   il veuille
ils voulurent   ils veuillent

                                       Imperf.   je voulais
                                       Pres. part.   voulant
        Imperative   **veuillez**

---

[1] Like **croire,** except for future stem and passé simple.

APPENDIX D: LITERARY PAST TENSES

The following past tenses are used in formal, literary style exactly as they are in conversation:

the imperfect,
the pluperfect (but see 2, below),
the **passé composé** (but only when translated literally by *have* or *has* + a participle).

The following tenses are used *only* in formal, literary style. In present-day usage, they are restricted almost entirely to the third person:

1 The **passé simple.** This is the normal narrative tense, at least for the third person, in books and formal discourse. Its conversational equivalent is the **passé composé**, reporting *what happened:*

La guerre éclata (= a éclaté) en 1939.
En 1940, les Nazis envahirent (= ont envahi) la France.
L'armée française ne put pas (= n'a pas pu) les arrêter.
Le maréchal Pétain se rendit (= s'est rendu) à Hitler.

Endings for the **passé simple** are:

THIRD PERSON	TYPE I	TYPE II	
singular	-a	-it	or -ut
plural	-èrent	-irent	or -urent

Exceptions: **venir: il vint, ils vinrent**
tenir: il tint, ils tinrent

You will ordinarily recognize the **passé simple** of any verb if you know

239

its past participle. Forms which do not resemble the past participle appear in boldface type in the verb tables.

2 The **passé antérieur**. This is a compound tense, formed with the **passé simple** of **avoir** or **être** + a past participle. It replaces the pluperfect for an action completed *immediately* before a verb in the **passé simple**:

> Quand
> Dès qu' } il *eut fini* son travail, il partit.
> Aussitôt qu'

When (= just as soon as) he had finished his work, he left.

3 The *imperfect subjunctive*. Formerly required whenever the subjunctive followed a main verb in a past tense:

> **Je doute qu'elle soit malade.**
> **Je doutais qu'elle *fût* malade.**

Compare the imperfect indicative:

> **Je crois qu'elle est malade.**
> **Je croyais qu'elle était malade.**

The imperfect subjunctive is no longer used in conversation, and is avoided even in formal style except for occasional use in the third person. It is now normally replaced by the simple (present) subjunctive, without regard to the sequence of tenses:

> **Je doutais qu'elle soit malade.**

The imperfect subjunctive derives regularly from the **passé simple**. Endings are:

THIRD PERSON	TYPE I	TYPE II
singular	-ât	-ît or -ût
plural	-assent	-issent or -ussent

Exceptions: **venir: il vînt, ils vinssent**
tenir: il tînt, ils tinssent

4 The *pluperfect subjunctive*. Compound of the imperfect subjunctive, used (with the same reservations) for an action already completed following a main verb in a past tense:

> **Je doute qu'il ait fait cela.**
> **Je doutais qu'il *eût fait* cela.**

Compare the pluperfect indicative:

> **Je sais qu'il a fait cela.**
> **Je savais qu'il avait fait cela.**

To avoid the pluperfect subjunctive, it is now acceptable to say:

> **Je doutais qu'il ait fait cela.**

In literary style of the classical period, the pluperfect subjunctive often replaced the pluperfect indicative in a si clause. Pascal affords the most famous example:

Qui voudra connaître à plein la vanité de l'homme n'a qu'à considérer les causes et les effets de l'amour. . . . Le nez de Cléopâtre: s'il *eût été* (= s'il avait été) plus court, toute la face du monde aurait changé.

The result clause of such a condition could also be expressed in the pluperfect subjunctive; Pascal might have written:

> **s'il eût été plus court, toute la face du monde *eût changé*.**

In literary style, you will occasionally still find such sentences as:

> **Si Napoléon eût hésité, il eût perdu la bataille.**
> **(= Si Napoléon avait hésité, il aurait perdu la bataille.)**

VOCABULARIES

ABBREVIATIONS

adj.	adjective	*intrans.*	intransitive verb
adv.	adverb	*m.*	masculine
bef.	before	*part.*	participle
condit.	conditional	*pl.*	plural
conj.	conjugated	*prep.*	preposition
det.	determiner	*pres.*	present
dir. obj.	direct object	*pron.*	pronoun
exc.	except	*qqn*	quelqu'un
f.	feminine	*qqch*	quelque chose
fut.	future	*sing.*	singular
impers.	impersonal verb	*s.o.*	someone
indir. obj.	indirect object	*s.t.*	something
inf.	infinitive	*subj.*	subjunctive
interj.	interjection	*vb.*	verb

FRENCH-ENGLISH

This vocabulary does not list recognizable cognates, except if some special meaning is involved. A dash stands for the key word.

Verbs listed in the verb tables (Appendix C) are marked with an asterisk.

Verbs requiring à + *noun* take an indirect object pronoun, except where à + pronoun is indicated.

Pronouns and determiners listed in Appendix A are omitted.

Feminine and plural forms of adjectives are given when irregular.

s'abonner à to subscribe to
d'abord first, at first
s'absenter de to be absent from, stay out of
abusé deceived, deluded, abused
accompagner to accompany, go with
accomplir to accomplish (*conj. like* finir)
accord *m.* agreement; **être d'— avec qqn** to agree with s.o.; **être d'— pour qu'on fasse qqch** to agree to s.o.'s doing s.t.
acheter to buy (j'achète); **— qqch à qqn** buy s.t. for *or* from s.o.
achever to complete, finish (j'achève); **— de** + *inf.* to finish doing s.t.
acquérir* to acquire
actif, active active
addition *f.* check (*at restaurant*)

adieu farewell; **faire les —x** to say farewell
admirer to admire
affaires *f. pl.* affairs, business
affligé grieved
affreux, affreuse frightful
afin de + *inf.* in order to
afin que + *subj.* in order that
agaçant annoying, irritating
agacer qqn to get on s.o.'s nerves; to irritate
âgé old
agent (de police) policeman
agir to act (*conj. like* finir); **il s'agit de** it's a question of
aide *f.* help, assistance
aider to help, assist; **— qqn à** + *inf.* to help s.o. to
aimer to like, love; **— bien** to like;

245

— + *inf.*, — à + *inf.* to like to;
— mieux to prefer; — mieux + *inf.*
to prefer to; — qu'on fasse qqch to
like s.o. to do s.t.
ainsi   that way, thus
aise: à l'—   at ease
air *m.*   aria, tune
ajouter   to add; — à to add to
allemand   German
aller°   to go; — à qqn (à + *pron.*) to
go to s.o.; — à qqn (lui, leur) to be
becoming to, look good on s.o.;
— **bien** to be well (**Comment allez-
vous?** How are you?); — + *inf.* to
be going to; **s'en** — to go away,
leave, get out
allumer   to light, light up
allumette *f.*   match
alors *adv.*   then (*at that time*); *interj.*
so, then, well
amener qqn   to take, bring s.o.
(**j'amène**)
ami, amie   friend
amusant   amusing, fun (*adj.*)
amuser   to amuse; **s'**— (bien) to have
fun, have a good time; **s'**— à + *inf.*
to amuse oneself doing s.t.
an *m.*   year
ancien, ancienne   old; former (*before
noun*)
andante   *slow movement of sonata*
année *f.*   year
annoncer   to announce
s'apercevoir° de   to notice, take note
of, be aware of
apéritif *m.*   appetizer
appeler   to call; **s'**— to be named
(**Comment vous appelez-vous?** What
is your name? **Je m'appelle** . . . My
name is . . .)
apporter   to bring; — qqch à qqn to
bring s.o. s.t.
apprendre   to learn (*conj. like* prendre);
— à + *inf.* to learn to; — qqch à
qqn to teach s.o. s.t.; — à qqn à
+ *inf.* to teach s.o. to
approcher qqch   to bring s.t. up
closer; **s'**— de to approach
après *prep. or adv.*   after; — que
after; **d'**— *prep.* according to
après-midi *m. or f.*   afternoon

arbre *m.*   tree
argent *m.*   money
arranger   to arrange
arrêter qqn   to stop s.o.; **s'**— to stop
(*intrans.*), stop off; (**s'**)— de + *inf.*
to stop doing s.t.
arrière: à l'— de   at the back of
arrivée *f.*   arrival
arriver   (*conj. with* être) to arrive; to
happen
s'asseoir°   to sit down, be seated (*referring to the action*)
assez   rather, fairly, quite; enough;
— de + *noun*   enough
assis *adj.*   seated, sitting
assister à   to attend
assurément   surely
atteindre° à   to attain
atteint de   stricken with
en attendant *prep.*   until; — que +
subj.   until
attendre   to wait (*conj. like* vendre);
— qqn to wait for s.o.; to expect s.o.;
— qqch to wait for s.t.; — à + *inf.*
to wait to do s.t.; — que + *subj.* to
wait until; **s'**— à qqch to expect s.t.;
s'— à + *inf.* to expect to; **faire** —
qqn to keep s.o. waiting; **se faire** —
to have to be waited for
attention: faire — à qqn (à + *pron.*),
à qqch to pay attention to
aujourd'hui   today
auparavant *adv.*   before
aussi   also, too; — . . . **que**   as . . . as
aussitôt que   as soon as
autant   as much; — **de** + *noun* as
much; — **que** as much as
auteur *m.*   author
autre   other
autrement   otherwise; differently, even
more
d'avance   ahead of time
avant *prep.*   before; — **de** + *inf.*
before (doing s.t.); — **que** + *subj.*
before
avide de + *inf.*   eager to
avion *m.*   airplane; **en** — by plane;
par — by airmail
avis *m.*   opinion; **à mon** — in my
opinion

avoir° to have (**vous n'avez qu'à** + *inf.* all you have to do is)
ayant (*pres. part of* avoir) having

se baigner to bathe; to go in swimming; **aller se** — to go swimming
bain *m.* bath
bal *m.* dance
banc *m.* bench
bas, basse low
bas *m. pl.* stockings
base: de — basic
bataille *f.* battle
bateau *m.* boat; **en** — by boat
bâtiment *m.* building
bâtir to build (*conj. like* **finir**)
battre° to beat
bavard talkative
bavarder to chatter, talk
beau (bel), belle, beaux, belles beautiful, handsome, good-looking, fine
beaucoup *adv.* a lot; — **de** + *noun* much, many, a lot of
beauté *f.* beauty
bébé *m.* baby
la Belgique Belgium
besoin *m.* need; **avoir de** to need; **avoir** — **de** + *inf.* to need to
beurre *m.* butter
bibliothèque *f.* library
bicyclette *f.* bicycle; **à** — by bicycle
bien *adv.* well, indeed; + *adj. or adv.* very, quite; + *noun* (*with non-specifying det.*) many; — **de** + *noun* (*with specifying det.*) many of; — **que** + *subj.* although
bientôt soon
bière *f.* beer
biftek *m.* steak
bijou (*pl.* **bijoux**) *m.* jewel; jewelry (*in pl.*)
billet *m.* ticket; **prendre un** — to buy a ticket
blâmer to blame; — **qqn de qqch** to blame s.o. for s.t.
blanc, blanche white
blesser to wound; **se** — to get wounded; **être blessé** to be wounded (= *have a wound*)
bœuf *m.* beef

boire° to drink
bois *m.* woods; — **de Boulogne** *extensive park in Paris*
boisson *f.* drink, beverage
boîte *f.* box; — **de nuit** night club
bon, bonne good; right
bonbon *m.* candy
bondé crowded, full
bonheur *m.* happiness
bonne *f.* maid
bord *m.* edge; **au** — **de la mer** at the seashore
bordé de bordered with, lined with
border qqch to border s.t.
boucher *m.* butcher (*usually selling all meat except pork; see* **charcutier**)
boucher to stop up, cover up, close
bougie *f.* candle
boulanger *m.* baker
bout *m.* end
bouteille *f.* bottle
boutique *f.* shop, small store
breton, bretonne Breton (*of Brittany*)
brosser to brush
bruit *m.* noise
Bruxelles Brussels

cadeau (*pl.* **cadeaux**) *m.* present, gift
café *m.* coffee; café
cahier *m.* notebook
camarade *m. or f.* friend, pal; — **de chambre** roommate
camion *m.* truck
campagne *f.* country (*as opposed to city*); **à la** — in the country; **en pleine** — out in the country
carrefour *m.* crossroads
carrière *f.* career
carte *f.* card; map; menu, list (*of wines*); — **murale** wall map
cas *m.* case; **en tout** — in any event, anyway
cause *f.* cause; **à** — **de** on account of
causer *intrans.* to chat, talk
causer to cause
célèbre famous
cendrier *m.* ash tray
centre *m.* center; **du** — downtown (*adj.*)

ce que . . . ! how . . . ! (*opening an exclamatory sentence*)
ce que c'est what it is
cesser de + *inf.* to stop doing s.t.
c'est que the fact is, that's because (*at beginning of clause*)
chacun, chacune each, each one
chaise *f.* chair
chaleur *f.* heat
chambre *f.* room, bedroom
champ *m.* field
chance *f.* luck; **avoir de la —** to be lucky
changement *m.* change
changer to change
chanson *f.* song
chanter to sing
chapeau *m.* hat
chaque each, every
charbon *m.* coal
charcutier *m.* butcher (*selling pork products; see* **boucher**)
charmant charming, lovely
chat *m.* cat
chaud *adj.* warm, hot; **il fait —** it's warm, hot
chaudement warmly
chauffage *m.* heating
chauffeur *m.* driver; chauffeur
chaussures *f. pl.* socks
chef de gare *m.* station master
chemise *f.* shirt
chemisier *m.* seller of shirts and accessories
cher, chère dear (*before noun*); expensive (*after noun*); **coûter cher** to be expensive, cost a lot; **la vie chère** the high cost of living
chercher to look (= *hunt, seek*); to look for; **— qqch à qqn** to look for s.t. for s.o.; **— à** + *inf.* to seek, try, hope to
cheval (*pl.* **chevaux**) *m.* horse
cheveux *m. pl.* hair (**un cheveu** one hair); **avoir les — noirs** to have black hair
chez qqn at s.o.'s place (*room, home, office, etc.*)
chic (*pl.* **chics**) *m. or f. adj.* smart, stylish
chien *m.* dog

chimie *f.* chemistry
chinois Chinese
choisir to choose (*conj. like* **finir**); **— qqch à qqn** to choose s.t. for s.o.
choix *m.* choice; **faire son —** to take one's choice
chose *f.* thing
chou (*pl.* **choux**) *m.* cabbage; **— à la crème** cream puff; **— de Bruxelles** Brussels sprout
chute *f.* fall, drop; falls
cidre *m.* cider
ciel *m.* sky
cirer to polish (*with wax*)
citer to cite, name
clair clear
clef *f.* key (*pronounced, and sometimes spelled:* **clé**); **fermer à —** to lock
client, cliente customer
coin *m.* corner; **au — de la rue** on the corner
combattre fight (*conj. like* **battre**)
combien how much; **— de** + *noun* how much, how many
commander to order; **— à qqn de** + *inf.* to order, command s.o. to
comme as; **— enfant** as a child; **— suit** as follows; **— vous voudrez** as you like; **— . . . !** how . . . ! (*opening an exclamatory sentence*)
commencement *m.* beginning
commencer to begin; **— à** + *inf.* to begin to; **— par** + *inf.* to begin by
comment how
commode convenient, comfortable
complet *m.* (man's) suit
complet, complète complete
compliqué complicated
comprendre to understand; to include, take in, be comprised of (*conj. like* **prendre**)
compte *m.* account, statement; **— rendu** report, review; **rendre — de** to report on, account for; **se rendre — de** to realize
compter to count; **— +** *inf.* to expect, plan to; **— sur qqn** to count on s.o.
comtesse *f.* countess
conduire° to drive
conférence *f.* lecture

confiance *f.* confidence; **avoir — en qqn** to have confidence in s.o.

confiserie *f.* candy store

confort *m.* comfort, conveniences

congé *m.* leave; **avoir —** to have the day off

connaissance *f.* acquaintance; **faire la — de** to meet (*for the first time*)

connaître° to know, be acquainted with (*in* **passé composé,** meet s.o.); **se — en** to be well versed in, know all about

connu *adj.* known; **bien —** well-known

conseils *m. pl.* advice (**un conseil** a piece of advice)

consentir à qqch to consent to s.t.; **— à +** *inf.* to consent to do s.t.; **— à ce qu'on fasse qqch** to consent to s.o.'s doing s.t.

constamment constantly

construire° to construct

content happy, pleased, content; **— de +** *noun* happy, pleased, content with; **— de +** *inf.* happy, pleased, glad to; **— que +** *subj.* happy, pleased, glad that

se contenter de to be content with; **de +** *inf.* to be content to

continuer to continue; **— à +** *inf.* to continue to, keep on, doing s.t.

contre against (*see also* **fâché**)

convenir de qqch to agree about s.t. (*conj. like* **venir,** *with* **être**); **— à qqn, à** (**une situation**) to suit, fit (*conj. with* **avoir**); **il convient de +** *inf.,* **que +** *subj.* it is fitting, suitable, proper (to, that)

la Corée Korea

corriger to correct

côté *m.* side; **à — de** beside, next to; **de ce —** on this side; **de l'autre —** on the other side

coton *m.* cotton

coudre to sew

couleur *f.* color

couloir *m.* hall, hallway

coup *m.* blow; **donner un — de téléphone à qqn** to call s.o. up; **tout à —** suddenly

couper to cut, cut down

cour *f.* court, courtyard

couramment fluently

courant *adj.* running; fluent

courant *m.:* **mettre qqn au —** to bring s.o. up to date; **se mettre au — de** to keep up with, get up to date on

courir° to run

cours *m.* course; **au — de** during, in the course of; **suivre un —** to take a course

course *f.* errand

court short

coûter cost

couvert covered; cloudy (*of the sky*); **— de** covered with

couvrir to cover; **se —** to cloud over (*of the sky*)

craie *f.* chalk

craindre° to fear; **— que . . . ne +** *subj.* to be afraid that

crainte *f.* fear

cravate *f.* necktie

crayon *m.* pencil

crème *f.* cream

crémerie *f.* creamery, dairy

crise financière *f.* financial crisis

critique *m.* critic

croire° to believe, think; **— qqch** to believe s.t.; to think so (**je le crois**); **— à qqch** to believe in s.t.; **— que** to think that

cuire° to cook (*intrans.*); **faire — qqch** to cook something

cuisine *f.* cooking, food; kitchen; **faire la —** to cook, do the cooking

dame *f.* lady

dangereux, dangereuse dangerous

danser to dance

davantage *adv.* more

débarquer to disembark, dock

debout *adv.* standing

début *m.* beginning

décider qqch to decide, settle s.t.; **— de +** *inf.* to decide to; **— qqn à + *inf.* to persuade s.o. to; **se —** to decide, make up one's mind; **se — à + *inf.* to decide to

découvrir to discover, uncover (*conj. like* **ouvrir**)

défendre to forbid (*conj. like* **vendre**); **— à qqn de +** *inf.* to forbid s.o. to

dégoûtant   disgusting
déjà   already
déjeuner *m.*   lunch; **petit —** breakfast
déjeuner   to (have) lunch *or* breakfast
demain   tomorrow
demande *f.*   request, demand
demander *intrans.*   to ask; **— qqch** to ask s.t., ask for s.t.; **— qqch à qqn** to ask s.o. s.t., ask s.o. for s.t.; **— à** + *inf.* to ask to; **— à qqn de** + *inf.* to ask s.o. to; **se —** to wonder
déménager   to move (*change residence*)
demeurer   to live. reside (*conj. with* **avoir**); to remain (*conj. with* **être**)
demi, demie   half
demoiselle *f.*   girl
démolir   to demolish (*conj. like* **finir**)
dent *f.*   tooth
départ *m.*   departure
dépêcher qqn   to hurry s. o.; **se —** to hurry (*intrans.*); **se — de** + *inf.* to hurry to
dépendre de   to depend upon
dépenser   to spend
dépenses *f. pl.*   expenses
déranger   to bother, annoy, put out; **se —** to trouble oneself
dernier, dernière   last
derrière *prep.*   behind, in back of
descendre *intrans.*   to go down; to get out of a vehicle (**de** + *noun*); to stop at a hotel (**à** + *noun*) (*conj. like* **vendre**, *with* **être**); **— qqch** to bring, get, s.t. down (*conj. with* **avoir**)
desservir   to clear the table (*conj. like* **servir**)
détester   to detest, hate
deuxième   second
devant *prep.*   before, in front of
devenir   to become (*conj. like* **venir**, *with* **être**)
devoir *m.*   duty; homework assignment
devoir° + *inf.*   must, to have to; (*necessity*); must (*deduction*); is to (*expectancy*); *in condit.* should, ought to; **— qqch à qqn** to owe s.o. s.t.; **— à qqn de** + *inf.*: **Je vous dois d'avoir réussi** I owe to you my

having succeeded; **se — de** + *inf.* to owe it to oneself to
dictionnaire *m.*   dictionary
difficile   difficult
digne de   worthy of
dimanche *m.*   Sunday
dîner *m.*   dinner; **prendre le —** to have dinner
dîner   to have dinner, dine
dire°   to say; **— qqch à qqn** to tell s.o. s.t.; **— à qqn de** + *inf.* to tell s.o. to
directement   directly, straight
se diriger vers   to head toward
discours *m.*   speech
discuter   to discuss
disparaître   to disappear (*conj. like* **paraître**)
disposer de qqch   to have s.t. at one's disposal, have the use of
disque *m.*   record
distingué   distinguished
divers, diverse   diverse; *pl.* **divers, diverses** various
doigt *m.*   finger
dommage *m.*   **c'est — de** + *inf.*, **que** + *subj.* it's too bad
donc *adv.*   therefore; *interj.* so, then (*emphatic after an imperative*)
donner   to give
dormir°   to sleep
dos *m.*   back; **au —** on one's back
doute *f.*   doubt; **sans —** of course, no doubt
douter de   to doubt, have doubts about; **— que** + *subj.* to doubt that; **se — de qqch** to suspect s.t.
douteux, douteuse   doubtful
doux, douce   sweet, mild, gentle, kind
droite; à —   to the right, on the right; **de —** on one's right
drôle   funny, comical; **quel, quelle — de** + *noun* what a funny + *noun;* **un, une — de** + *noun* a funny sort of, a funny-looking + *noun*
dur *adj. or adv.*   hard

eau *f.*   water
échouer à   to fail
éclater   to break out
école *f.*   school

économies: faire des — to economize
écouter *intrans.* to listen; **— qqn, qqch** to listen to s.o. *or* s.t.
écrire° *intrans.* to write; **— qqch** to write s.t.; **— à qqn** to write s.o.; **— à la machine** to typewrite
écrivain *m.* writer
effacer to erase, obliterate
effet *m.* effect
s'efforcer de + *inf.* to try, make an effort to
église *f.* church
élargir to widen (*conj. like* **finir**)
élevé high
élire to elect (*conj. like* **lire**)
élu elected
embarras *m.* (difficulty, distress); **avoir l'— du choix** to have a hard time choosing
émission *f.* broadcast, radio program
émouvant moving
empêcher to prevent; **— qqn de** + *inf.* to prevent, keep, s.o. from doing s.t.; **— qu'on ne fasse qqch** to prevent s.o.'s doing s.t.; **s'— de** + *inf.*: **Je ne peux pas m'empêcher de . . . ,** I can't help . . .
employer to use (**j'emploie**)
emprunter qqch à qqn to borrow s.t. from s.o.
en + *pres. part.* while, in, upon, by
enchanter to delight
enchanté delighted
encore still, yet; **— un, une** another (*of the same kind*); **— + *noun with nonspecifying det.* more, some more; **— de** + *noun with specifying det.* more of; **pas —** not yet
endormir qqn to put s.o. to sleep (*conj. like* **dormir**); **s'—** to go to sleep
endroit *m.* place
enfant *m. or f.* child
enfin finally
ennuyant boring, dull; annoying, bothersome
ennuyer to bore; to annoy (**ça m'ennuie**); **s'—** to be *or* get bored (**je m'ennuie**)
énorme enormous

énormément de + *noun* a great deal of
enregistrement *m.* recording
enseigner qqch à qqn to teach s.o. s.t.
ensemble together
ensuite then, next
entendre to hear; to understand; **— sonner** to hear s.t. ring; **s'— avec** to get along with; **c'est entendu** it's agreed, understood; of course
entier, entière entire
entouré de surrounded by
entourer to surround, encircle
entr'acte *m.* intermission
entre *prep.* between, among
entrer *intrans.* to go in, enter (**dans** + *noun*) (*conj. with* **être**)
entr'ouvert *adj.* partly open, ajar (*past part. of* **entr'ouvrir**)
envahir to invade (*conj. like* **finir**)
envelopper to wrap
envie *f.* (desire; envy); **avoir — de** to want, feel like having; **avoir — de** + *inf.* to feel like doing s.t.
environs: aux — de around, in places near
envoyer to send (*fut.* **j'enverrai**)
épais, épaisse thick
épice *f.* spice
épicerie *f.* grocery store
épinards *m. pl.* spinach
époque *f.* period (*in history*)
épouvantable frightful, dreadful
érudit learned, scholarly
escalier *m.* stairway
espérer *intrans.* to hope (**j'espère**); **— qqch** to hope for s.t.; **— + *inf.* to hope to
essayer to try, try out, try on (**j'essaye** *or* **j'essaie**); **— de** + *inf.* to try to
essence *f.* gas (*for car*)
essuyer to wipe, dry (**j'essuie**)
estimer to admire
établissement *m.* eating place
étant being (*pres. part. of* **être**)
état *m.* state
été *m.* summer; **l'—** summers, in the summer
éteindre° to put out (*a light*), extinguish

étendre qqch to extend, stretch s.t.
(*conj. like* **vendre**); **s'—** to stretch
out
étendu *adj.* extensive
étonnant *adj.* astounding, shocking
étonnement *m.* astonishment
étonner qqn to amaze, surprise s.o.;
s'— de + *inf.* to be amazed, sur-
prised to; **s'— que** to be amazed that,
wonder that
étrange strange; **étrangement**
strangely
étranger, étrangère foreign; foreigner
être° to be; **— à** to belong to
étroit narrow
étude *f.* study
étudiant, étudiante student
étudier *intrans.* to study; **—** qqch to
study s.t.
évident obvious
éviter to avoid; **— de** + *inf.* to avoid
doing s.t.; **— qu'on ne fasse qqch** to
avoid s.o.'s doing s.t.
exact accurate; **exactement** accu-
rately
exemple *m.* example; **par —** for example
exiger to require
exposé *adj.* turned, facing

face (face, front); **d'en —** opposite,
(*the one*) across the street; **en — de**
opposite, across the street from
fâché *adj.* annoyed, angry; **être —
contre qqn** to be annoyed with s.o.;
être — avec qqn to be on bad terms
with s.o.
facile easy
façon: à la — de qqn as he does; **de
— à** + *inf.* in such a way as to; **de
cette —** in this way, that way; **de la
— suivante** as follows; **de la même —**
in the same way; **la — dont** the
way in which
faim *f.* hunger; **avoir —** to be hungry;
avoir grand'— to be very hungry
faire° qqch to do s.t., make s.t.; to be
(*of the weather*); to have (*a
picnic*); to pack (*a suitcase or
trunk*); to pay (*attention*), (*a visit*);
to take (*a trip or walk*), (*one's*

choice); **— route** to go along, walk
along; **se — tard, nuit** to get late,
dark; **ne — rien:** Ça ne me fait rien
I don't care; **— + inf.** *see Index
under* f?*ire construction*
fait: en — de when it comes to, speaking of
falloir (*impers.*) + *inf.* to be necessary, one must; *negative* one must
not; **Il me faut . . .,** I need . . .;
le pronom qu'il faut the required
pronoun
famille *f.* family; **en —** as a family
group, with one's family
farouche fierce
fasse *subj. of* **faire**
fatigué tired
faute *f.* error, mistake
fauteuil *m.* armchair; **— d'orchestre**
orchestra seat
faux, fausse false
femme *f.* woman; wife
fenêtre *f.* window
fermer to close, shut
féroce ferocious
fête *f.* celebration, party
fêter qqch to celebrate s.t.
feu *m.* fire; traffic light
feuille *f.* leaf
février February
fier, fière de proud of
figure *f.* face
fille *f.* daughter; **jeune —** girl; **petite
— little girl; vieille —** old maid
fils *m.* son
fin *f.* end
finir° intrans. to finish; **— qqch** to
finish s.t.; **— de** + *inf.* to finish doing
s.t.
flâner to stroll
flatter to flatter
fleur *f.* flower
fleuve *m.* river
fois *f.* time (= *occasion*); **à la —** at
the same time
fond: à — thoroughly
Fontainebleau *former royal palace
and town near Paris*
forcer qqn à + *inf.* to force s.o. to;
être forcé de + *inf.* to be forced to
forêt *f.* forest

formuler to formulate, compose
fort *adj.* strong; *adv.* very
fou (fol), folle, foux, folles crazy
fournir qqch (à qqn) to furnish s.t.
(to s.o.) (*conj. like* finir); — **qqn de qqch** to furnish s.o. with s.t.
frais, fraîche fresh
frapper *intrans.* to knock; to strike, hit
frêle frail
frère *m.* brother
frit *adj.* fried
froid cold; **il fait** — it's cold
fromage *m.* cheese
frotter to rub
fruits *m. pl.* fruit (**un fruit** a piece of fruit)
fumer to smoke; — **la pipe** to be a pipe smoker

gagner to earn, gain, win
gai, gaie gay
gant *m.* glove
ganterie *f.* glove department
garagiste *m.* mechanic
garçon *m.* boy; waiter
gare *f.* railroad station
gauche: à — to the left, on the left; **de** — on one's left
geler to freeze (**il gèle**)
gens *m. or f. pl.* people
gentil, gentille nice
glace *f.* mirror; ice
goût *m.* taste; **avoir le** — **de** to have a taste for, appreciate; **de mauvais** — in poor taste, unfashionable
grand big, large; great; tall (*of a person*); —**e ouverte** wide open (*window or door*)
grand'route *f.* highway
grange *f.* barn
gras, grasse fat, greasy
gravement seriously
gris, grise gray
gros, grosse large, stout
guerre *f.* war

habile clever
habiller qqn to dress s.o.; **s'**— to dress (*intrans.*), get dressed
habité *adj.* inhabited

habiter (*usually intrans.*) to live (in)
d'habitude usually, customarily
s'habituer à qqn (**à** + *pron.*), **à qqch** to get used to
hasard: par — by chance
hâter qqn to hurry s.o.; **se** — to hurry (*intrans.*); **se** — **de** + *inf.* to hurry to, hasten to
haut high
hein *interj.* huh?
hélas *interj.* alas
héritage *m.* inheritance
hésiter to hesitate; — **à** + *inf.* to hesitate to
heure *f.* hour; time (*of day*); **à . . . heure(s)** at . . . o'clock; **à l'**— on time; **Quelle** — **est-il?** What time is it? **savoir l'**— to know the time; **tout à l'**— in a little while, a little while ago
heureusement fortunately (*followed by* que *if it begins a sentence*)
heureux, heureuse happy; fortunate
heurter to bump into
hier yesterday; — **soir** last night
histoire *f.* history; story
hiver winter; **l'**— winters, in the winter; **en plein** — in the middle of winter
homme *m.* man
honneur *f.* honor
honte *f.* shame; **avoir** — **de** to be ashamed of; **avoir** — **de** + *inf.* to be ashamed to
honteux, honteuse shameful
horloge *f.* clock (*on wall*)

ici here
idée *f.* idea
ignorer qqch not to know s.t.; **ne pas** — **que** to be quite aware that
il y a + *amount of time* (*that amount of time*) ago
image *f.* picture
impatient de + *inf.* impatient to
imparfait imperfect tense
imperméable *m.* raincoat
implorer qqn de + *inf.* to beg s.o. to
impoli impolite
importer *intrans.* to be important; **peu** — to be of little importance

importer to import
impressionner to impress
imprimer to print; **faire — qqch** to have s.t. printed
incommode uncomfortable, inconvenient
inconnu unknown
incontestable indisputable, unquestionable
incroyable unbelievable
indéchiffrable undecipherable
indifférent indifferent; **laisser qqn —** to leave s.o. cold
indiquer to indicate
infaillibilité *f.* infallibility
inhabité uninhabited
inquiet, inquiète uneasy, worried
inquiétant disturbing, alarming
inquiéter to worry, disturb, alarm (**ça m'inquiète**); **s'— de qqch** to be worried, disturbed, about s.t.
s'inscrire* **à** to enroll in, sign up for
s'installer to take one's place; to settle down (*in a chair*); to get settled (*in an apartment*)
insulter to insult
intention: avoir l' de + *inf.* to intend to
interdire to prohibit (*conj. like* **dire**, *exc.* **vous interdisez**)
interdit *adj.* prohibited
intéressant interesting
intéresser qqn to interest s.o.; **s'— à** to be interested in
interminable endless
interroger qqn sur qqch to question s.o. about s.t.
intime cozy, intimate
intriguer to intrigue
inutile useless
invité, invitée guest
inviter to invite; **— qqn à + *inf.*** to invite s.o. to
itinéraire *m.* itinerary

jaloux, jalouse jealous
jamais never (*standing alone, or with* ne + *verb*); ever (*when verb does not have* ne); **— de +** *noun* never any
jambe *f.* leg

janvier January
jardin *m.* garden
jaune yellow
jeter to throw, throw away (**je jette**); **se —** to empty (*of a river*)
jeune young
joli pretty
jouer *intrans.* to play; **— à** to play (*a game*); **— de** to play (*an instrument*)
jouir de to enjoy (*conj. like* **finir**)
joujou (*pl.* **joujoux**) *m.* toy
jour *m.* day; **les —s de classe** on school days; **les —s qu'il fait froid** on days when it's cold; **un —** some day
journée *f.* day
journal (*pl.* **journaux**) *m.* newspaper
juillet July; **le quatorze —** Bastille Day
juin June
jurer to swear
jusqu'à *prep.* until, up to; **— ce que** + *subj.* until
jusque-là up to that point

là there; **— -bas** over there, down there
lac *m.* lake
laid ugly
laisser to leave, leave behind; **— qqn + *inf.*** to let s.o. do s.t.
lait *m.* milk
laitue *f.* lettuce
lampe *f.* lamp, (*electric*) light
langue *f.* language; tongue
large wide, broad
laver qqn, qqch to wash s.o. *or* s.t.; **se —** to wash (*intrans.*), get washed
léger, légère light
légume *m.* vegetable
le lendemain the next day
lent slow
lettre *f.* letter; **à la —** literally, exactly
lever to raise (**je lève**); **se —** to rise, arise, get up
libérer to liberate, free
libre free; **librement** freely
lieu *m.* place; **avoir —** to take place
lire* *intrans.* to read; **— qqch à qqn** to read s.o. s.t.
lit *m.* bed

livre *m.*   book; *f.* pound
loin *adv.*   far; — de far from
Londres   London
long, longue   long
longtemps   a long time
lors de   at the time of
lorsque   when
louer   to rent
lourd   heavy
loyer *m.*   rent
lumière *f.*   light
lundi *m.*   Monday
lune *f.*   moon
lunettes *f. pl.*   glasses

machine: à la —   by machine
la Madeleine   *church in Paris, built in classic Greek style*
magasin *m.*   store; **grand —** department store
main *f.*   hand; **à la —** by hand
maintenant   now
mais   but
maison *f.*   house; firm; **à la —** at home, (*to*) home
mal   badly; **pas — de** + *noun* quite a lot of
malade   sick
maladie *f.*   illness, disease
malgré *prep.*   in spite of; **— que** + *subj.* despite the fact that
malheureux, malheureuse   unhappy; unfortunate
malheureusement   unfortunately
malle *f.*   trunk; **faire une —** to pack a trunk
maman *f.*   mama, mother
manger   to eat; **donner à — à** (*animal*) to feed
manières *f. pl.*   manners
manquer   to miss (*a class, a train*); **— à** to fail (*an obligation or appointment*); **— à qqn** to be lacking to s.o.: L'argent me manque; **— de qqch** to lack s.t.: Je manque d'argent; **— de** + *inf.* to nearly do s.t.; **ne pas — de** + *inf.* not to fail to do s.t.
marchand *m.*   merchant
marcher   to walk; to run, work (*of a machine*); **faire — qqch** to make s.t. work, run it

mardi *m.*   Tuesday
maréchal   marshall
marié, mariée *adj. or noun*   married: married person; **nouveaux mariés** newly-weds
se marier avec qqn   to marry s.o.
matelot *m.*   sailor
matin *m.*   morning; **le —** mornings, in the morning
matinée *f.*   morning
mauvais   bad; wrong
méchant   bad (*ill-behaved*), wicked
médecin *m.*   doctor
méditer   to meditate
se méfier de   to mistrust, have doubts about
meilleur   better
même *adj.*   same; **de —** the same way, likewise; **moi-même** myself; *adv.* even
menaçant *adj.*   threatening
ménage *m.*   household; housework
ménager   to manage; to be sparing of
mener   to lead, take (**je mène**)
mentir° *intrans.*   to lie; **— à qqn** to lie to s.o.
mer *f.*   sea
mère *f.*   mother
merveille: à —   wonderfully well
merveilleux, merveilleuse   wonderful
mettre° qqch   to put s.t. (*somewhere*); to put on (*clothing*); **— des heures à** + *inf.* to spend hours doing s.t., take hours to do it; **— la table** to set the table; **— une lettre à la poste** to mail a letter; **— qqn au courant** to bring s.o. up to date; **— qqn en retard** to make s.o. late; **se — à qqch** to begin, get to, s.t.; **se — à** + *inf.* to begin doing s.t.; **se — à table, au piano** to sit down to eat, to play
meublé   furnished
meubler   to furnish (*a room*)
meubles *m. pl.*   furniture (**un meuble** a piece of furniture)
midi   noon; south; **le Midi** the South of France
mieux *adv.*   better; **faire de son —** to do one's best; **le —** best (*adv.*); **tant —** so much the better

mi-juin mid June
minuit midnight
minutieusement minutely
mode *f.* style, fashion
modéré moderate
modiste *f.* milliner
moindre *adj.* least; lesser (*of two*)
moins *adv.* less; — **que** less than; **à** —
de + *inf.*, **que** + *subj.* unless; **au** —
at least (*that amount*); **du** — at
least (*adverbially*); **le** — the least
(*adv.*)
mois *m.* month
monde *m.* world; crowd; **tant de** —
such a crowd; **tout le** — everybody;
trop de — too many people
monotone monotonous
un monsieur a gentleman
montagne *f.* mountain
montagneux, montagneuse mountain-
ous
monter *intrans.* to go up; to get in a
vehicle (**dans** + *noun*) (*conj. with*
être); — **qqch** to go up (*a stairway,
street, hill*); to take s.t. up (*conj.
with* **avoir**)
montrer qqch à qqn to show s.o. s.t.;
— **à qqn à** + *inf.* to show s.o. how to
morceau *m.* piece
mordre° to bite
mort dead
mou (mol), molle, moux, molles soft
mourir° to die; — **de qqch** to die of
s.t.
muet, muette mute, silent
mur *m.* wall
mural *adj.* on the wall
musée *m.* museum

nage: faire la — to go swimming
nager to swim
naissance *f.* birth; **fêter sa** — to celebrate one's birthday
naître° to be born
natal native (*adj.*)
naturel, naturelle natural
le nécessaire what is necessary
neige *f.* snow
neiger *impers.* to snow
neuf, neuve brand new

neuvième ninth
net (**t** *pronounced*), **nette** clean
neveu *m.* nephew
nez *m.* nose
nièce *f.* niece
noir black
nom *m.* noun, name
nord north
normand of Normandy
note *f.* mark, grade
**nouveau (nouvel), nouvelle, nouveaux,
nouvelles** new
nouvelles *f. pl.* news (**une nouvelle**
an item of news); **recevoir de ses** —
to hear from s.o.
nuage *m.* cloud
nuit *f.* night; **cette** — last night; **la** —
at night; **il fait** — it's dark; **il se fait**
— it's getting dark

obéir à qqn, à qqch to obey s.o. *or*
s.t. (*conj. like* **finir**)
obligatoire required, obligatory
obliger qqn à + *inf.* to force, compel
s.o. to; **être obligé de** + *inf.* to be
obliged to
obtenir to obtain (*conj. like* **tenir**)
occasion: à l'— on occasion, when one
has the chance
occidental western (*m. pl.*
occidentaux)
s'occuper de to take care *or* charge
of, be busy with
l'Odéon *theater in Paris*
œil (*pl.* **yeux**) *m.* eye; **sous l'**— **de**
qqn under s.o.'s supervision
œuf *m.* egg (**f** *pronounced in sing.,
not in pl.*)
offrir qqch à qqn to offer s.o. s.t.
oignon *m.* onion (*pronounced* ɔɲɔ̃)
oiseau (*pl.* **oiseaux**) *m.* bird
ombre: à l'— in the shade
omettre to omit (*conj. like* **mettre**);
— **de** + *inf.* to fail to
oncle *m.* uncle
s'opposer à qqch to be opposed to
s.t.; — **à ce qu'on fasse qqch** to be
opposed to s.o.'s doing s.t.
orage *m.* storm; — **d'été** thunder-
storm
ordinaire: à l'— ordinarily

ordonner à qqn de + *inf.* to order s.o. to
oreille *f.* ear
orné de decorated with
oser + *inf.* to dare to
ôter to take off, remove
ou or; — **bien** or else
où where, in which
oublier to forget; — de + *inf.* to forget to
ouvrir° qqch to open s.t.; s'— to open (*intrans.*)
ouvert *adj.* open; **grande** —e wide open (*door or window*)

pain *m.* bread; **un** —, **des** —s loaf, loaves of bread; **petit** — roll
palais *m.* palace
panne *f.* breakdown (*of automobile*); — **d'essence** running out of gas
pantalon *m.*, —s *m. pl.* pants, trousers
papier *m.* paper
par by, through; **regarder** — **la fenêtre** to look out the window
paraître° (à qqn) to seem, appear, look (to s.o.)
parapluie *m.* umbrella
parc *m.* park
parcourir to tour, travel through (*conj. like* **courir**)
pardessus *m.* overcoat
pardonner qqch to pardon s.t.; — (qqch) à qqn to pardon s.o. (for s.t.); — à qqn d'avoir fait qqch to pardon s.o. for having done s.t.
pareil, pareille similar, like that
parent, parente parent; relative
parfaitement perfectly
parfois sometimes
parfum *m.* perfume
parier to bet
parler *intrans.* to speak; — à qqn to speak, talk to s.o.; — de qqch to talk about s.t.; — de + *inf.* to talk about doing s.t.; — **français** to speak French; — **politique** to talk politics
parmi *prep.* among
parole *f.* word (*in sense of give one's word*)

part: de la — **de** on the part of, from; **quelque** — somewhere
partie *f.* game; part
partir° *intrans.* to leave (de + *a place*)
partout everywhere
passant *m.* passerby
passant: en — *adv.* by the way
passé *adj.* past; *noun m.* past; *prep.* past, after
passer *intrans.* to pass by, go by; to go on; to go through (**par**); to stop in; — qqch to spend (*time*); to take (*an exam*); — qqch à qqn to pass s.t. to s.o.; to excuse s.o. for s.t., overlook it, let it go; **se** — to happen, be going on; **se** — **de** qqch to get along without s.t., do without
pâte (*f.*) dentifrice tooth paste
pâtisserie *f.* pastry shop
patiner to skate
pauvre poor (*pitiable, before noun*); (*having little money, after noun*)
payer qqch to pay (*a bill*); to pay for s.t. (je paye *or* je paie), — qqch cent francs to pay 100 francs for s.t.; — qqn to pay s.o.; — qqch à qqn to pay s.o. for s.t.; — **cher** to pay a lot
pays *m.* country
pêche *f.* fishing
peigner to comb; **se** —, **se** — **les cheveux** to comb one's hair
peindre° to paint
peine *f.* trouble; grief; **se donner la** — **de** + *inf.* to take trouble to
peint *adj.* painted; — **en jaune** painted yellow
se pencher sur to bend down over, to get down to
pendant *prep.* during; — **que** while
penser *intrans.* to think; — à qqn (à + *pron.*), à qqch to think of, about s.o. *or* s.t.; — à + *inf.* to think of doing s.t.; — **de: Que pensez-vous de . . . ?** What do you think of . . . ? What is your opinion of . . . ?
pension *f.* boardinghouse
perdre° to lose; — **de vue** to lose sight of — **du temps à** + *inf.* to waste time doing s.t.

perdu *adj.* lost
père *m.* father
perfectionner to perfect
permettre to permit (*conj. like* mettre); — qqch à qqn to permit s.o. s.t.; — à qqn de + *inf.* to permit s.o. to; se — qqch to afford, treat oneself to, s.t.
permis *adj.* permitted
permis *m.* license, permit
personne *f.* person
personne *pron.* no one (*alone, or with* ne + *verb*)
persuadé convinced
petit little, small; le —, la —e child
petitesse *f.* smallness, small size
peu little, hardly at all; + *adj.* not very; — à — little by little; — de + *noun* little (*emphasizing lack*); — **probable** unlikely; à — près almost; **pour** — que + *subj.* if only; un — a little, a bit; un — + *adj. or adv.* rather; un — de + *noun* a little (*with positive meaning*); un — de **tout** a bit of everything; un tout petit — just a bit
peuple *m.* people
peur *f.* fear; avoir — de to be afraid of; avoir — de + *inf.* to be afraid of doing s.t. *or* to do s.t.; de — de + *inf.*, que + *subj.* for fear of, for fear that; faire — à qqn to frighten s.o.
Phèdre *tragedy by Racine*
phrase *f.* sentence
pied *m.* foot; à — on foot, by walking
pièce *f.* room; play; piece
piscine *f.* swimming pool
pitié *f.* pity; c'est — de + *inf.*, que + *subj.* it's a pity to, that
pittoresque picturesque
place *f.* square (*in a city*); seat; place; room; à sa — in his place
placer qqch to place s.t.
plafond *m.* ceiling
plage *f.* beach
plaindre° to pity; se — de to complain about
plaire° à qqn to please s.o.
plaisir *m.* pleasure
plancher *m.* floor
planter to plant

plat flat
plein full; — de full of; à — fully; en — + *noun* in the middle of, right in
pleuvoir° *impers.* to rain; — à verse to pour
plonger to dive; se — dans qqch to absorb oneself in s.t.
pluie *f.* rain
plupart: la — de most of; pour la — mostly, on the whole
plus *adv.* no longer (*must be used with* ne + *verb*); *used alone or with* ne + *verb:* — de + *noun* no more, no more of; — **jamais** never any more; — **personne** nobody any more, no longer anyone; — **rien** nothing any more, nothing left; (moi) non — (me) neither, nor do (I)
plus *comparative* more; — de + *noun* more, more of (*in comparisons*); — **grand**, vite bigger (taller), faster; — que, — de + *numeral* (*including* un, une) more than; de — moreover, in addition; de — en — more and more; de — en — vite faster and faster; le — grand, la — grande, les — grands, grandes the biggest
plusieurs *m. pl. or f. pl., adj.* several
plutôt + *adj.* rather, quite; — que rather than
pneu *m.* tire
poche *f.* pocket
poésie *f.* poetry
pois *m.* pea; petits — green peas
poisson *m.* fish
poliment politely
politique *f. sing.* politics
pomme *f.* apple; — de terre potato
pont *m.* bridge
porc *m.* pork
porte *f.* door
porter to carry; to wear; to take (s.t.) somewhere
poser une question to ask a question
poste (*m.*) d'essence gas station
poste *f.* mail; post office; mettre à la — to put in the mail, mail
pourboire *m.* tip
pourquoi why

poursuivre to pursue (*conj. like* **suivre**)

pourtant however, though

pourvu *past part. of* **pourvoir** to provide (*conj. like* **voir**); — **que** + *subj.* provided that

poussière *f.* dust

pouvoir + *inf.* can, could, to be able to; may (*permission*); **il se peut que** + *subj.*, **ça se peut** it's possible

praticable passable

préférence: de— preferably

préférer to prefer (**je préfère**); — **qqn à qqn** to prefer one person to another; — **qqch à qqch** to prefer one thing to another

préjugé *m.* prejudice

premier, première first

prendre° to take (*hold of*); to select; to take (*a train, bus, taxi*); to buy (*a ticket*); to have (*a meal, a cup of coffee*); to turn (*right or left*); — **qqch à qqn** to take s.t. from s.o.; — **qqch sur la table** to take s.t. from the table; **aller, sortir — quelque chose** to go (*out to*) get s.t. to eat; **ça prend du temps** that takes time

préparatifs *m. pl.* preparations, arrangements

préparer qqch to prepare s.t.; **se — (à qqch)** to prepare, get ready (for s.t.) **se — à** + *inf.* to prepare to

près *adv.* near (*seldom used alone*); — **d'ici** nearby; **tout —** nearby

près de *prep.* near, close to

présenter to introduce; — **qqn à qqn** (*may require* **à** + *pron.*) introduce one person to another

presque almost

pressant urgent, pressing

pressé *adj.* in a hurry, rushed

presser qqn to hurry s.o.; **se —** to hurry (*intrans.*)

prêt ready — **à** + *inf.* ready to

prétendre to claim (*conj. like* **vendre**)

prêter qqch à qqn to lend s.o. s.t.

prier *intrans.* to pray; — **qqn de** + *inf.* to beg s.o. to

printemps *m.* spring; **au —** in the spring

prix *m.* price

prochain next, coming

prodigue prodigal

profiter de to take advantage of

profond deep

progrès *m. pl.* progress

promenade *f.* walk; **faire une —** to take a walk

promener to walk (*a dog*) (**je promène**); **se —** to go walking, take a walk; **se — en auto, à bicyclette,** *etc.* to take a ride

promettre qqch à qqn to promise s.o. s.t. (*conj. like* **mettre**); — **à qqn de** + *inf.* to promise s.o. to

pronom *m.* pronoun

prononcer to pronounce

à propos by the way; — **de** concerning, speaking of

propre own (*before noun*); clean (*after noun*)

propriétaire *m. or f.* owner; landlord, landlady

prose *f.* prose

prouver to prove

province *f.* province; **en —** in the provinces

public, publique public

publier qqch to publish s.t.; **faire — qqch** to have s.t. published

puis then, next

pull-over *m.* sweater

punaise *f.* thumb tack

punir qqn to punish s.o. (*conj. like* **finir**); — **qqn de qqch** to punish s.o. for s.t.

pupitre *m.* school desk

quai *m.* platform; wharf

quant à as for

quartier *m.* neighborhood; — **latin** *university district in Paris*

le quatorze the 14th (*of the month*)

au quatrième (étage) to, on the fifth floor

quel, quelle which, what; **what a . . . !**

quelque *sing. adj.* some, some . . . or other; **quelques** *pl. adj.* a few

quelque chose something; — **d'intéressant** something interesting

quelquefois sometimes

quelque part somewhere
quelques-uns, -unes few; — de a few of, some of
quelqu'un someone
quitter qqn, qqch to leave s.o. *or* s.t.
quoique although

raconter (qqch à qqn) to relate, tell
radio: à la — on the radio
raison *f.* reason; **avoir —** to be right
rang *m.* row
ranger to straighten up, get in order
rappeler qqn to call s.o. back; — qqch à qqn to remind s.o. of s.t.; **se — qqch** to recall, remember s.t. (je me rappelle)
rapporter to bring back
rarement rarely
raser qqn to shave s.o.; **se —** to shave (*intrans.*); **se faire —** to get a shave
ravir: à — delightfully well
ravissant *adj.* ravishing
rayon *m.* counter, department (*in store*); shelf
récemment recently
recevoir° to receive
récompenser to reward
reconnaître to recognize (*conj. like* **connaître**)
redouter to dread
réel, réelle real
réfléchi *adj.* reflexive
réfléchir to think, reflect (*conj. like* **finir**)
regarder to look; to look at
régler to set (*a clock*)
regretter *intrans.* to be sorry; — de + *inf.* to be sorry to, regret doing s.t.; — que + *subj.* to be sorry, regret, that
rejoindre° to join
se réjouir to rejoice (*conj. like* **finir**); **se — de** to rejoice at, be extremely pleased about
remarquer to notice; **faire — qqch à qqn** to draw s.t. to s.o.'s attention
remède *m.* remedy, medicine
remercier qqn de qqch to thank s.o. for s.t.
remettre to put off; to put back (*conj. like* **mettre**)

remonter to wind (*a clock*)
remplacer qqch (par qqch) to replace s.t. (by, with, s.t. else)
remplir to fill (*conj. like* **finir**)
rencontrer qqn to meet s.o.
rendez-vous *m.* appointment, date; meeting place; **avoir — avec qqn** to have a date with s.o.; **donner — à qqn** to make a date with s.o.
se rendormir to go back to sleep (*conj. like* **dormir**)
rendre (qqch à qqn) to return, give back (*conj. like* **vendre**); — qqn + *adj.* to make s.o. (*happy, sad*); — **compte de qqch** to report on, account for, s.t.; **se — compte de qqch** to realize s.t.; **se — (quelque part)** to go to, get to (*a place or appointment*); **s'y — à pied** to walk there, go on foot; **se — (à qqn)** to surrender (to s.o.)
renoncer à qqch to renounce, give up, s.t.; — **à +** *inf.* to give up doing s.t.
renseignements *m. pl.* information, documentation
rentrer *intrans.* to go home, come home, get back; to go in again (*conj. with* **être**); — qqch to bring s.t. in (*conj. with* **avoir**)
repas *m.* meal; **prendre ses —** to eat (*regularly*), have one's meals
repasser to review; to press (*clothes*)
repeindre to repaint (*conj. like* **peindre**)
répéter to repeat (je répète)
répondre° *intrans.* to answer; — **à qqn, à qqch** to answer s.o. *or* s.t.
réponse *f.* answer
se reposer to rest
reprendre *intrans.* to resume, begin again (*conj. like* **prendre**)
représentation *f.* production (*of a play*)
réservoir *m.* gas tank
ressembler à qqn to look like, resemble, s.o.
rester to stay, remain (*conj. with* **être**)
restes *m. pl.* remains
résultat *m.* result

retour: de — on one's return, having come back; **être de retour** to be back

retourner to return, go back (*conj. with* être)

retrouver to meet, get together with

se réunir to meet (*of a class, club, etc.*) (*conj. like* finir)

réussir *intrans.* to succeed (*conj. like* finir); **— à +** *inf.* to succeed in doing s.t.; **— à un examen** to pass an exam

revanche: en — in return, on the other hand

réveille-matin *m.* alarm clock

réveiller qqn to wake s.o. up; **se —** to wake up (*intrans.*)

revendre to resell, sell back (*conj. like* vendre)

revenir to come back, return (*conj. like* venir, *with* être)

rêver *intrans.* to dream; **— de +** *inf.* to dream of doing s.t.

revoir to see again (*conj. like* voir)

révoquer to revoke

revue *f.* review, journal, magazine

rhume *m.* cold

rideau *m.* (*pl.* rideaux) curtain

ridicule ridiculous, silly

rien nothing (*alone, or with* ne + *verb*); anything (*when verb does not have* ne)

rire to laugh; **— de qqn, de qqch** to laugh at s.o. *or* s.t.; **faire — qqn** to strike one funny

robe *f.* dress

rocheux, rocheuse rocky

roman *m.* novel; **— policier** detective story

rompre to break

rond round

rose *adj.* pink

rouge red

rougir to get red; to blush (*conj. like* finir)

route *f.* road; route; **—s principales** main roads; **en —** on the way; **faire —** to go along, walk along; **grand'—** highway; **se mettre en — pour** to set out for

rue *f.* street

russe Russian

le Sacré-Cœur *church on Montmartre, in Byzantine style*

la Sainte-Chapelle *Gothic church on the Île de la Cité, noted for its stained glass*

saison *f.* season; **la belle —** (*time when the weather is fine*) summertime

sale dirty

salle *f.* room; **— à manger** dining room; **— d'attente** waiting room; **— de bain** bathroom; **— de classe** classroom

salon *m.* living room

saluer to greet

samedi *m.* Saturday

sans without, except for; **+** *inf.* without doing s.t.; **— qu'on fasse qqch** without s.o.'s doing s.t.

satisfait *adj.* satisfied; **— de** satisfied with

sauter to jump, leap; **— aux yeux** to be obvious, can't be missed

savoir *m.* knowledge

savoir to know; **+** *inf.* to be able, know how to; **je ne saurais +** *inf.* I really couldn't . . . ; **faire — qqch (à qqn)** to make s.t. known, let s.o. know

scandinave Scandinavian

sec, sèche dry

second second (*of two*)

séjour *m.* place (*to spend one's time*)

séjourner to spend some time, make a stay

sel *m.* salt

selon according to; **— le cas** as the case may be

semaine *f.* week

sembler (à qqn) to seem (to s.o.); **+** *inf.* to seem to

sens *m.* sense, meaning; direction

sentiments *m. pl.* feelings

sentir to feel (*in sense of* perceive); to smell; **se —** to feel (*sick, happy, at home*)

séparer to separate

sera will be (*fut. of* être)

serpent *m.* snake

serrer to press; **se — la main** to shake hands
servir° **qqch** to serve s.t.; **— à qqn** to serve s.o.; **se — de qqch** to use s.t.
seul alone; **à eux —s** by themselves; **tout —** all alone, by oneself; **un —** a single
seulement only
si yes (*in answer to negative question or statement*); if, whether; **+** *adj. or adv.* so
siècle *m.* century
situé situated
ski: faire du — to go skiing
sœur *f.* sister
soie *f.* silk
soif *f.* thirst; **avoir —** to be thirsty
soir *m.* evening; **le —** evenings, in the evening
soirée *f.* evening; party; **— dansante** dancing party
soleil *m.* sun
sombre dark; **il fait —** it's dark
somme *f.* sum; **— toute** all in all
somptueux, somptueuse magnificent, splendid
songer à qqch to think of s.t., have s.t. in mind; **— à +** *inf.* to think about doing s.t.
sonner to ring
sorte *f.* sort; **de la —** like that
sortir *m.*: **au — de qqch** at the end of
sortir° *intrans.* to go out (*conj. with* **être**); **— qqn, qqch** to take s.o. *or* s.t. out (*conj. with* **avoir**)
souffrir° to suffer; **— de** to suffer from
souhaitable desirable, to be desired
souhaiter qqch à qqn to wish s.o. s.t.
soulier *m.* shoe
souligné underlined
sourd deaf
sourire to smile (*conj. like* **rire**); **— à qqn** to smile at s.o.
souvenir *m.* memory
se souvenir° to remember; **se — de qqn, de qqch** to remember s.o. *or* s.t.
sportif, sportive sporty
stationnement *m.* parking
stationner to park (*intrans.*); **faire — qqch** to park (*a car*)
stylo *m.* fountain pen

succès *m.* success
sucre *m.* sugar
sud *m.* south
suggérer to suggest (**je suggère**)
la Suisse Switzerland
suivant *adj.* next, following
suivi (*adj.*) **de** followed by
suivre° to follow; **— un cours** to take a course
sujet *m.* subject
sur sour
sur *prep.* on
sûr sure, certain, reliable; **bien —** surely, naturally, of course
sympathique nice, likable

tabac *m.* tobacco (**c** *not pronounced*); **bureau de —** cigar store
tableau (*pl.* **tableaux**) *m.* picture; **— (noir)** blackboard
tailleur (*or* **costume tailleur**) *m.* (*woman's*) suit
taire° **qqch** to hush s.t. up; **se — to** stop talking, keep silent; **faire — qqn** to silence s.o.
tant so much; **— de +** *noun* so much, so many (of); **— . . . que** so much . . . that; **— que** as long as
tante *f.* aunt
tapage *m.* commotion, racket
tapisserie *f.* tapestry
tard *adv.* late; **plus —** later, later on
tas *m.* pile
tel que as, such as
téléphoner *intrans.* to telephone; **— à qqn** to phone s.o.
temps *m.* time; tense; weather; **à —** in time; **avoir le — de +** *inf.* to have time to; **de — à autre, de — en —** from time to time; **le — qu'il fait** the weather we're having; **passer du —** to spend time; **perdre du —** to waste time
tenir° to hold; **— à qqn** (**à +** *pron.*), **à qqch** to be fond of s.o. *or* s.t.; **— + *inf.*** to be eager, anxious to; **— à ce qu'on fasse qqch** to be anxious for s.o. to do s.t.
terminer qqch to conclude, end, s.t.; **se — to** end (*intrans.*)
terre *f.* earth

thé *m.* tea
timbre, timbre-poste *m.* stamp
tiré de drawn from, taken from
tirer to draw, pull
tiroir *m.* drawer
tomber to fall (*conj. with* être); **— sur qqch** to come upon; **faire —** to knock over
tonnerre *m.* thunder; **coup de —** clap of thunder
avoir tort to be wrong
tôt soon; early
toujours always; still; **— pas** still not, still don't; **pas —** not always
tour *f.* tower
tour *m.:* **faire le — de** to tour, take in
tourne-disques *m.* record player
tout *sing. pron.* everything; **— à coup** suddenly; **— à fait** completely; **— ce qui, ce que** all that; **— de même** just the same, anyway; **— de suite** immediately, right away; **— de suite après** right after; **du —** (*alone or after* pas) not at all
tout *adv.* very, quite (*before an adj.*)
tout le, toute la + *noun* all (of the), the whole
tous les, toutes les + *noun* all (*generalizing*), all the; **— deux** both
tous *pl., pron.* everyone (*final s pronounced*); **—, toutes** (*noun omitted*) all
traduire° to translate
tram *m.* trolley
tranquille quiet; **laisser —** to leave alone
transposer to shift
travail (*pl.* **travaux**) *m.* work, job; chores
travailler to work; **— à** + *inf.* to work at, toward
travers: à — *prep.* through, across
traverser to cross, go through
très very
triste sad; **être — de** + *inf.* to be sad to
tromper to deceive, fool; **se —** to be mistaken; **se — de** (**qqch**) to get the wrong one
trop too much; **— de** + *noun* too much, too many (of)

trottoir *m.* sidewalk
troubler qqn to worry s.o.
trouver to find; **— qqch à qqn** to find s.o. s.t.; **— que** to find that, think that; **Comment trouvez-vous . . . ?** How do you like . . . ? **se —** to be (*in a place*)
les Tuileries *former royal palace, burned in 1871;* **Jardin des —** *surrounding park, near the Louvre*

usé worn out
utile useful

vacances *f. pl.* vacation; **en —** on vacation; **les grandes —** summer vacation
vache *f.* cow
la vaisselle the dishes
valise *f.* suitcase, bag
valeur *f.* value
valoir° to be worth; **— la peine** to be worthwhile; **— mieux** to be better
veiller to stay up
vélo *m.* bike
vendeuse *f.* saleslady, clerk
vendre° to sell; **— qqch à qqn** to sell s.o. s.t.; **se —** to sell (*intrans.*), be sold
venir° to come; to come from (**de** + *a place*); **— à qqn** to come to s.o. (**à** + *pron. for literal motion, but:* **il m'est venu une idée**); **— de** + *inf.* to have just; **faire —** (**qqn, qqch**) to call (*a doctor, a taxi*)
vent *m.* wind
vérifier to check
véritable real
vérité *f.* truth
verre *m.* glass
vers *prep.* toward; around (*a time*)
verse: à — pouring (*of rain*)
vert green
veston *m.* jacket
vêtements *m. pl.* clothes
viande *f.* meat
vide empty
vie *f.* life; living
vieillard *m.* old man
vieux (vieil), vieille, vieux, vieilles old
vif, vive lively; bright (*color*)

vilain ugly, nasty, mean
ville *f.* city, town; **en** — in or to town, downtown; **en pleine** — right in the city
vin *m.* wine
visite *f.* visit; **faire** — **à qqn** to visit s.o.
visiter qqch to visit s.t.
vite *adj. or adv.* quick, quickly, fast
vitrine *f.* store window
vivre° to live
voici here is, here are
voilà there is, there are
voiture *f.* car; carriage; vehicle
voir° to see
voix *f.* voice; **à — basse** quietly, in a low tone

voler qqch à qqn to steal s.t. from s.o.
volontiers willingly, gladly
vouloir° to want; + *inf.* to want to; — **qu'on fasse qqch** to want s.o. to; — **bien** to be willing; — **dire** to mean
voyage *m.* trip; **en** — while traveling; **faire un** — to take a trip
voyager to travel
vrai true, real; **à** — **dire** to tell the truth; **pas —?** = **n'est-ce pas?**
vue *f.* sight; view

wagon *m.* car (*on a train*)
wagon-restaurant *m.* dining car

yeux *m. pl.* eyes; **avoir les** — **bleus** to have blue eyes

ENGLISH-FRENCH

Verbs requiring à + *noun* take an indirect object pronoun, except where à + *pron.* is indicated.

Adjectives stand after the noun unless otherwise indicated. Feminine and plural forms are given when irregular.

Pronouns and determiners listed in Appendix A are omitted.

Idiomatic phrases consisting of the verb to be + an adjective are listed under the adjective (*be* **afraid** *of*, *be* **interested** *in*). Other idioms are listed under the English verb (**go, get, have, take**).

Prepositional phrases are listed under the noun (*in any* **case**, *in the* **country**, *of* **course**, *at the* **time** *of*).

A dash stands for the key word.

able: be — pouvoir
acquainted: be — se connaître (l'un l'autre)
address adresse *f.*
advice des conseils
afraid: be — of s.o., s.t. avoir peur de qqn, de qqch; be — that craindre que . . . ne + *subj.*
after après, après que
afternoon l'après-midi *m. or f.*
agree with s.o. être d'accord avec qqn; — on s.t. convenir de qqch
alarm clock réveille-matin *m.*

all tout, toute, tous, toutes
alone seul
already déjà
amazed: be — at s.t. s'étonner de qqch; be — that s'étonner que + *subj.*
annoyed fâché; be — at s.o.'s doing s.t. être fâché que + *subj.*
answer *intrans.* répondre; — s.o., s.t. répondre à qqn, à qqch
anxious: be — to tenir à + *inf.*; be — for s.o. to tenir à ce que + *subj.*
apartment appartement *m.*

265

around (*a certain time*)   vers
arrival   arrivée *f.*
arrive   arriver
art: French —   l'art français
as a   comme + *noun*
as for   quant à
as long as   tant que
ask *intrans.*   demander; — a question
poser une question; — s.o. for s.t.
demander qqch à qqn; — s.o. to do
s.t. demander à qqn de + *inf.*
attend s.t.   assister à qqch
aunt   tante *f.*
avoid s.t.   éviter qqch

back: on one's —   au dos
bad   mauvais (*bef. noun*); it's too —
that c'est dommage que + *subj.*
banana   banane *f.*
bathroom   salle (*f.*) de bain
beach: on the —   sur la plage
beautiful   beau (bel), belle, beaux,
belles (*bef. noun*)
because   parce que
before *adv.*   auparavant; *prep.* avant
+ *noun*, avant de + *inf.; conjunction* avant que + *subj.*
begin to   commencer à + *inf.*, se
mettre à + *inf.*
beginning   début   *m.*, commencement *m.*
besides   d'ailleurs
best *adv.*   le mieux
better *adv.*   mieux; — than mieux que
big   grand (*bef. noun*)
bike   vélo *m.*
bit: a — un peu; a — of everything un
peu de tout
blowout   crevaison *f.*
blue   bleu
book   livre *m.*
bore s.o.   ennuyer qqn; be bored
s'ennuyer
borrow s.t. from s.o.   emprunter qqch
à qqn
bother s.o.   déranger qqn
boy   garçon *m.*
breakfast   petit déjeuner *m.; after —
après le petit déjeuner
bring s.t.   apporter qqch
brother   frère *m.*

brush one's teeth   se brosser les dents
buy s.o. s.t.   acheter qqch à qqn; — a
ticket prendre un billet

call a taxi   faire venir un taxi; — up
s.o. donner un coup de téléphone à
qqn
can   *pres. tense of* pouvoir
canoe   canot *m.*
car   auto *f.*, voiture *f.*
carry s.t.   porter qqch
case: in any —   en tout cas
cat   chat *m.*
cathedral   cathédrale *f.*
celebrate one's birthday   fêter sa naissance
certainly   certainement, assurément,
bien sûr
chat   causer
check (*at restaurant*)   addition *f.*
check the tires   vérifier les pneus
child: as a small —   comme petit enfant
choose s.t.   choisir qqch
church   église *f.*
city   ville *f.*
class   classe *f.;* in — en classe
climate   climat *m.*
clock   pendule *f.;* horloge *f.* (*on
wall*); alarm — réveille-matin *m.*
close s.t.   fermer qqch; *intrans.* se
fermer
coffee   café *m.*
cold: it's too —   il fait trop froid
comb one's hair   se peigner les
cheveux
come   venir; — to s.o. venir à qqn (à
+ *pron.*); — back from revenir de;
— back home rentrer; — in entrer;
— out (*book*) paraître
complain   se plaindre; — about s.o.,
s.t. se plaindre de qqn, de qqch
consent to do s.t.   consentir à + *inf.*
convinced   persuadé
corner: on the —   au coin de la rue
cost less than   coûter moins que
country (*France, Russia*)   pays *m.;*
(*as opposed to city*) campagne *f.;*
in the — à la campagne
course   cours *m.;* foreign-language —

cours de langue étrangère; **of course**
naturellement, bien sûr
covered with couvert de
cream crème *f.*

dance danser
dare to oser + *inf.*
date (*appointment*) rendez-vous *m.*
day jour *m.;* journée *f.; the fine summer —s** les beaux jours d'été
depend upon s.o., s.t. dépendre de
qqn, de qqch
detective story roman policier *m.*
dictionary dictionnaire *m.*
die mourir; **— from s.t.** mourir de
qqch
dinner dîner *m.; after —** après le
dîner
discuss s.t. discuter qqch
dishes la vaisselle
do s.t. faire qqch; **— one's best** faire
de son mieux; **— the dishes** faire la
vaisselle; **— the driving** conduire;
— the errands faire les courses; **— the
housework** faire le ménage; **— without s.t.** se passer de qqch
door porte *f.*
doubt s.t. douter de qqch; **— that**
douter que + *subj.*
draw the curtains tirer les rideaux
dress robe *f.*
drive conduire; **— s.o. to the station**
conduire qqn à la gare
dry one's face s'essuyer la figure

early de bonne heure
easy facile
eat manger
eating place établissement *m.*
economize faire des économies
elected: be — être élu
empty vide
end *intrans.* finir, se terminer
end fin *f.* (*conclusion*); bout *m.* (*ex-
tremity*); **at the — of the hall** au
bout du couloir
English: in — en anglais
enjoy s.t. jouir de qqch
enough assez (de + *noun*)
errand course *f.*
especially surtout

evening soir *m.;* soirée *f.; in the —**
le soir; **spend the —** passer la soirée;
this — ce soir
ever jamais (*without* ne)
every chaque + *sing. noun;* tous les,
toutes les + *pl. noun*
exam examen *m.*
expect s.t. s'attendre à qqch; **— to**
s'attendre à + *inf.*, compter + *inf.*
eyes yeux *m. pl.*

fast vite
feel at home se sentir chez soi; **— sick**
se sentir malade
fields: through the — à travers les
champs
fill up one's time remplir son temps
find s.t. trouver qqch; **— him handsome** le trouver beau
fine beau (bel), belle, beaux, belles
(*bef. noun*); **—st** le plus beau
finish s.t. finir qqch; **— doing s.t.** finir
de + *inf.*
fireworks feux (*m. pl.*) d'artifice
first *adj.* premier, première; *adv.*
d'abord
fish poisson *m.*
follow s.o. suivre qqn
forbid s.o. to do s.t. défendre à qqn
de faire qqch
foreign étranger, étrangère
forget s.t. oublier qqch; **— to do s.t.**
oublier de + *inf.*
forgive s.o. for s.t. pardonner qqch à
qqn
four quatre
France: in, to — en France
French: in — en français
friend ami *m.*, amie *f.*, camarade *m.*
or f.
front: in — of devant
fruit fruits *m. pl.*
funny drôle; **a — sort of** un, une,
drôle de; **what a —** quel, quelle
drôle de

game: baseball — partie (*f.*) de base-
ball
garden jardin *m.*
gas (*for car*) essence *f.*
get a haircut se faire couper les che-

veux; — a **letter** recevoir une lettre; — **along with s.o.** s'entendre avec qqn; — **along without s.t.** se passer de qqch; — **back to town** retourner en ville; — **dark** se faire nuit (*subject* il); — **dressed** s'habiller; — **off** descendre (de); — **on** monter (dans); — \ **on s.o.'s nerves** agacer qqn; — **something to eat** prendre quelque chose; — **there** y arriver; — **up** se lever; — **washed** se laver

girl jeune fille *f.;* **little —** petite fille
give s.o. s.t. donner qqch à qqn
glass (*to drink from*) verre *m.*
glove gant *m.*
go (*to a place*) aller, se rendre; (= *leave*) partir, s'en aller; — **away** s'en aller; — **down** descendre; — **home** rentrer; — **in** entrer (dans); — **in swimming** se baigner; — **out** sortir; — **swimming** aller se baigner; — **to s.o.** aller à qqn (à + *pron.*); — **to bed** se coucher; — **to sleep** s'endormir; — **with s.o.** accompagner qqn; **be going to do s.t.** aller + *inf.;* **be going on** se passer
grocery store épicerie *f.*

hair cheveux *m. pl.*
hall, hallway couloir *m.*
handsome beau (bel), beaux
happy content, heureux; **be — with s.t.** être content de qqch
hard *adv.* dur, ferme; *adj.* difficile, dur
have s.t. avoir qqch; — **a blowout** avoir une crevaison; — **a date** avoir rendez-vous; — **blond hair** avoir les cheveux blonds; — **blue eyes** avoir les yeux bleus; — **just** venir de + *inf.;* — **none left** n'en avoir plus; — **s.o. do s.t.** faire + *inf.* (*dir. or indir. obj. of the person*); — **time to** avoir le temps de + *inf.;* — **to** devoir (*with personal subject*), falloir (*subject* il)
hear s.o., s.t. entendre qqn, qqch; — **the alarm ring** entendre sonner le réveille-matin
heating: central — le chauffage central
heavy lourd

help s.o. aider qqn; — **s.o. do s.t.** aider qqn à faire qqch; **I can't —** je ne peux pas m'empêcher de + *inf.*
here ici; — **is, are** voici
hesitate to hésiter à + *inf.*
high haut (*bef. noun*), élevé
home: be — être chez soi, être à la maison
hope that espérer que
hour heure *f.;* —**s** des heures
how comment; — **long** depuis quand, depuis combien de temps; — **many** combien (de + *noun*)
hungry: be — avoir faim
hurry *intrans.* se dépêcher, se presser, se hâter; — **to** se hâter de + *inf.*

ice glace *f.*
illness maladie *f.*
interested: be — in s.t. s'intéresser à qqch
interesting intéressant
intrigue s.o. intriguer qqn
introduce s.o. to s.o. présenter qqn à qqn (*may require* à + *pron.*)
invite s.o. inviter qqn

join s.o. rejoindre qqn
June: in mid-June en mi-juin

keep s.o. from doing s.t. empêcher qqn de + *inf.;* empêcher, éviter que . . . ne + *subj.;* — **on doing s.t.** continuer à + *inf.;* — **up (to date) on s.t.** se mettre, se tenir, au courant de qqch
key clef *f.*
kitchen cuisine *f.*
know s.t. (*as a fact*) savoir qqch; — **how to** savoir + *inf.;* — **s.o.** (*be acquainted*) connaître qqn; — **one another** se connaître
known *adj.* connu

language langue *f.*
large grand (*bef. noun*); **the —st city** la plus grande ville
last: the — le dernier, la dernière; — **night** hier soir; — **year** l'année passée

late tard; **–r** plus tard; **be –** être en
retard
laugh rire; **–** at s.o., s.t. rire de qqn,
de qqch; **make** s.o. **–** faire rire qqn
learn s.t. apprendre qqch; **–** to apprendre à + *inf.*
least: at – du moins (*beginning a
sentence*)
leave *intrans.* partir, s'en aller; **–** (*a
place*) quitter + *dir. obj.*, partir de;
– for (*a place*) partir pour; **–** s.o.
cold laisser qqn indifférent
left *see* turn, have
lesson leçon *f.*
letter lettre *f.*
library bibliothèque *f.*
light up a cigarette allumer une cigarette
lights les lampes
like s.o., s.t. aimer (bien) qqn, qqch;
– to aimer (à) + *inf.*; **–** s.o. to
aimer que + *subj.*
listen *intrans.* écouter; **–** to s.o., s.t.
écouter qqn, qqch
little *adv.* peu (de + *noun*); *adj.*
petit (*bef. noun*)
live (*reside*) habiter, demeurer
long long, longue (*bef. noun*)
look *intrans.* regarder; **–** at s.o., s.t.
regarder qqn, qqch; **–** for s.o., s.t.
chercher qqn, qqch; **–** like s.o. ressembler à qqn
lose s.t. perdre qqch
lot: a – beaucoup; **a –** of beaucoup
de
love s.o. aimer qqn; **–** s.t. adorer
qqch

maid bonne *f.*
make s.t. faire qqch; **–** a date with
s.o. donner rendez-vous à qqn; **–** s.o.
do s.t. faire + *inf.* (*dir. or indir. obj.
of the person*); **–** s.o.'s acquaintance
faire la connaissance de qqn; **–** s.t.
work faire marcher qqch
man homme *m.*
matters: it – little that peu importe
que + *subj.*
may (*permission*) *pres. tense of* pouvoir
May: in – au mois de mai

mean s.t. vouloir dire qqch
meat viande *f.*
menu carte *f.*
mid mi- (*hyphenated to noun*)
midnight minuit; **after –** passé minuit
milk lait *m.*
mirror: in the – dans la glace
miss a train manquer un train
mistake faute *f.*
mistaken: be – se tromper
mistrust s.o., s.t. se méfier de qqn,
de qqch
modern moderne
money argent *m.*
more + *adj. or adv.* plus; **– than**
plus que; plus de + *numeral* (*including* un, une); **–, any –** (*interrogative*) encore; **not any –** ne . . .
plus (de + *noun*); **–** *adv.* davantage
most *adv.* le plus
mother mère *f.*
move (*change residence*) déménager
movies cinéma *m.*
must (*deduction*) devoir + *inf.*;
(*necessity*) devoir, falloir (*impersonal*) + *inf.*
myself (*emphatic*) moi-même

name nom *m.*
near *prep.* près de
nearby tout près, près d'ici
necessary nécessaire; **be –** to falloir
(*impersonal*) + *inf.*; **be –** for s.o.
to falloir que + *subj.*; **it's not –** to
il n'est pas nécessaire de + *inf.*; **the
–** pronoun le pronom qu'il faut
need s.t. avoir besoin de qqch
neighborhood quartier *m.*
never jamais (*requires* ne *with verb*)
new nouveau (nouvel), nouvelle,
nouveaux, nouvelles (*bef. noun*);
brand – neuf, neuve
news les nouvelles; **that –** (*one item*)
cette nouvelle
next *adj.* prochain (*bef. noun*); **– to**
à côté de
night nuit *f.*; **all –** toute la nuit;
last – hier soir
noise bruit *m.*; **it's noisy** il y a du
tapage
no one personne (*requires* ne *with verb*)

northern   du nord
nothing   rien (*requires* ne *with verb*)
novel   roman *m*.
now   maintenant; — **and then**   de temps en temps, de temps à autre

obey s.o.   obéir à qqn
object   objet *m*.
obtain s.t.   obtenir qqch
occasion: on —   à l'occasion
o'clock: one —   une heure; **at four —**   à quatre heures
offer s.o. s.t.   offrir qqch à qqn
often   souvent
old   vieux (vieil), vieille (*bef. noun*); ancien, ancienne; **—er than** (*of a person*)   plus âgé que
only   ne . . . que, seulement
open s.t.   ouvrir qqch; *intrans.* s'ouvrir; **— onto the park**   s'ouvrir, donner, sur le parc
open *adj.*   ouvert
opinion   avis *m*., opinion *f*.
opposed: be — to s.t.   s'opposer à qqch; **be — to s.o.'s doing s.t.**   s'opposer à ce que + *subj*.
order one's dinner   commander son dîner; **— s.o. to do s.t.**   ordonner à qqn de + *inf*.
out: when class is —   au sortir de la classe
overlook s.t. (*excuse it*)   passer qqch (à qqn)

paint s.t.   peindre qqch
paper (*newspaper*)   journal *m*.; **evening —**   journal du soir
parents   parents *m. pl*.
park   parc *m*.
parking   stationnement *m*.
pass an exam   réussir à un examen
pay s.t.   payer qqch; **— attention to s.o.**   faire attention à qqn (à + *pron*.)
pen   stylo *m*.
perfect s.t.   perfectionner qqch
person   personne *f*.
phone *intrans.*   téléphoner; **— s.o.**   téléphoner à qqn, donner un coup de téléphone à qqn
picture   tableau *m*.

picturesque   pittoresque
pipe   pipe *f*.; **the man with the —**   l'homme à la pipe
pity s.o.   plaindre qqn; **it's a — that**   c'est pitié que + *subj*.
plan to do s.t.   compter + *inf*.
plant s.t.   planter qqch
play bridge   jouer au bridge
please s.o.   plaire à qqn
poem   poème *m*.
politics   la politique
possible: it's — that   il se peut, il est possible que + *subj*.
prefer one thing to another   préférer qqch à qqch; **— to**   préférer, aimer mieux + *inf*.
pretty   joli
problem   problème *m*.
prohibited   interdit
pronunciation   prononciation *f*.
put out the lights   éteindre les lampes

quickly   vite
quite   assez, plutôt

radio: on the —   à la radio
rain   pluie *f*.; *verb* pleuvoir (*subject* il)
read s.t.   lire qqch
realize s.t.   se rendre compte de qqch
really   vraiment
recognize s.o.   reconnaître qqn
recording   enregistrement *m*.
red   rouge
refrigerator   frigidaire *m*.
remember s.o., s.t.   se souvenir de qqn, de qqch; se rappeler qqn, qqch
rent s.t.   louer qqch
repaint s.t.   repeindre qqch
required   exigé
return s.t. to s.o.   rendre qqch à qqn
rich   riche
ridiculous   ridicule
right (*as opposed to* wrong)   bon, bonne (*bef. noun*)
right (*direction*)   *see* **turn**
ring   sonner
river   fleuve *m*.
room   pièce *f*. (*general term*); chambre *f*. (*in dormitory, etc.*); *see also*

salle *and* **salon** *in Fr.-Eng. vocabulary*

roommate camarade de chambre

row rang *m.*

rub one's eyes se frotter les yeux

run courir; — **out of gas** avoir une panne d'essence

Russian (*language*) le russe

Saturday samedi; **on —s** le samedi

say s.t. dire qqch

scholarship bourse *f.*

seated: be — (= *sit down*) s'asseoir

see s.o., s.t. voir qqn, qqch

semester semestre *m.*

send s.t. envoyer qqch

serve s.t. servir qqch

set the table mettre la table

several plusieurs (*m. or f.*)

shave s.o. raser qqn; *intrans.* se raser

shock s.o. choquer qqn

show s.o. s.t. montrer qqch à qqn; — **s.o. how to** montrer à qqn à + *inf.*

sick malade

silk soie *f.*

silly ridicule

sing chanter

sister sœur *f.*

sit down s'asseoir; **be sitting** être assis, assise

six: at — à six heures

sleep dormir

small petit (*bef. noun*)

smile sourire; — **at s.o.** sourire à qqn

smoke fumer

so + *adj. or adv.* si; — **many** tant (de + *noun*)

sometimes parfois, quelquefois

sorry: be — regretter; **be — that** regretter que + *subj.;* **be — to** regretter de + *inf.*

south: the — le sud; le Midi (*of France*)

speak parler; — **about, of, s.t.** parler de qqch; — **to s.o.** parler à qqn; — **French** parler français

spend s.t. dépenser (*money*); passer (*time*); — **time doing s.t.** passer du temps à + *inf.*

standing: be — être debout (*adverb, hence invariable*)

start s.t. commencer qqch

station gare *f.* (*for trains*); **gas —** poste (*m.*) d'essence

stay rester; — **out of class** s'absenter de la classe; — **up** veiller

still toujours, encore; **I — don't . . .** je ne . . . toujours pas

stockings bas *m. pl.*

stop s.o. arrêter qqn; *intrans.* s'arrêter; — **doing s.t.** (s')arrêter de + *inf.*, cesser de + *inf.*

store boutique *f.* (*small shop*); magasin *m.;* **department —** grand magasin; **grocery —** épicerie *f.*

story histoire *f.;* **detective —** roman (*m.*) policier

straighten (up) one's room ranger sa chambre

street rue *f.;* **on that —** dans cette rue-là

study étudier

subscribe to s.t. s'abonner à qqch

subway métro *m.*

succeed *intrans.* réussir

suffer souffrir; — **from s.t.** souffrir de qqch

sugar sucre *m.*

summer l'été

sure sûr, certain

surprise s.o. surprendre qqn

sweetly doucement

swim nager

take s.t. prendre qqch; — **a course** suivre un cours; — **advantage of s.t.** profiter de qqch; — **a taxi** prendre un taxi; — **a trip** faire un voyage; — **a walk** faire une promenade, se promener; — **off** (*clothing*) ôter qqch; — **one's choice** faire son choix; — **one's time** prendre son temps; — **place** avoir lieu; — **s.o. out** sortir qqn; — **s.o. somewhere** amener qqn; — **s.t. from the table** prendre qqch sur la table, — **s.t. somewhere** porter qqch; — **the bus, subway, train** prendre l'autobus, le métro, le train; — **time** prendre du temps

talk *intrans.*   parler; — **to s.o.** parler à qqn
taller than (*of a person*)   plus grand que
teach s.o. to do s.t.   apprendre à qqn à + *inf.*
tell s.o. s.t.   dire qqch à qqn; — **s.o. to do s.t.** dire à qqn de + *inf.;* — **a story** raconter une histoire
theater   théâtre *m.*
themselves (*emphatic*)   eux-mêmes, elles-mêmes
then   donc; alors (*at that time*)
there   là; y (*a place already mentioned*); — **is, are** voilà
think   penser, réfléchir; — **of s.o., s.t.** penser à qqn (à + *pron.*), à qqch; — **of doing s.t.** songer à + *inf.;* — **that** croire que; **What do you — of . . . ?** Que pensez-vous de . . . ?
though   pourtant, cependant
Thursday   jeudi
ticket   billet *m.*
tie   cravate *f.*
time   temps *m.;* heure *f.* (*time of day*); fois *f.* (*occasion*); **at the — of** lors de, au moment de; **have — to do s.t.** avoir le temps de + *inf.;* **on —** à l'heure; **in —** à temps; **three —s** trois fois
tire   pneu *m.*
tired   fatigué
today   aujourd'hui
together   ensemble
tomorrow   demain
tonight   ce soir
too (*also*)   aussi; — **bad** dommage; — **much** trop (de + *noun*)
town   ville *f.;* **to, in —** en ville
travel   voyager
trip   voyage *m.*
trouble oneself   se déranger
try to   essayer de + *inf.*, chercher à + *inf.*
turn left   prendre à gauche; — **right** prendre à droite
typewriter   machine (*f.*) à écrire

ugly   laid; **the ugliest woman** la femme la plus laide

umbrella   parapluie *m.*
uncle   oncle *m.*
understand s.t.   comprendre qqch
unlikely   peu probable
use s.t.   se servir de qqch

vacation   vacances *f. pl.*
verb   verbe *m.*
very   très
visit s.o.   faire visite à qqn
vocabulary   vocabulaire *m.*

wait *intrans.*   attendre; — **for s.o., s.t.** attendre qqn, qqch
wake s.o. up   réveiller qqn; — **up** *intrans.* se réveiller
walk *intrans.*   marcher, aller à pied; — **the dog** promener le chien
want s.t.   vouloir, désirer qqch; — **to** vouloir + *inf.;* — **s. o. to** vouloir que + *subj.*
wash s.t.   laver qqch; *intrans.* **get —ed** se laver
waste one's time   perdre son temps
water   eau *f.*
well *adv.*   bien; **well-known** bien connu
What? Comment? — **a . . . !** Quel, Quelle . . . !
whether   si
wife   femme *f.*
window   fenêtre *f.*
wine   vin *m.*
with   avec
wonder   se demander
wonderful   merveilleux, merveilleuse
word   mot *m.*
work   travailler; — **hard** travailler ferme, dur; **make s.o. —** faire travailler qqn; **make s.t. —** faire marcher qqch; *noun* travail *m.;* — **to do** du travail à faire
world   monde *m.*
write *intrans.*   écrire; — **s.t.** écrire qqch; — **s.o.** écrire à qqn
wrong: be — avoir tort; se tromper (*be mistaken*)

year   an *m.;* année *f.*
yet   encore

INDEX

273

Il est when followed by { descrip. Adj
{ UN MODIFIED NOUN

c'est   UN
           UNE
           le
           la
           les
           de
           des
           MON
           sa
           SON

used to

was) .
did } IMPERFECT

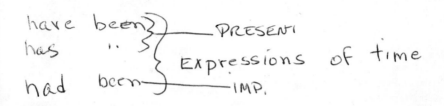

have been) —— PRESENT
has   " } Expressions of time
had   been) —— IMP.

GLOSSARY

Article, definite. A determiner equivalent to English *the* (forms: **le, la, les**). See Determiner.

Article, indefinite. A term used for the determiners **un, une,** and sometimes for plural **des (de)**.

Article, partitive. See Partitive **de**.

Auxiliary verb. Avoir or **être,** when used with a past participle to form compound tenses.

Conditionnel antérieur or *composé.* Compound conditional tense (conditional of the auxiliary + past participle of the verb concerned).

Demonstrative. 1. A determiner which specifies by pointing (forms: **ce, cet, cette, ces**); **-ci** or **-là** may be added to the noun. 2. A pronoun which replaces a noun while retaining **-ci** or **-là** as an essential modifier (giving such forms as **celui-ci, celle-là**).

Determiner. Class name for the part of speech which opens most noun-groups. A *specifying* determiner (a demonstrative, a possessive, or the definite article) refers to a *particular* item. A *nonspecifying* determiner (**un, une; des, de; du, de la, de l'**) refers to *any* item named by the noun.

A *generic* determiner (**le, la, les**) refers to the whole class, or is used with a noun taken abstractly.

Direct object. See Object.

Futur antérieur or *composé.* The compound future tense (future of the auxiliary + the past participle of the verb concerned).

Imparfait. The imperfect tense.

Impersonal verb. 1. Strictly speaking, a verb which can be used only with neuter **il** as subject (**il faut, il pleut**). 2. Any verb when used impersonally —that is, with neuter **il** as subject (**il me semble, il vaut mieux**). 3. **Être** + adjective, in impersonal expressions with neuter **il** as subject.

Indicative. Any tense form which is not subjunctive.

Indirect object. See Object.

Intransitive. See Transitive.

Liaison. 1. Pronouncing the final consonant of one word with the initial vowel of the next word (**cet‿enfant, elle‿arrive‿enfin**). 2. The same phenomenon involving a final consonant not otherwise pronounced (**ces‿enfants, elles‿ont‿attendu**).

Noun-group. A noun with its modifiers.